Spergebied

Van dezelfde auteur
Schaduwspel

Thomas Sanders

Spergebied

A.W. Bruna Uitgevers B.V., Utrecht

Oorspronkelijke titel
The Journeyman

Vertaling
Studio Imago, Erika Venis
Omslagontwerp
Select Interface

ISBN 90 229 8924 0
NUR 330

Proloog

April 1986

De airconditioning in de cabine had het allang begeven. Twee dagen lang hadden we nauwelijks een ander voertuig gezien en ik ging langzaam begrijpen waarom. Je moest wel gek zijn om op deze plek te willen vechten.
Ik had dat ook tegen Kamal, onze chauffeur, gezegd op ons ontmoetingspunt. Dat was als grapje bedoeld, iets om het ijs te breken, maar ik had me niet gerealiseerd dat het de waarheid was.
Ik sloot mijn ogen en dacht aan thuis. In Keulen was het nu lente. De bloembollen en de bomen stonden op het punt te gaan bloeien. Hier was de lente voorgoed verdrongen door de woestijn. De hitte was me meteen tegemoet geslagen toen ik uit het vliegtuig sprong en twee dagen later was ik er nog niet aan gewend. Ik dacht er alleen aan dat ik de klus moest klaren.
Ik keek naar rechts en gluurde door het geopende raampje. Een truck als de onze baande zich een weg door het zand. Hierdoor kwamen mijn ogen vol zand te zitten.
Ik vloekte en wreef het zand weg. Naast me begon Andy te lachen.
'Het is weer eens wat anders,' zei hij.
'Dan wat?' Ik schraapte het stof en slijm uit mijn keel en spuugde uit het raam.
Andy zweeg. Ik bekeek hem eens goed, maar hij was niet te peilen. Ik

dacht over zijn woorden na en lachte inwendig en schudde mijn hoofd. Het was godbetert inderdaad weer eens wat anders.
Om acht soldaten uit het West-Duitse leger te vinden die buiten Duitsland actief waren, moest je terug naar de Tweede Wereldoorlog.
De muziek van Radio Kaddafi, zoals wij de zender noemden, weerklonk op de hete luchtstroom. Uit mijn ooghoek zag ik dat Kamals hoofd meebewoog op de maat.
Plotseling hield Kamal op met luisteren en draaide zich naar me om. Hij grijnsde, waardoor zijn door tabak verkleurde slechte gebit zichtbaar werd. Hij bleef me aankijken terwijl hij op de claxon leunde en een geluid als van een misthoorn weerklonk uit de MAN-truck.
Vrijwel meteen weerklonk het antwoord van de claxons van de twee andere voertuigen. Het was een soort spelletje, waardoor de chauffeurs wakker bleven.
We reden door wat rul zand en de truck maakte een zwabber terwijl Kamal de wielen in bedwang probeerde te houden. De versnellingen kraakten terwijl hij over de pedalen danste. De truck helde over en ik hield mijn adem in. Ik zag dat Mike, die naast de bestuurder geperst zat, de rand van zijn stoel greep. Het was lang geleden dat ik Mike bang had gezien.
Ik keek uit het andere raam en zag de derde truck. Om de tocht wat minder monotoon te maken, raceten Kamal en zijn vrienden op rechte stukken weg, waarbij ze alleen achter elkaar gingen rijden als er een tegenligger naderde. Gelukkig gebeurde dat maar een paar keer.
Het was de vierde dag van onze opdracht en het zand zat overal. Ik voelde het in mijn sokken, onder mijn armen en in mijn kruis, overal waar ik zweette, en telkens als ik bewoog schuurde het tegen mijn huid.
Voorbij de stofwolk die werd opgeworpen door onze voorwielen, voorbij Kamal, zag ik Angel, die met zijn hoofd uit het raam van de vrachtauto links van ons hing.
De vorige avond, toen we waren gestopt om te eten en te slapen, was Angel naar de achterkant van zijn vrachtauto gelopen en had de kranen opengedraaid. Het water spoot naar buiten als in een geiser. Angel begon zich doodgemoedereerd te wassen, niet op de protesten van de chauffeurs lettend, met een stomme grijns op zijn gezicht, terwijl hij keihard *Daddy Cool* zong en wij toekeken en lachten. Hij was er vast door afgekoeld, maar het stofprobleem werd er niet minder door.
Niemand anders had het door. Ik werd langzaam levend gekookt in mijn eigen zweet en ruw gewreven door het zand. De stank in de cabine was ondraaglijk. Ik leunde achterover tegen de hoofdsteun en pro-

beerde aan thuis te denken, maar het lukte niet. Ik wilde mezelf ervan overtuigen dat dit niet echt was, maar de hotsende bewegingen van de truck maakten dat onmogelijk.
Het team was verspreid over drie twaalfassige monsters die richting de Middellandse Zee reden. De trucks leverden water aan de kampen die waren ontstaan rond de oliebronnen van Libië en onderweg waren we een paar vergelijkbare voertuigen tegengekomen die in zuidelijke richting reden.
Kamal liet de claxon nog een keer weergalmen. Ik wachtte op het antwoord van de anderen, maar dit keer bleef het stil. Ik zag dat Kamal rechtop ging zitten. Hij staarde over de rand van het stuur, zijn donkere ogen waren plotseling alert en gefocust.
'Er komt een militair voertuig aan,' zei hij, terwijl hij zich naar mij omdraaide.
De versnellingen knarsten toen Kamal terugschakelde. De twee andere trucks gingen weer achter ons rijden. Ik tuurde door de vieze voorruit, maar zag alleen maar een zandhoos die in de zinderende hitte van veertig graden aan de horizon dartelde.
Langzaam veranderde de zandkolom voor mijn ogen in een voertuig. Een jeep.
'Hoe ver nog?' vroeg ik aan Kamal. Door de schittering was het moeilijk te zeggen. 'Twee, hooguit drie kilometer.'
Het leek veel dichterbij.
Ik draaide me om met een misselijkmakend gevoel in mijn maag, maar Andy had de deken al weggetrokken die over de plank achter onze stoelen hing waarop de drie M16's lagen.
De truck kwam schokkend tot stilstand en Kamal sprong naar buiten. Iedereen bewoog tegelijk terwijl Andy, Mike en ik onze wapens grepen en aan de passagierskant naar buiten sprongen.
De andere trucks waren achter ons gestopt en de chauffeurs liepen naar voren, naar Kamal. In het voorbijgaan zag ik hun ogen. Ze waren doodsbang.
Ik ging onder de tweede truck liggen, die met een kreunend geluid tot stilstand was gekomen in het zand.
De wind veranderde van richting en ik hoorde hoe de drie chauffeurs net deden alsof ze onder de motorkap bezig waren een probleem met Kamals truck op te lossen. Het was het scenario dat we tijdens de tussenstops meerdere malen gerepeteerd hadden. Iedereen wist wat hij moest doen en waar hij moest staan.
Ik hoorde de jeep naderen en het geluid van de banden. Hij bleef stilstaan op de rulle ondergrond aan de andere kant van de truck.

Hoeveel mensen zaten erin? Waren ze gewapend en zo ja, waarmee? Vanuit mijn positie onder de tweede truck kon ik niets zien. Mijn hart bonsde in mijn keel.
Ik keek even naar links en zag dat Carl languit achter de derde en laatste truck ging liggen. De anderen verschuilden zich liever achter of bij de wielen.
Er werd een portier dichtgegooid. Ondanks de hitte had ik kippenvel. Iemand sprak, een onbekende stem, maar de woorden dreven weg op de wind. Ik rook de geur van sigaretten. Gelach golfde om de wielen en de assen.
Toen hoorde ik iets anders. Voetstappen.
Ik ging helemaal plat liggen en zag een paar legerlaarzen aan de andere kant van de truck langs de wielen voorbij komen.
De soldaat kwam naderbij, bleef even staan vlak bij de plek waar ik lag en liep toen weer verder, bij het voertuig vandaan.
Het zweet stond me in de handen. Ik woelde met mijn trekkervinger door het zand.
De soldaat liep tien meter voorbij de truck, bleef toen staan en liep langzaam naar de andere voertuigen. Ik kon hem tot aan zijn middel zien. Hij bleef even stilstaan, alsof hij was afgeleid door iets, waarna hij zich weer half omdraaide, zodat hij uit de wind stond en begon te pissen.
Boem.
Ik zag hoe de laarzen een stap naar achteren deden.
Voetstappen snelden voorbij: het waren Lobo en Tony die naar de voorkant van de colonne renden. Vanuit mijn ooghoek zag ik dat Angel en Chris uit hun schuilplaats tevoorschijn kwamen. Rechts van me vloekte Andy terwijl hij op het punt stond om in actie te komen.
Ik wilde me bewegen, maar het lukte niet. Ik kon alleen maar kijken naar de laarzen van die stomme soldaat. Het zand eromheen was felrood door het bloed.
De soldaat deed een stap naar voren en zakte door zijn knieën. Ik kon zijn gezicht zien: volstrekte verbijstering sprak uit zijn ogen.
Heel even kruisten onze blikken elkaar. Toen viel hij voorover. Carl had hem recht door het hart geschoten.
Toen ik bij de voorkant van Kamals truck kwam, was het allemaal al voorbij. In de tien meter tussen de truck en de jeep lagen drie dode soldaten.
Het enige geluid was afkomstig van Kamal en zijn collega-chauffeurs. Ze lagen voorover op de grond met hun hoofd onder de motor en smeekten wanhopig om genade. De sukkels dachten dat we hen ook zouden neerschieten.

We begroeven de soldaten in een zo diep mogelijke kuil. De jeep was heel wat lastiger kwijt te raken. Gelukkig zag Chris vanaf het dak van een van de voertuigen dat een halve kilometer van de weg een wadi lag. We sleepten de jeep naar de rand, sloegen de radio kapot en rolden de jeep in de wadi. Het was niet ideaal, maar zo was de jeep tenminste niet te zien vanaf de weg.
Ik keek op mijn horloge. Er waren nog geen twintig minuten verstreken sinds het gevecht was begonnen. De kust lag nog altijd op twee dagen rijden en we moesten verder. In de acht jaar dat we deze operaties uitvoerden, was onze grootste vijand vaak de klok gebleken. Deze operatie leek niet anders te zijn. De zesde vloot lag op minder dan 160 kilometer voor de kust. De Amerikanen wachtten op ons.

1

Vijf jaar eerder

Ongeveer zeven maanden na de kostbaarste vergissing van mijn leven kwam Curly me vertellen dat de Ouwe me wilde spreken. De laatste keer dat ik hem had gezien, was toen we samen dronken waren geworden buiten de kazerne en hij me ons nieuwe Speelterrein had laten zien, een afgezonderd, omheind deel van het bos waar de genie haar uiterste best had gedaan om een simulatie te bouwen van de doodsstrook, het stuk niemandsland vol mijnen en versperringen dat in feite het IJzeren Gordijn vormde.

Ik dacht terug aan die dag, een dag vol heftige emoties, een dag vol beloften. Het was twee maanden nadat ik in Oost-Duitsland was ondervraagd. Ik had net aan de Ouwe verteld dat ik een 'legale' oversteek had gemaakt naar het Oosten: geen heimelijke tocht door het niemandsland, gewoon eerst een bezoek aan een bekende van me in Düsseldorf die me van een vals paspoort kon voorzien, vervolgens een vliegtuig naar West-Berlijn en een relatief eenvoudige tocht naar Oost-Berlijn met de U-Bahn.

Achteraf kon ik zelf ook nauwelijks geloven dat ik het had gedaan: het gebouw verkennen waar de SED, de Oost-Duitse Communistische Partij, haar jaarvergadering hield. Maar in de dagen na de dood van Ginger was ik als door een gekte bezeten. Een gekte die ik had uitgebannen door naar het Oosten te gaan en dit op te biechten tegen de Ouwe, waarna Krause in woede was uitgebarsten en we ons daarna samen hadden bezat.

Tot slot had hij me meegenomen naar ons nieuwe Speelterrein en had me een nieuwe start beloofd. Dat was de laatste keer dat ik onze Ouwe had gezien.
Het team had het kwartier in de kazerne mogen behouden, onze kamers in gebouw 1023, het bescheiden hoofdkwartier van het Elitekommando Ost. Maar in de zeven maanden sinds onze missie naar de gevangenis van Rummelsburg was er niet het geringste teken geweest dat we opnieuw in actie zouden komen. De Ouwe was nergens te zien en Curly, zijn schaduw, ontweek onze vragen als we hem tegenkwamen.
We hadden alle acht een trainingsopdracht gekregen binnen de kazerne en hoewel dit in de vijf jaar van ons bestaan als eenheid de norm was geweest tussen missies, leek het dit keer alsof de situatie iets permanents had.
Mijn belangrijkste taak in die periode was het herstel van mijn eigen lijf. Na zeventien dagen ondervraagd te zijn door de Stasi was er veel te doen. Een verblijf van weken in ziekenhuizen in West-Berlijn en Keulen had de fysieke wonden geheeld. Ik sportte elke dag, ging joggen, trainde mijn spieren en werd superfit. Ondertussen voelde ik dat ik ook mentaal weer op krachten kwam.
Niets kon echter het feit veranderen dat we een lid van het team waren kwijtgeraakt onder afgrijselijke omstandigheden.
Vanwege Gingers dood en om wat ze me hadden aangedaan, brandde ik nog altijd van verlangen om wraak te nemen.
Maar op die dag dat de Ouwe me naar de nagebouwde doodsstrook reed, had ik hem beloofd dat ik volgens de regels van het spel zou spelen.
Als tegenprestatie, dacht ik, zou het Elitekommando Ost weer in actie komen; zou ik er deel van mogen uitmaken en het zelfs mogen blijven leiden. Dit vormde een extra stimulans voor mijn trainingsprogramma, de bezoeken aan de sportzaal, de lange, eenzame hardloopsessies door het bos, dat alles zou de moeite waard zijn als we weer in actie mochten komen.
Laat discipline je wraak zijn, had de Ouwe gezegd. En daarna had ik niets meer van hem gehoord.
Maar deze dag had Curly me verteld dat ik me de volgende ochtend om tien uur bij Krause moest melden. Gewoon zomaar, net als vroeger. Wat wilde de Ouwe van me?
Ik wilde het de rest van het team vertellen, maar door de stilte die buiten mijn kamer hing wist ik dat ze verstandig waren geweest: ze waren ergens rustig straalbezopen aan het worden.

Voor Rummelsburg, voor ik gevangen werd genomen, zou ik met hen mee zijn gegaan, maar in de maanden daarna had ik niet zo'n behoefte gehad aan gezelschap. Het zou maanden duren voor mijn relatie met hen weer hersteld was en ik wist dat het nog niet zover was. Ik voelde me klote vanwege de stommiteit die ik had begaan en het had geen zin dat te verhullen.

Welke idioot gaat er nu terug naar een kroeg in het communistische Oosten, op loopafstand van de Muur, op loopafstand van veiligheid, om te drinken op de herinnering aan een overleden vriend?

Praten met de jongens had me goed gedaan. Ze hadden grappen over me gemaakt, vooral Andy, Angel en Chris, ik had ook niets anders verwacht, maar ze wilden ook de details horen: hoe het was om tandenstokers onder je vingernagels gestoken te krijgen en je tanden uitgeboord door een kerel met het uiterlijk en de behendigheid van een beer.

Erover praten was goed voor me geweest, en misschien ook wel voor hen. Behalve de grappen kon ik ook het afgrijzen en de afschuw in hun ogen zien. Maar niet iedereen had evenveel begrip, zoals ik algauw weer zou merken.

Ik pakte mijn jas en liep de kamer uit.

Het was druk toen ik de Krokodil binnen kwam, de officiersmess, maar ik herkende algauw Angels bulderende stem en de hoge lach van Chris ergens aan de andere kant van de met rook gevulde ruimte. Ik bestelde een glas bier en ging in een van de cabines zitten, om daar in stilte te kunnen drinken. Maar Andy zag me en riep dat ik bij hen moest komen. Aarzelend gaf ik toe. Ik kon zien dat het feest in volle gang was.

Ik was nog niet gaan zitten of Lobo stond op en maakte een spottende buiging.

'Op Jackson, onze baas, de eikel die terugging voor een borrel en zeventien dagen in een communistisch hotel moest boeten voor zijn vergissing.'

Angel sprong op, waarbij hij zowat zijn cola morste, en wees beschuldigend naar Lobo. 'Hou je bek, klootzak.'

Lobo keek even opzij naar Carl en Tony en lachte meesmuilend. 'Goed hoor.'

'Je bent bezopen, Lobo,' zei Chris. 'Hou je koest en laat hem met rust.'

Lobo ging weer zitten. Hij was nooit echt gelukkig geweest met mijn leiderschap en als hij er een paar te veel op had, mocht hij graag wat zout in de wonde strooien.

Toen iedereen weer wat bedaard was, wendde ik me tot Andy en vertelde hem dat Krause me wilde zien.

'Enig idee wat hij wil?'
Ik schudde het hoofd. 'Ik zou het werkelijk niet weten, maar ik zou er niet te veel van verwachten als ik jou was.'
'Denk je dat hij ons zal ontbinden?'
Ik haalde mijn schouders op. Ik wist het niet. Maar de voortekenen waren niet gunstig. Het nietsdoen had een vernietigende kracht op de eenheid. Niemand van ons was ouder dan 27, maar na de dood van Ginger leken we wel tien, vijftien jaar ouder.

Even voor tienen zat ik in Curly's wachtkamer. Ik was zo zenuwachtig dat ik niet eens kon roken. Mijn grootste vrees was dat Krause twijfels had over mijn positie binnen het team en op het punt stond me slecht nieuws te geven. Terwijl ik zat te wachten tot de grote wijzer bij de twaalf kwam, kon ik zien dat Curly, Krauses blindelings gehoorzame adjudant, heel bewust oogcontact met me vermeed. Ik wist zeker dat mijn lot al lang beslist was.
De telefoon ging. Curly nam de hoorn van de haak, luisterde even en legde de hoorn zonder iets te zeggen weer neer. Hij gebaarde me naar de deur.
Ik stond op, klopte eenmaal en liep naar binnen.
In het halve jaar dat ik niet in deze kamer was geweest, was er niets veranderd. De oude leunstoelen en het tapijt hadden nog altijd hetzelfde bekende muffige geurtje en de houten paneelmuren roken naar houtwas. De eerste keer dat ik in Krauses kantoor kwam, was ik diep onder de indruk geweest. De kamer, en de man zelf, waren zo volstrekt anders dan alle andere dingen die ik bij de Bundeswehr had meegemaakt, dat het van begin af aan geen punt was geweest om in zijn wereld op te gaan.
Toen ik de deur achter me dichtdeed, keek Krause op en ging vervolgens weer verder met de paparassen op zijn bureau. Zijn jasje hing open en zijn das zat los. De afgelopen jaren had ik me in zijn aanwezigheid nooit gestoord aan formaliteiten, omdat hij dat gevraagd had, maar deze keer was mijn uniform brandschoon en in de plooi. Ik liep naar zijn bureau en salueerde.
'Ik dacht dat ik gezegd had dat je die onzin achterwege moest laten,' zei hij zonder op te kijken.
Ik liet mijn arm zakken en ging in rust staan. De punt van zijn pen kraste over het papier van een rapport dat hij aan het schrijven was. Ik probeerde te zien wat hij schreef, maar vanuit mijn positie, met de zon in mijn ogen, kon ik het niet lezen. In plaats daarvan werd mijn blik getrokken door de foto van het gezin van de kolonel die rechts

op het bureau stond. Bij onze laatste ontmoeting, vlak voordat hij me het nieuwe Speelterrein had laten zien, had de Ouwe me verteld dat zijn gezin bij een auto-ongeluk was omgekomen, even voor hij de opdracht had gekregen om onze eenheid samen te stellen. Op dat moment had ik beseft dat we veel meer voor hem betekenden dan gewoon wat manschappen. Het was echt zoals hij had gezegd op de dag dat hij ons bijeenriep en vertelde over de opdracht van het Elitekommando Ost: we waren een gezin, goedschiks of kwaadschiks.

Krause hield op met schrijven, legde het rapport in de bovenste la van zijn bureau en keek me aan. 'Hoe gaat het?' vroeg hij. 'Ik heb je zien trainen. Je ziet eruit alsof je het uiterste van jezelf vergt.'

'Ja, mijnheer, dat klopt,' zei ik, terwijl ik me afvroeg hoeveel geneuzel ik nog moest aanhoren voor hij terzake kwam. 'Ik geloof niet dat ik ooit fitter ben geweest.'

'Goed zo,' knikte Krause. 'En de rest van het team? Hoe zit het met hen? Ze vervelen zich vast. Ik had eigenlijk wel wat klachten verwacht van de plaatselijke kroegen en cafés, maar het lijkt erop dat jullie je hebben gedragen.'

'Het is niet zoals het was,' zei ik kortaf.

Krause zei een tijdje niets. Toen boog hij zich over zijn bureau en pakte een sigaar uit de doos die hij altijd onder handbereik had staan. Hij bood mij er een aan, maar ik schudde mijn hoofd.

'De dood van Ginger heeft ons allemaal geraakt,' zei hij. 'En ik zal niet ontkennen dat jouw gevangenneming het moreel weinig goed heeft gedaan. Hoe gaat het ermee?'

We hadden het al over mijn fysieke gezondheid gehad, dus ik kwam meteen terzake. 'Het gaat prima,' zei ik. 'Uitstekend, geen nachtmerries, niets.'

'En Sabine?' vroeg hij, 'hoe gaat het met haar?'

Ik keek hem aan. 'Ik zou het niet weten, mijnheer. We praten de laatste tijd eigenlijk alleen maar via onze advocaten.'

'Ik weet hoeveel je van haar hield, Sanders. Dat was voor iedereen duidelijk.'

'Tja, dat is allemaal over en uit,' zei ik. 'Doordat ik geen vrouw meer heb, was het gemakkelijker om me te concentreren op de andere dingen, zoals trainen.'

Sinds Sabine zeven maanden geleden bij me was weggegaan, huurde ik een appartementje in een dorpje op ongeveer veertig minuten rijden van de kazerne. Het was heel wat anders dan het huisje aan de rand van het bosgebied bij Mainz dat we samen met veel moeite en liefde hadden opgeknapt en verbouwd. Ik ging af en toe naar het apparte-

ment om mijn kleren te wassen en te niksen, maar verder kwam ik er amper. Ik bleef liever in de kazerne, ondanks de belabberde sfeer die als een sluier over het team hing. Ik werd verscheurd door twijfels en had het vermoeden dat de Ouwe precies wist hoe ik me voelde.
Sabine was mijn grote liefde geweest, maar onze relatie was bezweken onder de onvermijdelijke druk van het Elitekommando Ost, lang voordat ik gepakt was door de Stasi.
Voor Sabine was de aanblik van mij in het ziekenhuis de laatste druppel geweest. Ze had nog eenmaal gevraagd wat ik nu werkelijk deed, wat ik voor haar verzweeg. Maar net zoals alle vorige keren had ik nonchalant gedaan. Het was een ongeluk bij het trainen geweest, net als bij Ginger. Liegen tegen de mensen die me dierbaar waren was een aspect van het werk waar ik nooit aan had kunnen wennen.
Ik keek de Ouwe aan. 'Vanmiddag om vier uur zal ik je voorstellen aan een nieuw lid van het team,' zei hij.
Ik had het gevoel alsof iemand een bijl tussen mijn ogen had geslagen. 'Mijnheer?'
'Hij heet Peter en hij is van de *Feldspahkompanie*,' zei Krause. 'Hij is een goed soldaat met een voorbeeldige staat van dienst.'
'Een nieuw teamlid...?' Ik moest het allemaal nog laten doordringen. Krauses simpele mededeling kon van alles betekenen.
'Wat er met jou en Ginger is gebeurd, behoort tot het verleden,' zei hij. 'We moeten weer verder. Peter zal jullie daarbij helpen. Negen is een mooi getal, Jackson. Het werkte in het begin goed en het zal opnieuw goed werken. Meld je om vier uur bij mijn kantoor. Peter zal er ook zijn, dan kun je hem even zien en een beetje kennismaken. Hoe je hem aan de anderen voorstelt, is jouw zaak.' Hij wuifde met zijn hand. De bespreking was voorbij.
Ik slenterde terug door de gang tot ik bij Andy's kamer kwam. Andreas had net gedoucht. Hij droeg boxershorts en had een handdoek om zijn schouders. Zijn kleren lagen netjes uitgespreid op het lege bed aan de andere kant van de kamer.
Sinds de dood van Ginger had Andy een kamer voor zichzelf gehad. Alle anderen sliepen met z'n tweeën, behalve ik. Omdat ik de enige officier was, had ik een eigen kamer.
'Wat is er, Jackson? Je ziet eruit alsof je een spook gezien hebt.'
'Ik geloof dat je ruimte moet maken voor een kamergenoot,' zei ik.
'Waar heb je het over?'
Ik vertelde hem wat de Ouwe mij net had gezegd. 'Hij heet Peter en hij zit bij de Feldspahkompanie. Meer weet ik niet.'
Ik wist wel dat dit al meteen voor een afstand zou zorgen. De Feld-

spahkompanie was het enige onderdeel van het West-Duitse leger dat in de buurt kwam van een speciale eenheid. GSG 9, de eenheid die in oktober 1977 een Boeing 737 van Lufthansa had bestormd op het vliegveld van Mogadishu, was in feite een politie-eenheid. De Feldspahkompanie had als taak om verwarring te stichten achter de Russische linies in het geval dat de Sovjets West-Europa aanvielen.
Met uitzondering van Angel, die marinier was, waren alle leden van het Elitekommando Ost afkomstig van de paratroepen.
'Waar is de Ouwe mee bezig? Alles is prima zo. We hebben niemand nodig.'
Ergens was ik het met hem eens. Maar inwendig voelde ik een opwinding die ik maanden niet gevoeld had. Het gesprek met de Ouwe was in meerdere opzichten een openbaring geweest. Niet alleen was het team weer terug in actie, het leek er ook op dat ik nog de leiding had.

2

De Ouwe zat in zijn gebruikelijke houding: voorover gebogen, met een sigaar in zijn hand, das en kraag losgeknoopt. Hij las een rapport.

Voor zijn bureau, rechtop in zijn stoel, zat een sergeant uit de Feldspahkompanie in groot tenue, zijn hoofd wat opzij, waardoor ik hem en profiel kon zien. Hij zag er slank en fit uit, wat ik ook verwachtte. Zijn haar was kort, zoals van een Amerikaanse marinier. Toen ik de deur achter me dichtdeed, stond hij razendsnel op, waarbij hij zowat zijn stoel omver gooide. Zodra hij mijn luitenantsterren zag, sprong hij in de houding. Mijn blik gleed van hem naar de kolonel.

Krause glimlachte besmuikt naar me. 'Ha, Jackson, kom binnen en ga zitten,' zei hij.

Ik salueerde ontspannen en liep naar het bureau. Er stonden twee stoelen voor, maar aan het gezicht van Peter te zien, kwam mijn komst voor hem als een verrassing.

'U kunt gaan zitten, sergeant,' zei Krause, terwijl hij Peter aankeek. 'Luitenant Sanders houdt niet van al die poespas, toch, Jackson?'

Ik glimlachte en stak een sigaret op. Ik keek naar de kolonel, maar ik kon de radertjes in Peters hoofd bijna horen tikken. Niemand rookte in het bijzijn van een kolonel. En luitenants in de Bundeswehr heetten meestal niet 'Jackson'. Dit waren maar een paar van de dingen die Peter zou moeten leren over onze eenheid en ik had heel even medelijden met hem. Onze twee jaar training in Amerika had voor de esprit de corps binnen het team gezorgd. Ik had er ook mijn bijnaam aan te dan-

ken. Jackson was afkomstig van het nummer van Johnny Cash dat ik daar altijd zong. Iedereen was gek geworden van het wijsje en de naam was blijven hangen.
De Ouwe begon het rapport voor te lezen. Het bevatte de opvallendste hoogtepunten uit de carrière van Peter. Hij was ongeveer tegelijk met ons in dienst getreden en had zich op zijn 24e aangemeld voor de FSK. Sinds die tijd had hij hard getraind op infiltratie en exfiltratietechnieken. Bovendien was hij een volleerd bergbeklimmer. Hij was net 27 geworden.
Terwijl de Ouwe voorlas uit het rapport, keek ik af en toe naar Peter. Hij leek zich te schamen. Hij moest harder worden, dacht ik, want anders zou Angel de vloer met hem aanvegen.
Toen hij klaar was, wendde Krause zich tot Peter en vroeg hem buiten te wachten terwijl wij praatten. Zodra de deur dichtging, vroeg de Ouwe me wat ik dacht.
'Dat is lastig te zeggen als ik hem nog niet eens heb horen praten. Hij lijkt aan de voorwaarden te voldoen, op papier althans.' Ik wachtte even. 'Maar u hebt al besloten, nietwaar?'
De Ouwe leunde achterover in zijn stoel. 'Ik vind dat jullie weer met z'n negenen moeten zijn. De rest laat ik aan jou over.'
'Dat komt op mij over alsof het een uitgemaakte zaak is.'
'Helemaal niet,' gaf de Ouwe te kennen, terwijl hij me strak aankeek. 'Kijk maar of het met hem lukt. Als het gaat, mooi, dan zit hij erbij. Als het niet gaat, tja, dan moeten we nog eens nadenken. Hou me op de hoogte, Jackson. O, en hou je een beetje in, wil je? Hij lijkt me een geschikte vent.'
Ik zag Peter weer in de kamer van Curly. Het had jaren geduurd voordat we een band met Curly hadden opgebouwd. Hij had het natuurlijk niet prettig gevonden dat we hem in het begin genadeloos hadden afgezeken over zijn haar, of liever het gebrek eraan. Uiteindelijk had Curly het opgegeven om de flinke kale plek op zijn hoofd te bedekken met opzij gekamde plukjes haar. Terwijl ik de deur dichtdeed, kon ik zien hoe hij Peter argwanend aankeek.
De nieuweling stond wat te schuifelen.
'Hoi,' zei ik en ik stak mijn hand uit, 'ik ben Jackson.'
Verdomd als het niet waar is, maar hij sprong weer in de houding. Ik trok een gezicht en wuifde zijn saluut weg. Vervolgens pakte ik hem bij de arm en trok hem de gang in.
'Luister,' zei ik, terwijl we naar onze barak liepen. 'De Ouwe heeft het al gezegd. We zijn hier niet zo voor die formaliteiten. We zijn er zelfs op tegen.'

Hij lachte wat ongemakkelijk en stak toen zijn hand uit. Ik gaf hem een hand.
'Ik heet Peter Kieseler,' zei hij. 'Ik ben blij dat ik hier ben en het is prettig om u te ontmoeten.'
Inwendig kreunde ik. Kieseler kwam uit Beieren en dat was goed te horen ook. Door een bizar toeval kwamen wij alle acht uit het geïndustrialiseerde noorden, waar Beiers steevast het onderwerp van grappen vormden. Inwoners van Beieren werden afgebeeld als stomme boeren die achteraan hadden gestaan toen de hersencellen werden uitgedeeld. Jezus. Angel zou inderdaad de vloer met hem aanvegen.
We liepen Andy's kamer binnen en ik stelde ze aan elkaar voor. Andy was heel nadrukkelijk zijn spullen aan het opruimen, waarbij hij ze van de ene kant naar de andere gooide. Zolang hij Kieseler maar geen hand hoefde te geven. Kieseler keek rond en ging op zijn bed zitten om de matras te testen. Hij leek tevreden te zijn.
'Ik ga de rest van de jongens halen,' zei ik.
Ze zaten in de kamer van Chris en Angel. Ze zagen eruit als nieuwsgierige schooljongens en waren gekleed in wat zo'n beetje ons standaarduniform was: jeans en T-shirts.
Ze vuurden direct een spervuur van vragen op me af over de nieuweling.
'Voorlopig hoeven jullie maar één ding te weten,' zei ik. 'Hij komt uit Beieren.'
Het was even stil en toen begon het gegrinnik.
'Sodeju, een geitenneuker,' zei Tony.
Lobo keek naar Angel. 'Ik zou je deur maar dichtdoen vannacht, anders krijg je nog gezelschap.'
'Erg grappig,' zei Angel.
Ik rolde met mijn ogen. Kieselers lot was bezegeld nog voor ze hem hadden ontmoet.
Vreemd genoeg was iedereen toen ze zich voorstelden onnatuurlijk kortaf en beleefd. Ze stonden in de rij om de nieuweling een hand te geven en gingen daarna om hem heen zitten en staarden hem aan alsof hij een dier in de dierentuin was, terwijl Peter iedereen bekeek, ongemakkelijk glimlachend, en wachtte tot iemand iets zei. Uiteindelijk doorbrak Angel de stilte.
'Hé, Kieseler,' zei hij, 'ik heb ooit in een encyclopedie gelezen dat jullie in Beieren bier drinken zoals koeien water. Heb je zin om je spullen hier te laten en mee te komen naar de Krokodil om te zien of die encyclopedie gelijk heeft?'
'Krokodil?' vroeg Peter.

'De officiersbar,' zei ik. 'Deze eikels zijn er op de een of andere manier in geslaagd om ook lid te worden.'
Een kwartier later zaten we om een tafeltje met ieder een flesje bier. Peter zag er nog altijd geschrokken uit. We hieven ons glas, klonken en namen een slok. Zelfs Angel, die normaal nooit dronk, had een Becks. Hij dronk alleen bij speciale gelegenheden.
'Weet je,' zei Peter, toen hij terugkwam van de bar met zijn armen vol drank, 'in de FSK kan het er soms vrij onorthodox aan toegaan, ons uiterlijk en zo, maar ik heb het idee dat de FSK eigenlijk maar heel gewoontjes is vergeleken met jullie.' Hij lachte, bracht een toast uit op afwezige vrienden en nieuwe vrienden en nam een slok. Het was goed om hem te zien ontspannen. Misschien, dacht ik, zou het toch goed komen.
'Vertel eens,' ging Peter verder, 'wat doen jullie nou eigenlijk precies?'
'Heeft de Ouwe je dat niet verteld?' vroeg ik.
Peter keek me aan met een uitdrukkingsloze blik. 'Nee, hij zei dat jij dat zou doen.'
Ik keek Andy aan. Wat moesten we zeggen? Wij hadden ruim vijf jaar de tijd gehad om te laten doordringen wat de West-Duitse regering precies van ons verwachtte, waarom we waren samengebracht.
We waren uit onze eenheden geplukt en naar Amerika gestuurd om te trainen, na een selectieproces waarbij we opzettelijk in het ongewisse waren gelaten. Na twee jaar in de Verenigde Staten hadden we nog steeds geen aanwijzingen dat we iets bijzonders zouden gaan doen. Pas toen we terugkeerden naar West-Duitsland drong het tot ons door dat we als één team zouden moeten werken. Tot die tijd waren we ervan overtuigd geweest dat we verspreid zouden worden over de Bundeswehr om onze in Amerika opgedane kennis overal in te zetten. Ik dacht aan de dag dat ik aankwam bij dit gebouw, even onwetend van wat er ging gebeuren als Peter, en mijn acht maten tegenkwam, de mensen met wie ik net twee jaar had getraind in Amerika. De volgende dag meldde ik me bij Krause, die me prompt op de proef stelde: het overbrengen van een Oost-Berlijnse wetenschapper en zijn gezin. Het werd gebracht als iets waar ik onderuit kon als ik wilde, maar ik aanvaardde de opdracht gretig. Ik was nauwelijks droog achter de oren en dit was het soort avontuurlijke werk dat ik niet gedacht had ooit te zullen doen in de Bundeswehr, dat na de Tweede Wereldoorlog als vredesmacht was opgezet, en toch was het precies wat ik altijd had willen doen.
Zodra ik de inwijdingstest had doorstaan, kreeg ik de leiding over het team en vlak daarna ontvingen we onze eerste opdracht, gevolgd door

andere, allemaal in de onstuimige periode dat de Russen Afghanistan invielen, toen het leek alsof de Koude Oorlog elk moment kon opwarmen. Het had zijn hoogtepunt bereikt bij mijn gevangenneming na de uitbraak uit Rummelsburg, de zwaar beveiligde gevangenis in Oost-Berlijn.
Ik wendde me tot Peter, die nog altijd vol verwachting op een antwoord zat te wachtten. Als ik hem nu, hier, alles zou vertellen, zou het te veel zijn om allemaal in één keer te verwerken. Ik veranderde van onderwerp en vroeg of hij getrouwd was en kinderen had. Maar Peter bleef doorvragen.
Uiteindelijk bracht Angel de situatie ten einde. Normaal dronk hij nooit, maar nu wel en de paar biertjes die hij op had, waren hem direct naar het hoofd gestegen.
Angel zette zijn flesje Becks met een klap op tafel, Peter midden in een zin onderbrekend.
'Wil je weten wat we doen, boerenknul?' Hij leunde over de tafel en staarde met toegeknepen ogen naar de nieuwe rekruut. 'Ik ben je vragen aardig zat. Leren ze in Beieren geen manieren?' Hij nam nog een slok bier. 'Het wordt tijd dat iemand je vertelt wat we hier zoal doen. Ouwe Angel zal je wel de waarheid vertellen.'
Peter leunde naar voren en wachtte. Ik huiverde inwendig. Het leek erop dat Angel op het punt stond de hele zaak te verklappen.
'Ons werk, eens zien,' zei Angel, en hij aaide over zijn week oude stoppelbaard, 'laten we zeggen dat we af en toe de grens oversteken naar onze vriendinnetjes in het Oosten. Omdat we er dan toch zijn, vraagt de Ouwe of we niet ook hier en daar een raffinaderij of elektriciteitscentrale kunnen opblazen.'
Peter keek Angel indringend aan. Vervolgens barstte hij in lachen uit. 'Dat is grappig,' zei hij. 'Heel grappig. Vriendinnetjes, ja ja.' Hij bleef in zichzelf lachen. 'En elektriciteitscentrales.' Hij schudde het hoofd. 'Ik merk dat ik bij een flink stel grappenmakers terecht ben gekomen.' Hij hief zijn fles. 'Proost.'
Zonder iets te zeggen, hieven wij onze flesjes en dronken.

3

Gedurende twee weken deden we onze 'gebruikelijke' taken: trainen, rekruten instrueren en in vorm blijven, en dat allemaal met Peter in ons kielzog.
Na die avond in de Krokodil was het duidelijk dat hij nog altijd niet echt doorhad wat het team deed of waarom hij het nieuwe lid was. Ik begon het gevoel te krijgen dat ik opnieuw deelnam aan een initiatietest van de Ouwe, en misschien was dat ook wel zo. Dit gedoe met Peter kon twee kanten op, zoveel had de Ouwe me wel verteld na de ontmoeting in zijn kantoor. Peter moest zelf in zijn eigen tempo het ware doel van het team zien te ontdekken en wij moesten van hem overtuigd raken. Dat proces viel niet te versnellen.
Als er stront aan de knikker was, zoals in de afgelopen vijf jaar een paar keer gebeurd was, wist ieder van ons dat hij op de ander kon vertrouwen om eruit te komen. Ik wist dat ik mijn zeven collega's onvoorwaardelijk kon vertrouwen, maar gold dat ook voor Peter?
Kalmpjes aan, Sanders, zei ik tegen mezelf. Er was geen enkele reden om te haasten.
Na twee weken vond ik dat het tijd was dat Peter kennismaakte met het Speelterrein. Lang geleden hadden we ooit tegen de Ouwe gezegd dat we een terrein nodig hadden dat ver van de kazerne lag waar we de technieken konden oefenen om heimelijk het Oosten binnen te komen. Op een dag had Curly ons naar een oude schroothoop gebracht, diep in het bos. Nadat we alle overbodige rotzooi hadden weggegooid en een beetje hadden opgeruimd, werd het haast een symbool voor ons

team: een plek, ver van nieuwsgierige ogen, waar we ons konden laten gaan als we dat wilden (we hadden een koelkast vol bier in een van de opslagkamers staan) en trainen als we dat moesten.
Er stonden oude voertuigen waar we de bevrijding van gijzelaars konden simuleren, gebouwen waar we onze bestormingtechnieken konden bijhouden. Het pièce de résistance was een omheind stuk land dat het niemandsland moest voorstellen.
De doodsstrook was een meerlagig defensiemiddel, althans zo noemden de Oost-Duiters het. Uiteraard was het niet de bedoeling om westerlingen buiten te houden, maar om de bewoners van het Oosten binnen te houden.
De strook varieerde afhankelijk van waar je was. In Berlijn lag de strook naast de Muur, die het laatste obstakel vormde voor iedere vluchteling. Voor ze bij de Muur kwamen, hadden de vluchtelingen echter een verboden gebied, een draadhek, een hek onder stroom, een niemandsland van geharkt zand waar ze zonder pardon konden worden neergeschoten en een reeks voertuigobstakels en greppels moesten oversteken.
Op het platteland wachtte wie dapper of wanhopig genoeg was om te willen vluchten een nog uitgebreidere reeks afweermiddelen. Hier lieten de Oost-Duitse grenswachten zich helemaal gaan. Deze stukken van het IJzeren Gordijn liepen door afgelegen gebieden, waar de grenswachten mijnen en andere boobytraps konden plaatsen, dingen die bij het afgaan in Berlijn een minder goede indruk zouden hebben gemaakt. Onze spionnen zorgden ervoor dat we de technieken van de grenswachten vrijwel allemaal op ons duimpje kenden, maar het was veel werk om ze bij te blijven. De boobytraps werden steeds verder ontwikkeld. Je moest bijblijven, anders werd het je dood.
Zo was er bijvoorbeeld een fragmentatiegranaat op een houten pin die geactiveerd werd door een struikeldraad. Deze dingen waren binnen een straal van dertig meter dodelijk.
Dan had je de Russische versie van de Claymore. Dit waren paraboolvormige ladingen die scherven afvuurden op alles wat binnen de dodelijke radius van vijftig meter kwam. Ook deze schoonheden werden geactiveerd door struikeldraad.
Een andere favoriet lag een paar centimeter onder het aangeharkte zand begraven. Wanneer je erop ging staan, activeerde je het verfijnde mechanisme. De ontsteker zette een timer in werking die ervoor zorgde dat de mijn pas afging als het slachtoffer al een paar meter verder was. Een krachtige veer schoot de mijn dan ongeveer een meter omhoog, waarna hij explodeerde en het slachtoffer in stukken gereten

werd. Net als de Claymore waren de scherven dodelijk binnen een straal van vijftig meter.
Een ander geliefd wapen van de doodsstrook was een door een sensor geactiveerd wapen dat over een gebied van 45 graden kogels verspreidde.
Ironisch genoeg waren de mijnen een soort reserve als het primaire defensiesysteem van de doodsstrook, de wachtposten, je niet te pakken kregen. De wachtposten patrouilleerden langs de grens, vaak met honden, en keken er over uit vanaf wachttorens. Er was geen centimeter die niet door een wachttoren bewaakt werd. Ze waren zo ontworpen dat de vuurlinies elkaar overal kruisten; als je probeerde over te steken, werd je van twee kanten belaagd als ze je zagen, waardoor oversteken onmogelijk was.
We waren twee keer overgestoken en we waren twee keer teruggekomen. Maar tegen een hoge prijs.
Ginger was getroffen door een mijn. In de verwarring van het moment, toen de grenswachten het vuur hadden geopend en wij terugschoten, was Ginger op de een of andere manier gevallen. De mijn kon nergens heen en was onder hem ontploft. Van zijn onderlichaam was niets meer over.

Het vervangen van ons oude Speelterrein door een speciaal gemaakte faciliteit was symbolisch voor mijn herstel en ik wilde Peter dan ook hier testen.
Het zag er onmogelijk uit. We reden naar een toegangshek in onze twee busjes en een bewaker controleerde onze papieren.
Peter zat naast me achter in de tweede bus. 'Waar zijn we?' vroeg hij.
'Geduld,' zei ik, terwijl de bewaker me mijn pasje teruggaf. 'Als FSK'er zul je dit denk ik wel kunnen waarderen.'
We parkeerden de auto en stapten uit. Het was vroeg en het was koud. Onze adem was zichtbaar. Ik pakte mijn spullen uit de achterbak en liep ermee weg. Ik hoorde Peter achter me aan komen terwijl we van het parkeerterrein af liepen, dieper het bos in.
Plotseling waren er geen bomen meer en stonden we voor het terrein. De eerste keer dat ik het zag, was ik diep onder de indruk geweest, die avond toen de Ouwe me hier naartoe had gebracht na onze gigantische ruzie over de keer dat ik naar het Oosten was gegaan om het gebouw waar de SED zou vergaderen te verkennen. Inmiddels was het voltooid en ik kon het maar met moeite van echt onderscheiden.
Achter het draadhek dat de buitenste laag van het IJzeren Gordijn

vormde, reikte een wachttoren naar de betrokken lucht. Er zat niemand in, maar het leek niettemin net alsof we bekeken werden. Er zat een zoeklicht op en hij zag er net zo realistisch uit als een echte toren.
Aan de voet vormde het fijne laagje aangeharkt zand een verraderlijk contrast met het draad en de waarschuwingsborden die als afschrikking moesten dienen.
Het nieuwe Speelterrein klopte tot in het kleinste detail. Hier waren geen rustplekjes, nergens waar we een krat bier konden verstoppen en konden ontspannen na een lange dag werken op de doodsstrook. Dit was een en al werk.
Ik observeerde Peter aandachtig toen we uit het bos kwamen en naar het eerste draadhek liepen. Wat zou er door hem heen gaan, vroeg ik me af.
Voordat de nieuweling iets kon zeggen, kwam Chris naar voren en gooide zijn tas voor onze voeten. Hij blies op zijn handen, wreef ze stevig over elkaar en sloeg zijn arm vriendschappelijk om Peters schouders. Vanwege zijn afmetingen, Chris werd de parkeermeter genoemd, was dit een komisch gezicht.
'Beste vriend,' begon Chris, 'vandaag krijg je een indruk van wat ik doe. Jullie van de FSK zijn vrij goed in infiltreren heb ik gehoord, dus waarom laat je niet wat van je kunsten zien? Laat me maar eens zien hoe goed je naar de overkant kunt komen van ons veldje hier.' Hij gebaarde met zijn ene arm terwijl hij met de andere in zijn tas bleef rommelen.
'Maar dit ziet eruit als de doodsstrook,' zei Peter.
'Wat jou betreft ís dit de doodsstrook,' zei ik. 'Het is zo gebouwd dat het zo veel mogelijk op het echte ding lijkt.'
Ik meende dat ik een lichtje zag opgaan in Peters ogen. Misschien dacht hij terug aan onze eerste avond samen, toen Angel hem had verteld over onze missie. Toen had hij ons niet geloofd. Dacht hij nog altijd dat we hem in het ootje namen?
'Wat moet ik doen?' vroeg hij, terwijl hij van Chris naar mij keek.
'Naar de overkant komen,' zei Chris. 'Je mag er zo lang over doen als je wilt.' Hij gaf Peter een betonschaar, stond op en liep naar waar de anderen stonden. Angel had een grote thermosfles met koffie die hij in bekertjes schonk en uitdeelde. Lobo gooide een pak koekjes naar Carl.
Peter keek naar de betonschaar en vervolgens naar zijn publiek. Zijn ogen werden kleiner. Ik zag dat hij van plan was om het goed te doen, een prestatie te leveren waar de FSK, zijn oude regiment, trots op kon zijn.

Hij liep langzaam naar het draadhek. Vlak voor het hek stond hij stil, hij ging op zijn hurken zitten en keek naar de doodsstrook. Een meter voorbij het draadhek stond een geëlektriseerd hek: twintig fijne horizontale draden die vanaf de grond parallel liepen. Wanneer je er een aanraakte ging in de dichtstbijzijnde toren een signaal af dat er iemand op de doodsstrook was. Peter schudde het hoofd en liep naar het eerste hek.
Ik kon zijn gedachten bijna lezen, ik weet zeker dat ik zelf ook zo gedacht zou hebben: het buitenste hek was gewoon een kwestie van knippen en naar achteren vouwen, het elektrische hek kwam later wel. Benader de obstakels stuk voor stuk.
Hij hield de betonschaar bij het hek en knipte.
Een claxon weerklonk zo hard dat een roedel houtduiven opstoof uit de bomen achter ons. Dertig meter naar links knipperde een geel licht boven op een houten omheiningspaal.
Peter liet de betonschaar vallen en keerde zich om. Hij zag er meelijwekkend maar kwaad uit.
'Dat was laag,' zei hij, terwijl hij met zijn ogen Chris zocht in de groep.
'O?' zei Chris en hij keek hem aan over de rand van zijn plastic koffiebekertje.
'Zelfs een kind weet dat het buitenste draadhek van de strip geen alarminstallatie heeft.'
'Een kind is niet zo stom om naar het westen te willen vluchten,' zei Chris. 'Bovendien zul je moeten leren, wat wij in vijf jaar op de moeilijke manier hebben moeten leren, om het onverwachte te verwachten.'
Het werd ineens stil doordat het ijselijke geluid van de claxon even plotseling ophield als het was begonnen. Het knipperlicht ging uit.
Peter keek ons beschuldigend aan.
'Het kan best zijn dat de grenswachten op een dag zomaar het buitenste hek van een alarm gaan voorzien,' zei Chris. 'Als ze dat doen, knul, ben je het haasje.' Hij keek op zijn horloge. 'Laat dat buitenste hek maar zitten. Het is uitgeschakeld. Maar de klok tikt verder. Probeer het nog maar eens.'
Peter knipte voorzichtig en behoedzaam door de draden van het hek. Toen hij de drie kanten van een 'deur' had opengeknipt, vouwde hij het hek open en kroop verder naar het volgende obstakel, het hek dat werkelijk onder stroom stond.
Om dit tegen te gaan hadden Chris en Walter, onze wapenmeester, een fraai geheel van veren, draden, katrollen en krokodillenklemmen gemaakt dat twee dingen deed: als het gewoon een elektrisch hek

was, zorgde het ervoor dat het circuit niet doorbroken werd en als het ook nog een drukmechaniek had, zorgden de veren en katrollen ervoor dat de draden correct gespannen bleven. De grenswachten hadden de onvoorspelbare eigenschap om soms ineens op delen van de draad druk toe te passen. Waar, werd pas duidelijk als je het draad door wilde knippen. Als het ene je niet velde, kreeg het ander je wel.
Ik vroeg me af wat Peter zou doen. Hij had immers niet de speciale gereedschappen van Chris.
Hij bukte zich en haalde zijn mes tevoorschijn. Angel begon te lachen. 'Jezus, die lui uit Beieren ... Ik geloof toch echt dat onze boerenknul het hek gewoon gaat doorknippen.'
Maar Peter begon te graven. Er zat een opening van tien centimeter tussen de onderste draad en de grond. Als hij genoeg aarde kon wegschrapen, kon hij onder het hek doorglippen, de strip op. Het zou even duren, maar Chris had gezegd dat hij de tijd had. Ik begon bewondering te krijgen voor Peters vindingrijkheid. Maar weinig mensen zouden de kracht of het geduld hebben gehad om een gat in de grond te graven met niet meer dan een mes.
Drie kwartier later was het gat bijna groot genoeg om erdoor te kunnen. Peter deed zijn rugzak af en begon de laatste kilo's aarde weg te halen. Hij was ongeveer halverwege toen de claxon afging.
Ik had met hem te doen. Ik had hem graag zien slagen. Maar Chris was op alles voorbereid.
Onder het niveau waar je normaal gesproken een verborgen sensor zou verwachten, had Chris nóg een elektrische draad gelegd. En Peter had er dwars doorheen gesneden.
Chris stond op en liep rustig naar de plek waar Peter lag, uitgeput en gefrustreerd, tussen de twee hekken.
'Oké,' zei hij, 'ik zal het je wat gemakkelijker maken. Laat die hekken maar zitten. Concentreer je gewoon op de rest van de strip, goed?'
'Ik heb geen bijzondere behandeling nodig,' zei Peter tegen hem.
'Trots is een mooi ding,' hoorde ik Chris zeggen, 'maar op de strip heb je er helemaal niets aan. Bovendien,' en hierbij wees hij onze kant uit, 'vervelen wij ons dood als je in dit tempo doorgaat.'
Met de nodige tegenzin stemde Peter in om het hek te laten voor wat het was en door te gaan met de rest van de strip.
Voor hij wegliep, haalde Chris een stel breinaalden uit zijn zakken tevoorschijn dat hij aan Peter gaf.
'Ik gebruik deze. Veel handiger dan een mes. Hiermee kun je een mijn aanvoelen. In dat zand is met een mes naar mijnen voelen zoiets als hindernisspringen met een olifant.'

Peter nam de naalden van Chris aan en liep voorzichtig naar het gebied met aangeharkt zand waar de mijnen lagen.
Peter was de hele ochtend bezig om naar de overkant te komen. Waar hij ook maar ging staan, had Chris een mijn geplaatst. Voor Peter moet het patroon ongelooflijk willekeurig hebben geleken, maar Chris had de mijnen geplaatst volgens patronen die ook in de echte strip waren gebruikt. Hij kon die patronen aanvoelen zoals een ervaren trawlvisser de aanwezigheid van vis voelt. We waren diep onder de indruk van zijn gave.
Ik wist dat Peter, als een voormalige FSK'er, een bekwaam mijnenruimer zou zijn. Maar de manier waarop het leger mijnen plaatste, zowel in de NAVO als het Warschaupact, leek totaal niet op de methode die de grenswachten hanteerden.
Je kreeg het idee dat de grenswachten genoten van hun werk. Chris had me verteld hoe ze je op de strook om de tuin probeerden te leiden door een zichtbare struikeldraad vlak bij een onzichtbare draad te leggen, die vlak onder het oppervlak lag, maar aan dezelfde mijn vastzat. Het idee was dat je zo opgelucht zou zijn over het feit dat je de draad had gezien, dat wanneer je zou opstaan om over de draad te stappen, je de onzichtbare draad zou activeren en, *boem*, afgelopen.
Of je zag een verborgen draad, was even helemaal trots op jezelf om vervolgens te blunderen door de draad door te knippen. De grenswachten waren er namelijk best toe in staat om een struikeldraad te voorzien van een elektrisch terugschakelmechaniek, waardoor de mijn niet alleen gedetoneerd werd door een ruk aan de draad, maar ook wanneer deze werd doorgeknipt.
Peter kwam dit allemaal tegen, en meer terwijl hij bezig was het mijnenveld te doorkruisen. Telkens porde hij voorzichtig met de breinaald, ontdekte een mijn, die hij dan probeerde te ontmantelen, waarna deze vervolgens afging. De oefenmijnen die we gebruikten, waren voorzien van rotjes die flink wat kabaal maakten als ze afgingen. Het stuk zand was bezaaid met kratertjes waar de mijnen waren afgegaan die Peter had willen ontmantelen. Het sierde hem dat hij bleef doorgaan, ook al was hij al tientallen malen gestorven.
Toen hij over de strip naar ons terugliep, konden we zien hoe de ervaring hem had uitgeput.
Angel stootte me aan. 'Die kan de FSK in zijn reet steken, hè, Jackson?'
Ik zweeg. Het was gemakkelijk om Peter af te zeiken, maar ik vond dat hij het prima gedaan had. We waren allemaal getraind in het oversteken van de strip, maar in feite was dit het domein van Chris. Hij was de verkenner, wij volgden slechts. Dat Peter was doorgegaan, sierde

hem. Sommigen van ons zouden het misschien niet beter hebben gedaan.
De Parkeermeter stond hem op te wachten, met zijn handen in zijn zij, toen Peter terugklauterde door het hek. Terneergeslagen gaf hij de breinaalden terug en liep verder.
Chris riep hem na. 'Je hebt het prima gedaan, Peter.'
'Het zal wel,' zei Peter. Toen bleef hij staan en draaide zich om. 'Vertel me één ding: wat is jouw beste tijd?'
Chris haalde zijn schouders op. 'Geen idee. Drie kwartier, geloof ik.'
Hij was bescheiden. Ik herinnerde me het alsof het gisteren was. Hij had er veertig minuten over gedaan.
Peter knikte terwijl hij dit overdacht. 'En hoelang denk je dat het zou duren als je in het echt moest oversteken? Een echt stuk van de doodsstrook. Als het er op aankwam. Als ze je, ons, ooit echt die kant op zouden sturen.'
Chris krabde op zijn hoofd. Het leek erop alsof hij niets wist te zeggen.
Angel, die naast me stond en had meegeluisterd, begon te lachen.
Peter wist niet waar hij het zoeken moest. 'Wat is er zo grappig?' vroeg hij aan Angel.
'Dat is waar hij zijn beste tijd behaalde. Op de echte doodsstrook. Ergens in de Harz.'
Nu was het Peters beurt om te lachen. 'Ja hoor,' zei hij en hij liep weg naar zijn spullen.

4

Het was tijd om Peter voor te stellen aan Walter, onze wapenmeester. Tot nu toe had ik me ingehouden met grappen ten koste van Peter, maar de gelegenheid om zowel hem als Walter tegelijkertijd te grazen te nemen, was te mooi om te laten gaan. De inspiratie was gekomen toen ik die ochtend geld in de sigarettenautomaat deed. Ik moest Peter een muntje geven.
In de Bundeswehr kreeg iedere soldaat een muntje ter grootte van een medaille met een nummer in de achterkant gegraveerd. Dit muntje diende maar één doel: als een soldaat een wapen uit de wapenkamer haalde, moest hij het muntje aan de wapenmeester geven, die hem dan zijn wapen gaf. Als de soldaat het wapen terugbracht, kreeg hij ook zijn muntje weer terug.
In een leger dat voornamelijk uit dienstplichtigen bestond, waarin de meeste manschappen als kleuters worden behandeld, wist iedereen altijd waar alle wapens waren. Wij maakten hier uiteraard geen gebruik van, deels omdat de Ouwe ons, terecht of onterecht, als volwassen genoeg beschouwde om zelf te kunnen vertellen waar onze wapens waren en deels omdat onze wapenkamer geen verantwoording af hoefde te leggen aan de andere delen van de kazerne. Onze wapenkamer zat achter in de grote wapenkamer en gaf alleen wapens uit aan ons, die beheerd werden door onze eigen wapenmeester, de geduchte Walter.
Walter was een chagrijnige oude baas, de pensioengerechtigde leeftijd al lang gepasseerd, die door de Ouwe was overgehaald om weer part-

time dienst te nemen. De Ouwe en Walter, zo werd er gezegd, hadden een verleden samen, al wist niemand precies hoelang en in welke vorm. Het was duidelijk dat ze elkaar in hoge mate vertrouwden en respecteerden, iets waarvan ik wist dat dit tegen een hoge prijs verdiend was, want beide mannen konden weinig begrip opbrengen voor imperfectie.

Walter was zo prikkelbaar dat het ons bijna een jaar had gekost om hem aan onze kant te krijgen, maar als hij daar eenmaal was, had je geen loyalere of grotere vriend dan hij. Hij was net zo kapot geweest als wij van de dood van Ginger.

We parkeerden onze busjes voor de wapenopslag en ik gaf Peter zijn muntje.

'Ga maar vast naar binnen,' zei ik, 'dan zorgen de jongens en ik wel voor de rest van je uitrusting.'

Nog geen minuut later kwam hij alweer terug, in grote verwarring. Hij had nog altijd het muntje vast.

'Wat is er?' vroeg ik.

'Ik snap het niet,' zei Peter. 'Er staat daar een afschuwelijke oude vent binnen. Ik gaf hem het muntje, maar hij wil me geen wapen geven. Hij zei dat ik op moest rotten, tegen mij, een sergeant. Moeten we iets tegen de Ouwe zeggen? Hij ziet er niet eens uit als een wapenmeester, Jackson. Meer als een...' Hij zocht naar de woorden. 'Als een...'

'Zwerver?' zei ik.

'Ja, een zwerver,' zei hij heel serieus.

Ik begon te lachen. 'Dat is gewoon Walter,' zei ik en ik nam het muntje uit zijn hand en gooide het over mijn schouder. 'Sorry, ik kon de verleiding niet weerstaan. Als je voorbij Walter kunt komen, kun je overal langskomen. Toch, Angel?'

Angel sloeg zijn hand op Peters schouder. 'Als je langs Walter kunt komen, ben je al halverwege naar Moskou,' zei hij. 'Blijf bij me, boerenknul. Ik zorg er wel voor dat het goed komt.'

We liepen de wapenopslag binnen. De deur door, langs rijen met wapens in metalen rekken, en daar was Walter, midden in de gang, met zijn gewicht op zijn goede been en zijn handen in zijn zij. Naarmate ik dichterbij kwam, kon ik zijn kenmerkende luchtje ruiken, een mengsel van oud zweet en pijptabak, dat niet alleen in zijn kleren leek te hangen, maar ook leek te zijn doorgedrongen in de muren.

'Ik had het kunnen weten,' zei hij, terwijl hij me strak aankeek. 'Dus deze idioot hoort bij jullie.'

'Bij wie anders?' zei ik, 'Hoi, Walter, hoe gaat het?'

'Laat maar,' zei hij. 'M'n vrouw heeft de verkeerde boterhammen ge-

smeerd en nu komen jullie binnenvallen. Muntjes.' Hij lachte spottend naar Peter. 'Jullie willen zeker wat geweren.'
'Het is een genoegen om zaken met je te doen, Walter,' zei ik, 'zoals altijd. Mag ik je voorstellen aan Peter?'
Peter deed een stap naar voren. '*Oberfeldwebel* Kieseler,' zei hij. Ze gaven elkaar een hand. Even later zag ik dat Peter zijn hand heimelijk afveegde aan zijn rechterbroekspijp. Om Walters mond zat een restantje van iets wat onaangenaam veel leek op mayonaise, en ongetwijfeld zat dit ook aan zijn handen. Peter zag eruit alsof hij over zijn nek zou gaan.
'Walter, we hebben wapens en munitie nodig. We gaan naar de schietbaan,' zei ik.
Walter liep naar de kamer aan het eind van de gang waar hij onze spullen onderhield. 'Pak het zelf maar,' zei hij, 'dat doen jullie anders ook.'
We gingen zijn kantoor in en gingen aan de slag. Voordat ik in mijn eigen behoeften voorzag, zorgde ik ervoor dat Peter voorzien was. Wij hadden flink wat jaren voorsprong bij de omgang met Walter en ik voelde me al een beetje schuldig over de grap die ik had uitgehaald. Peter pakte direct een G3, het geweer dat standaard door de Bundeswehr werd uitgegeven, uit het rek.
Ik gebaarde naar de anderen. Carl bestudeerde een Russisch sluipschuttersgeweer en de anderen maakten hernieuwd kennis met ons standaardwapen, de M16. Walter had er ondertussen voor gezorgd dat mijn persoonlijke wapen klaar lag.
'Wat is dat?' vroeg Peter, terwijl hij wees naar het pistool op Walters werkbank.
'Dat is Suzi,' zei Chris en hij wierp een steelse blik op mij en het wapen.
Peter keek raar op.
'Het is een Beretta 92SB Double Action,' zei ik. 'Het is te ingewikkeld om nu uit te leggen, maar ik heb haar vernoemd naar een meisje met wie ik ooit op school zat. We mogen hier zelf onze wapens uitkiezen.' Ik wees naar de enorme verzameling pistolen en geweren die opeengepakt lagen in het donkere kamertje. Toen ik het over Suzi had, waren er herinneringen losgemaakt waar ik niet bij wilde stilstaan. Mijn oorspronkelijke Double Action had ik verborgen in een greppel buiten de kroeg in Oost-Berlijn waar ik tijdens onze laatste missie gearresteerd was. Dit was Suzi Twee, het vervangende wapen.
'Ga je gang, kerel, pak waar je zin in hebt,' zei Angel tegen Peter.
Peter nam een G3 uit het rek. Daarna koos hij, als een kind dat niet

kan geloven dat het zoveel snoep krijgt aangeboden, ook nog een AK-47.
We hielpen Walter met de munitie en zetten enkele dozen vol op zijn werkbank. Iedereen pakte een flinke voorraad. Peter was waarschijnlijk gewend om te oefenen met vijftig kogels per maand. Wij verbruikten die hoeveelheid in een minuut.
Toen we alles bij elkaar hadden, reden we naar de schietbaan. Van onze groep was Carl absoluut de beste schutter, maar we merkten algauw dat Peter ook niet slecht was. Hij scoorde voortdurend 80 procent of hoger, soms zelfs op extreem lange afstanden.

De winter van 1980 ging geleidelijk over in de lente van 1981. Het enige onderdeel op ons programma dat ons eraan herinnerde dat we deel uitmaakten van een eliteteam waren de briefings die we regelmatig kregen over de politieke ontwikkelingen achter het IJzeren Gordijn. Deze briefings vonden vrijwel elke maand plaats en waren het initiatief van de Ouwe.
President Carter was net opgevolgd door Ronald Reagan, wiens verkiezingscampagne bol had gestaan met uitspraken waarin hij benadrukte dat de Verenigde Staten en hun bondgenoten hard moesten optreden tegen de Sovjet-Unie en het Warschaupact. De havikenpolitiek van Reagan omvatte ook een belofte om een nieuwe generatie middellange-afstandswapens in Duitsland te installeren. Uiteraard leidde dit tot een felle reactie en overal in het land vonden protesten plaats. Gezien de felle oppositie tegen de plannen van de Verenigde Staten, wat vaak tot uiting kwam door middel van geweld, wanneer demonstraties uit de hand liepen, moest ik denken aan de onthulling die de Ouwe me had gedaan, vlak na mijn soloverkenning van het SED-congresgebouw in Oost-Berlijn. Het Elitekommando Ost, zo zei de Ouwe, was opgezet omdat de Oost-Duitsers zelf ook dergelijke teams hadden.
Het idee was, maar de Ouwe weidde verder niet uit over dit feitje, dat speciale teams naar de Bondsrepubliek waren gegaan om sabotagemissies uit te voeren. Het leek me dat het instabiele klimaat in West-Duitsland, dat veroorzaakt was door Reagans nieuwe beleid ten aanzien van de Sovjet-Unie en haar bondgenoten, de perfecte dekmantel vormde voor dergelijke operaties.
Tegelijkertijd, zo zei ik tegen de Ouwe tijdens onze verhitte discussie op de dag dat ik mijn ongeautoriseerde tocht naar het Oosten had bekend, hadden onze levensgevaarlijke missies naar het Oosten niets uitgehaald. Op het eerste gezicht althans. De Muur stond er nog altijd en het Oosten leek even onverzoenlijk als altijd.

Degenen die ons brieften gaven ons zo veel mogelijk achtergrondinformatie zodat we het van beide kanten konden bekijken. Ondanks het vernisje van proletarisch geluk dat Honecker en zijn maten het Westen wilden laten zien over het leven in het Oosten, was de waarheid heel anders. De schappen van de winkels in Oost-Berlijn mochten dan gevuld zijn geweest, de gemiddelde Oost-Duitser at bepaald niet gezond en de meesten wisten wat ze moesten missen, want wie vlak bij de grens woonde, kon illegaal naar de West-Duitse televisie kijken. Als je een Trabant of een Wartburg wilde kopen, die meerdere jaarsalarissen kostten, moest je minstens twee jaar wachten, aangezien de Oost-Duitse fabrieksdirecteuren niets konden met het begrip productiviteit. En dan was er de huisvesting. Inderdaad, zo kregen wij te horen, had iedereen in Oost-Duitsland een dak boven zijn hoofd en was de huur laag, maar de kwaliteit van de woningen was vaak abominabel, waardoor er onder grote delen van de bevolking grote ontevredenheid heerste. Dat er maar zo weinig mensen hun grieven uitten, kwam doordat de Stasi, de Oost-Duitse geheime politie en de grootste werkgever van het land, Oost-Duitsland in een ijzeren greep hield. De Stasi had in 1980 bijna honderdduizend mensen in dienst en maakte daarnaast gebruik van de diensten van een half miljoen fulltime en parttime informanten. In alle geledingen van de Oost-Duitse maatschappij zaten informanten en de mensen wisten dat. Het betekende dat weinig mensen voor hun mening uitkwamen, maar ook dat Oost-Duitsland in een hogedrukpan was veranderd: op den duur zou het deksel eraf vliegen.
Dat was ook ongeveer wat de Ouwe had gezegd toen hij ons de opdracht had gegeven een raffinaderij in Halle te vernietigen, onze eerste missie in Oost-Duitsland. Maar er was twee jaar verstreken en er was niets veranderd.
Ik had mijn uitbarsting gehad. De dag dat ik was teruggekeerd van mijn verkenningsmissie in het Oosten, waren de Ouwe en ik elkaar bijna letterlijk naar de keel gevlogen uit wederzijdse wrevel. Hij vanwege mijn onbezonnen gedrag, ik omdat ik baalde van de manier waarop we volgens mij gebruikt werden. Andy had het ooit al gezegd. We waren pionnen in een spel. En hij had gelijk.
Terwijl we naar de briefing luisterden, voelde ik de frustratie opkomen. Er waren al enkele maanden verstreken sinds de komst van Peter en toen leek het alsof we ons voor konden bereiden op actie. Maar sinds die tijd was er niets gebeurd. Het was een patroon dat we eerder hadden meegemaakt en ik wist uit eigen ervaring welke schade het kon aanrichten. We moesten bezig blijven en dit trainingsregime was niet wat we in gedachten hadden.

Ik maakte een afspraak voor een gesprek met de Ouwe en na een paar dagen kreeg ik een bericht van Curly dat Krause me wilde zien. Ik meldde me op de gebruikelijke tijd: tien uur, klopte aan en liep naar binnen. Krause gebaarde me om in een van de leunstoelen te gaan zitten. Nadat we even gekletst hadden over het mooiere weer omdat het weer lente was, nam Krause me het initiatief uit handen door me naar onze nieuwe rekruut te vragen.
'Hij doet het prima, hij past beter bij de groep dan ik had gedacht. Eerlijk gezegd had ik dat niet verwacht. Maar hij is een geweldig goed soldaat en, wat belangrijker is, hij kan zich aanpassen aan het leven binnen de eenheid, wat niet meevalt.'
De Ouwe schudde zijn hoofd. 'Ja,' zei hij, 'dat is een hele prestatie.' Hij zweeg even. 'Ik heb echter het idee dat je toch wat bedenkingen hebt.'
Ik verschoof wat in de grote leunstoel. 'Het is een beetje raar en ik weet niet hoe ik het moet zeggen, maar na al die tijd weet ik nog altijd niet zeker of hij ons wel gelooft.'
'Hoe bedoel je?'
'We vonden het raadzaam hem langzaam te laten wennen aan het idee van het team, misschien hebben we het te voorzichtig aangepakt. Ergens heb ik het idee dat Peter denkt dat dit allemaal een heel uitgebreide initiatietest is. Dat als hij bij ons klaar is, hij terug mag naar zijn oude eenheid bij de FSK met een promotie op zak.'
'Misschien is het wel goed zo,' zei de Ouwe. 'Ik wilde dat hij de feiten langzaam zou leren kennen.'
'Maar eens zal hij toch moeten beseffen dat het de realiteit is.'
Krause knikte en keek uit het raam. 'Liever vroeg dan laat, vermoed ik.'
Ik volgde zijn blik. Krause keek me weer aan en zei: 'Er zit een missie aan te komen. Ik weet er niet het fijne van, maar ik verwacht de komende dagen meer te weten te komen. Als ik meer weet, hoor jij het ook. Wees voorbereid.'
De oproep kwam aan het eind van de week. We moesten ons op de gebruikelijke tijd melden in het kantoor van Curly voor een missiebriefing: de volgende ochtend om tien uur precies.

5

De Ouwe kwam nooit direct terzake. Voor mij was dat inmiddels een soort grap geworden. We waren nu drie keer als team achter de linies geweest. Ik was te gast geweest bij de Stasi en had twee keer alleen Oost-Duitsland bezocht. En toch vond hij nog altijd dat hij ons moest beschermen.
We stonden voor zijn bureau te wachten tot hij ons zou vertellen wat hij van ons wilde. De spanning in de kamer was om te snijden. Ik kon de tafelklok op de schoorsteenmantel horen tikken. Links van me stond Peter heen en weer te wiebelen.
'Jullie zien eruit als een stelletje slampampers dat de afgelopen maanden van de bijstand heeft moeten leven,' zei hij. 'Het is duidelijk dat dit niks voor jullie is. Wat dachten jullie van een leuk klusje om de stemming erin te houden?'
Hij bracht het haast als grap en hij glimlachte vriendelijk. Maar wij zagen de humor er niet van in. Peter keek me aan en ik voelde dat hij in de war was. Geduld, gebaarde ik.
'Iemand uit het Oosten moet naar het Westen. Jullie kunnen er op rekenen dat jullie waarschijnlijk vroeg of laat de grens over zullen gaan,' zei Krause. 'De details volgen in de komende uren.'
De Ouwe stond op. 'Wees morgenochtend om tien uur klaar. Als de situatie verandert, hoor je dat van mij of,' en hij knikte in de richting van Curly's kantoor, 'van sergeant Muller, die de situatie bijhoudt terwijl deze zich ontwikkelt.'
We liepen de kamer uit. Ik wist dat de Ouwe ons graag geleidelijk

voorbereidde, maar dit had vaak het tegengestelde effect. Tegen de tijd dat we in Andy's kamer zaten, hadden we alleen nog maar vragen. We wisten alleen maar dat we naar het Oosten zouden gaan en gauw ook.
'Goeie god,' zei Lobo. 'Waar hebben we het hier over? Gaan we legaal naar de andere kant of via de doodsstrook?'
'En is die kerel in zijn eentje?' vroeg Tony.
Bij onze eerste missie over de doodsstrook, achttien maanden eerder, hadden we een overloper en zijn gezin uit Oost-Duitsland moeten halen. De man had drie kinderen, allemaal onder de elf. De jongste was vijf jaar.
Toen hadden we drie weken de tijd gehad om ons op de missie voor te bereiden. We hadden de overloper en zijn gezin eruit gehaald, maar de klus was op de terugweg in de soep gelopen.
'En wat betekent "vroeg of laat"?' vroeg Mike.
'God mag het weten,' zei Angel. 'Denk maar aan Rummelsburg.'
Andy knikte. Bij de missie naar Rummelsburg, had de Ouwe ons gezegd dat we die avond over de Muur zouden gaan.
De vraag die mij het meeste bezighield, maar die ik niet uitsprak, was: zou ik met hen meegaan? In naam de leiding hebben was één ding, maar in het veld, onder het schrikdraad door, was iets anders.
Mijn gedachten werden onderbroken door een klopje op mijn schouder. Ik draaide me om. Peter hield me een pakje sigaretten voor. Ik nam er een en stak hem aan.
'Het is dus echt,' zei hij. 'Ik kon het eerst allemaal niet bevatten.'
Ik blies een lange stroom rook uit mijn mond en schudde mijn hoofd.
'Wij hadden ook de tijd nodig om het te bevatten.'
Angel, die half naar ons gesprek had staan luisteren, zei: 'Je had dus maar een paar woorden van de Ouwe nodig om je te overtuigen, Peter. Waarom geloofde je ons niet? Ik heb je toch gezegd dat we soms naar het Oosten gaan. Heb je geen vertrouwen in je nieuwe maten?'
'Ik durfde niet te veronderstellen dat ik een volwaardig lid van het team was,' zei Peter hoogst serieus.
'Dit is beter dan hier rondhangen en nietsdoen,' zei Chris, die een van zijn breinaalden aan het opwrijven was en hem tegen het licht hield. 'Nu hoeven we alleen maar af te wachten wat het plan is. Dat is het deel waar ik aan onderdoor ga. Het wachten.'
Het gesprek begon zich te herhalen. Na een paar minuten verontschuldigde ik me en vertrok. Ik had behoefte aan wat frisse lucht.
Het moment van de waarheid naderde met rasse schreden. Ik had aan mezelf gewerkt sinds ik gevangen was genomen en ik wist dat ik er

meer dan ooit klaar voor was. Ik wilde dolgraag met de jongens de Muur over.
Nadat ik een uurtje had nagedacht, slenterde ik naar de kantine om wat te eten. Het was er vrijwel verlaten. Ik nam een koffie en een broodje en liep naar een van de tafeltjes toen ik in de hoek een eenzame figuur zag zitten.
Peter leek me niet te hebben horen aankomen. Ik zette mijn dienblad rustig naast het zijne.
'Gaat het?' vroeg ik.
Hij knikte, maar zei niets.
'Luister, knul,' zei ik, 'je zult het allemaal prima doen. Geen twee tochten naar het Oosten zijn hetzelfde. We zitten allemaal in hetzelfde schuitje. Waar het om gaat, is dat we op elkaar letten.'
Ik vroeg me af wie ik voor de gek hield. Zoals ik me voelde, was ik nerveus voor twee.

De volgende ochtend, na een onrustige nacht, stond ik vroeg op voor een lange, langzame hardlooptocht door het bos. Daarna douchte ik en ging ik ontbijten.
Ik zag de andere leden van het team in de kantine. Ik bestudeerde hun gezichten en realiseerde me hoeveel er veranderd was in de drieënhalf jaar dat we samen actief waren. De grapjes en het geklets die bij eerdere missies onze zenuwen hadden moeten verhullen, waren verdwenen. Rond de tafel hing een sfeer van kalme afwachting, maar de stemming was somber.
Om tien uur liepen we het kantoor van de Ouwe binnen. Krause liet er geen gras over groeien. Hij zei ons te gaan zitten en kwam meteen terzake.
'Deze keer hebben jullie geen tijd om zelf te plannen, jullie kunnen hooguit wat kleine aanpassingen maken,' zei hij. 'Jullie gaan morgenavond over de Muur en vertrekken even na het ontbijt per bus van de kazerne. Geen helikopters deze keer helaas. Dat kunnen we niet betalen.'
Er weerklonk wat gelach.
'Jullie gaan de grens over in het Frankenwald.' De Ouwe keek de nieuwe rekruut aan en glimlachte naar hem. 'Jouw deel van het land, Kieseler. Vanaf hier is het ongeveer acht uur naar de grens. Na jullie aankomst zullen jullie naar de oversteekplaats worden gebracht. Vergeleken met sommige andere plekken die jullie hebben gezien, is dit een makkie. We hebben een plek gevonden die niet bewaakt wordt en een stuk doodsstrook waar geen mijnen liggen of andere boobytraps, al-

thans zo lijkt het. Niemand weet waarom, maar als ze zo stom zijn om een gat te creëren, zouden we wel gek zijn om er geen gebruik van te maken. Iemand nog vragen?'
'Wie is de overloper?' vroeg ik. 'En is hij alleen?'
'Ik weet heel weinig over de man,' zei de Ouwe, 'behalve dat het onze mensen zijn, niet de Amerikanen, die hem eruit willen hebben. Hij is een wetenschapper, veertig jaar en gezond. Hij heeft een gezin, maar dat komt niet mee, als je dat soms bedoelt.'
Angel trok een wenkbrauw op. 'Geen kotertjes dus?'
De Ouwe knikte. 'We zijn alleen geïnteresseerd in de man zelf.'
Ik voelde een aarzeling in de stem van Krause. 'Niemand anders naar búíten?' vroeg ik. 'Maar er moet wel iemand in zeker?'
'Daar wilde ik het net over hebben. Ja, deze keer moeten jullie iemand mee naar binnen nemen.'
'Wie?' vroeg Lobo.
'Ook dat weet ik niet en hoef ik ook niet te weten. Net zomin als jullie. Maar hij zal vast wel een paar keer Pullach in en uit zijn geweest.'
In Pullach, bij München, stond het hoofdkwartier van de BND, de Duitse geheime dienst.

De Ouwe verplaatste de bijeenkomst naar de briefingkamer verderop in de gang. Bij binnenkomst zagen we dat Curly niet had stilgezeten. Aan de muren hingen kaarten en foto's van de grensverdediging. Het had elk willekeurig stuk grens kunnen zijn, behalve dan dat de wachttorens ontbraken. Dat had de Ouwe waarschijnlijk bedoeld toen hij zei dat het niet bewaakt werd. Ik vroeg me af hoe hij wist dat er hier geen mijnen lagen en of we daar op konden vertrouwen.
Ik liep rond en bestudeerde de gegevens. Er was een overzichtskaart in een grotere schaal en kleinere kaarten die de topografische punten in de omgeving van de oversteekplaats toonden. Het was een bosrijke, heuvelige omgeving op ongeveer 1000 meter hoogte. Op de foto's was te zien dat het erg leek op het stuk van de grens in het Harzgebergte waar Ginger was omgekomen.
Ik maakte mezelf wijs dat het bos gunstig was. In het bos konden we in de omgeving opgaan.
Ik liep door naar een foto van een man die voor een grijs appartementencomplex stond. De foto had een beetje een sepiatint en de korreligheid die zo typisch is voor foto's uit het Oosten. Hij leek afkomstig te zijn uit een familiealbum. De wetenschapper had zijn kraag open geknoopt en hij lachte naar de camera. Hij had een dikke bos zwart haar, een baard en felblauwe ogen.

Ik bekeek de foto nauwkeuriger en vroeg me af waarom een man als hij zo graag uit het Oosten weg wilde, of moest, dat zijn gezin moest achterblijven.
Ik wist wat de Stasi deed met de gezinnen van overlopers. Ze zetten de vrouwen gevangen en plaatsten de kinderen onder de zorg van de staat, ergens waar ze zouden opgroeien tot brave communistische koters, gezuiverd van alle smetten die ze via hun ouders hadden opgelopen.
De Ouwe gebaarde ons te gaan zitten en dit keer maakten we aantekeningen.
De bus zou ons naar een parkeerplaats bij de grens brengen, een afgelegen plek die via een kronkelig weggetje te bereiken was. We zouden er rond acht uur aankomen. Vroeg in de ochtend zou het leger de weg blokkeren, waardoor er geen verkeer bij ons operatiegebied kon komen. Patrouilles van het leger zouden ervoor zorgen dat er geen toeristen of wandelaars in de buurt kwamen.
We zouden twee uur de tijd krijgen om te rusten en te acclimatiseren, waarna we naar de grens zouden gaan en even na tienen oog in oog zouden staan met de strook. Hierdoor zouden we de tijd hebben om zelf het oversteekpunt te verkennen ook al was dit, zo verzekerde de Ouwe ons, al grondig gedaan door de BND, die tot aan het moment dat we in actie zouden komen, het gebied zou blijven observeren.
De route naar het rendez-vouspunt was ongeveer zesenhalve kilometer van het hek naar de ontmoetingsplek. De Ouwe wees naar een tekening van de plek waar we elkaar zouden ontmoeten: een oude schuur op ongeveer vijfhonderd meter van een dorpje. De ontmoeting zou om 2.00 uur plaatsvinden.
'Een uur voor jullie oversteken, zal de vent die jullie moeten meenemen arriveren op de parkeerplaats. Hij zal vergezeld worden door twee mannen van de BND, die zich zullen identificeren aan jullie. De man die jullie moeten meenemen, zal jullie naar de oversteekplaats brengen. Als jullie de strook over zijn, ongeveer twee kilometer voorbij de grens, zal hij zich uit de voeten maken en alleen verder gaan. Dan is hij niet langer jullie zorg.'
'Eén vent erin, één vent eruit,' zei Andy. 'Misschien moeten we ons eigen reisbureau beginnen, met Oost-Duits toerisme als specialiteit.'
Iemand uit het Oosten naar het Westen halen was één ding, maar kinderjuffrouw spelen voor een spion die naar binnen wilde, was iets anders. Wij van het leger waren van nature wantrouwig jegens lui van de geheime dienst.
De Ouwe zag wat we dachten. 'Bekijk het maar zo, Andreas: als die vent weg is, zit de helft van jullie missie erop.'

Zoals hij het zei, klonk het simpel, maar in feite kon iedere Oost-Duitser die op minder dan vijf kilometer van de grens werd aangetroffen, meteen worden gearresteerd. Op twee kilometer van de muur werd er nog altijd zwaar gepatrouilleerd. Dat we de strook over waren, wilde niet zeggen dat we veilig waren.
De Ouwe wees ons op de tekening van het dorpje. Het bestond uit vijf huizen, waarvan slechts enkele bewoond werden. De huizen stonden dicht bij de bosrand en de schuur lag midden in een weiland. In die schuur zou onze man op ons wachten.
Ik vroeg de Ouwe wie hij in gedachten had voor de ontmoeting. Daar was volgens hem geen discussie over mogelijk. Dat was mijn taak.

Voor een briefing was de informatie tamelijk basaal. Het kwam er in feite op neer dat we om 22.30 uur zouden beginnen aan de tocht over de strook, onze man zouden oppikken om 2.00 uur, en dan terug zouden rennen naar de grens, klaar voor de oversteek terug om 4.00 uur. Half juli kwam de zon op om 4.50 uur, maar we wilden bij de strook wat meer tijd hebben.
Achttien maanden eerder hadden we het, met een overloper, zijn vrouw en drie kleine kinderen op sleeptouw, te krap genomen. Dit was een mooie gelegenheid om van onze fouten te leren.
Deze keer, met een naar verwachting fitte veertiger bij ons, dachten we dat we het van de schuur naar de grens wel in twee uur konden doen. Op de stafkaarten was te zien dat de afstand van zesenhalve kilometer hemelsbreed in feite een reis van acht kilometer was, als je de topografie meerekende. Vier kilometer per uur was goed te doen.
Op de heenweg wilde ik tegen halftwee de schuur in het vizier hebben, waardoor we een halfuur de tijd zouden hebben om de omgeving te verkennen voordat ik de overloper ging halen.
Na de lunch stuurde ik Chris en Angel naar Walter om hem te laten weten welke wapens we nodig zouden hebben. Daarna was er niet veel meer te doen dan de kaarten nog eens goed te bekijken en ons tijdsschema te controleren.
We zouden pas bij de grens definitief beslissen, maar het leek mij beter dat we alle negen zouden oversteken. Niet dat ik problemen verwachtte, maar het gebrek aan informatie zinde me niet. Ik vond de gedachte dat we alle negen in het Oosten zouden zijn, veel rustgevender.
Die avond gingen we naar de Krokodil. Niemand sprak veel. Terwijl ik cola dronk, overdacht ik de gebeurtenissen van die dag.
Andy onderbrak mijn gedachten met een vraag. 'Weet je wat anders is aan deze missie?' vroeg hij.

Ik schudde mijn hoofd.
'De vorige keer was jij getrouwd en stond ik op het punt te gaan trouwen. Wat kunnen anderhalf jaar veel uitmaken, niet?'
Andy en Brigitte waren heel lang samen geweest: ze leken wel een echtpaar. Maar ongeveer toen mijn scheiding erdoor kwam, zei Brigitte tegen Andy dat ze hem ging verlaten. Er was niemand anders, ze waren gewoon uit elkaar gegroeid.
Nu de scheiding eenmaal achter me lag, vond ik het niet erg om alleen te zijn. Maar ik wist dat Andy, Mr Cool, Brigitte meer miste dan hij liet merken.
'Denk je dat je ooit nog zult trouwen, Jackson?'
'Ooit is een lange tijd,' zei ik. 'Voorlopig ben ik blij dat ik me kan concentreren op de dingen die ertoe doen, zonder dat iets me afleidt.'
'Gaat het?' vroeg hij.
Ik knikte. 'Beter nu ik weer de leiding heb.' Het was gemakkelijker om op dit soort momenten aan niemand verantwoording af te hoeven leggen. Voor en na een opdracht had ik thuis altijd enorm onder spanning gestaan. Onze relatie had er gigantisch onder geleden dat ik Sabine niets kon vertellen. Voor de rest van het team gold hetzelfde. Mike was de enige met een vaste relatie en ik vroeg me af hoelang dat nog zou duren.
Hij hief zijn glas in een toast. 'Op het vrijgezellenbestaan. Op jou. En ons. Het is fijn om weer iets te mogen doen.'

6

We stonden vroeg op, ontbeten om zeven uur en gingen daarna naar Walter. Na het bezoek van Chris en Angel van gisteren, had Walter alles klaargelegd. We hoefden alleen maar langs te gaan en ervoor te tekenen.
We zouden een lichtgewicht versie dragen van ons zwarte uniform. Dit waren speciaal gemaakte pakken van dik katoen, die verstevigd waren bij de ellebogen en knieën. Niet met leer, want alles wat licht reflecteerde was verboden. Het was ook belangrijk dat de kleren lekker zaten. Ik droeg mijn oude parakistjes, die goed waren ingelopen. Er deden allerlei verhalen de ronde over hoe je het leer van de kistjes snel soepel kon maken. Mijn opa deed dit door op zijn kisten te pissen, een oud trucje van de Wehrmacht. Anderen zeiden dat je ze een nacht in bier moest zetten.
Een zwarte bivakmuts en een paar handschoenen maakten het geheel af.
Wat onze bewapening betrof gingen we voor een M16/203. Dit combineerde een granaatwerper van 40 millimeter met het beroemde Colt halfautomatische geweer, dat bekendstond om zijn nauwkeurigheid en daarom zeer geprezen werd door speciale eenheden.
Onze twee missies naar de doodsstrook hadden ons veel geleerd. De Ginger-missie was uitgelopen op een korte, maar heftige schotenwisseling met de grenswachten. Met één op vijf tracerkogels (één in fosfor gedoopte kogel voor elk schot zonder) konden we 's nachts zien waar we schoten.

We namen ieder zes magazijnen: drie dubbele patroonhouders die we aan elkaar hadden geplakt. Elk magazijn bevatte dertig kogels van 5,56 millimeter. Daarnaast zou ik ook nog Suzi meenemen, mijn Beretta 92SB Double Action automatisch pistool, en een mes. Verder had iedereen een EHBO-set bij zich, een rol tape (een van de meest veelzijdige en onschatbare onderdelen uit onze gereedschapskist) en wat zakjes met pindakaas en chocolade om snel aan proteïnen te komen.
Ik keek om me heen. In de felle lichten van de wapenkamer was ieder lid van het team rustig zijn wapenrusting aan het inspecteren.
Tegenover me stond Peter, die bezig was kogels in een magazijn te stoppen en er helemaal in leek op te gaan. Naast hem hield Angel de loop van zijn uit elkaar gehaalde geweer tegen het licht en keek door de buis. Hij was ongewoon stil.
'Weet je, Jackson,' zei hij, terwijl hij me aankeek, 'soms word ik 's ochtends wakker en maak ik mezelf wijs dat ik niet weet hoe we in deze ellende zijn beland.'
'Waar heb je het over? Je vindt het geweldig, ouwe rukker,' zei ik.
'Nee, ik vónd het geweldig,' zei hij.
Tien minuten later, toen we buiten stonden en onze plunjezakken in het busje laadden, vroeg ik wat hem dwarszat. Angel was de rots van de groep. Als hij zich ellendig voelde, merkten we dat allemaal.
Angel keek naar de lucht. Ik had gedacht dat hij opgewonden zou zijn bij het vooruitzicht van een opdracht. Hij vond het heerlijk om in het bos te zijn, winter of zomer, regen of zonneschijn, ellende of geen ellende. Angels idee van vakantie was een beetje vissen in hemdsmouwen boven de poolcirkel. Ik was ooit twee weken met hem op vakantie in Zweden geweest en was bijna doodgevroren. Maar Angel vond het allemaal geweldig. Voor hem was alle buitenactiviteit ontspanning.
'Soms,' zei hij, met een vreemd afwezige stem, 'heb ik het idee dat het beter zou zijn om een bloem in de loop van dit geweer te steken dan een godvergeten magazijn kogels.'
Ik moest bijna hardop lachen. 'Ben je niet helemaal goed meer bij je hoofd?' Ik zweeg even. 'Wat heb je?'
'Niets. Misschien zou je kunnen zeggen dat ik een voorgevoel heb.'
Ik dacht terug aan Angel, die wat er over was van Ginger in zijn armen hield. We zaten achter in het busje dat ons van de grens naar de wachtende helikopter had gebracht. Ik herinnerde me het als de dag van gisteren: Gingers nog warme lijk dat in een cape gewikkeld lag; Angel die hem vasthield en zijn tranen van Gingers gezicht veegde.
'Kom op,' zei ik tegen hem. 'Laten we er een goede missie van maken, al is het maar voor die nieuwe knul.'

Angel rechtte zijn rug. 'Ja,' zei hij. 'Ik ben veel te hard tegen hem geweest.'
'Help me dan een oogje op hem te houden daar,' zei ik.
'Wees niet bang, Jackson. Ik hou een oogje op jullie beiden.'

De Ouwe kwam ons gedag zeggen. Het was een paar minuten voor achten en we zaten al in de bus. Hij kwam aan boord, knikte naar de bestuurder, een korporaal die ons al een paar keer eerder had gereden, en hield een kort toespraakje over het goede werk dat hij wist dat we zouden afleveren en hoe we allemaal weer met z'n allen aan het Becks zouden zitten voor we het wisten.
Hij wenste ons geluk en liep de bus uit. De deur ging dicht en een geluid van samengeperste lucht weerklonk.
Ik keek naar de Ouwe terwijl de bus wegreed. Hij liep met gebogen schouders naar zijn aftandse oude Mercedes. De Ouwe was altijd al een eenzame figuur geweest. De dood van zijn gezin verklaarde veel van wat ik bij onze eerste ontmoeting intuïtief had aangevoeld.
We gingen er voor zitten. De bus reed de snelweg op en de buitenwijken van Keulen maakten plaats voor die van Bonn. Vandaar ging het verder naar Koblenz, Darmstadt, Wurzburg en Bayreuth.
Naarmate we dichter bij de grens kwamen, veranderde het landschap en gingen de rotswanden en velden van de Rijnvallei over in de bossen en heuvels van onze eindbestemming.
Het Frankenwald was een ruig, bergachtig bosgebied dicht bij de grens van West-Duitsland, Oost-Duitsland en Tsjecho-Slowakije. Hoe dichter we in de buurt kwamen, hoe hoger de spanning opliep. Het was een schitterende dag, zonder een wolkje aan de lucht. Alleen als ik aan de doodsstrook dacht, voelde ik lichte paniek opkomen.
Rond halfacht verlieten we de B-weg die naar de grens leidde en reden we over een smalle verharde weg die het bos in leidde. We hadden nog geen honderd meter gereden toen de chauffeur remde en de bus langzamer ging rijden.
Verderop stond een *Kubel* – een Volkswagen-jeep – dwars over de weg. Tegen de motorkap stond een *Feldjager*. Zodra hij ons zag, stond deze militaire politieman op en een andere stapte uit de auto.
De eerste MP stak zijn hand op en we kwamen tot stilstand. De Feldjager liep naar het raampje van de chauffeur, bestudeerde zijn papieren en gebaarde ons door te rijden.
Een halve kilometer verder kwamen we bij de volgende blokkade en nog eens twee kilometer verder stond een derde. Kennelijk nam men geen risico's.

Boven aan de heuvel werd de weg breder en zagen we het parkeerterrein dat de Ouwe had beschreven. Het was verlaten en er stonden alleen wat bankjes en een afdakje. Vanaf het parkeerterrein kon je in noordwestelijke richting uitkijken over het dal, dat beschenen werd door het avondlicht. Zelfs vanaf hier kon ik de lange schaduwen zien die de bomen op de bodem van het dal wierpen.
We sprongen uit de bus en strekten onze benen. Het was een warme zomeravond, en omdat we op duizend meter hoogte zaten, was het hier iets koeler dan op de vlakte.
Er hing een sterke naaldbomenlucht. De zon, die net zichtbaar was boven een heuvelrand, werd gereflecteerd in de witte lak van de bus.
Ik liep naar een van de bankjes. Het was even voor achten. We zaten precies op schema. De grens, die van hieruit niet zichtbaar was, lag nog geen twintig minuten lopen van waar we nu waren. We hoefden ons alleen nog maar om te kleden en te wachten tot de BND op kwam dagen met de spion.
Tony en Carl gingen naast me op het bankje zitten en we zaten daar even, terwijl we in stilte onze sigaretten rookten. Ineens hoorden we gelach weerklinken tussen de bomen.
Ik kuierde de heuvel af tot ik bij een open stuk kwam, waar een beekje door stroomde. Chris, Lobo en Peter zaten op een rots bij een poeltje. Angel stond in het water, op blote voeten, zijn broek opgestroopt tot aan zijn knieën. Hij leunde voorover, met zijn enorme handen boven het wateroppervlak. Angel was aan het vissen.
Ik ging naast Chris zitten. Muggen zoemden in de lucht. Het was in deze omgeving moeilijk voor te stellen waarom we hier waren en wat we straks zouden gaan doen.
'Wat is er met hem?' vroeg ik zachtjes aan Chris, terwijl ik naar Angel wees. 'Hij doet de hele dag al zo vreemd.'
'Hij is verliefd, geloof het of niet.'
'Angel?' Ik deed mijn best mijn lachen in te houden. 'Je zit me te dollen.'
Chris schudde van nee. 'Hij heeft haar van het weekend ontmoet. Je kent Angel. Het ene moment zit ie nog rustig met een colaatje aan de bar, het volgende ziet ie een meisje en heeft ineens de liefde van zijn leven ontmoet. Hij had zelfs niet eens met haar gepraat. Maar voordat ik het wist, zat ze naast hem en zat ze met hem te flirten. Koch was volledig overrompeld.'
'We hebben het hier toch wel over een net meisje? Het soort dat je aan je moeder kunt voorstellen?'
'Zo zuiver als glas. Ik begrijp er nog altijd niks van.'

Ik lachte. Chris en Angel waren beste vrienden. Ze deden alles samen. 'Dus waarom al die somberheid?'
'Ah, tja, dat is waar de schoen wringt. Na twee uren diepzinnig gepraat, waarin hij ontdekt dat dit meisje precies dezelfde dingen leuk vindt als hij: kamperen, het buitenleven, enzovoort, krijgt hij ineens last van zijn geweten. Hij weet waar dit op uit zal draaien en hoe het zal aflopen, want dat heeft hij bij ons zien gebeuren. Dus toen ze hem zijn telefoonnummer vroeg, heeft Koch haar gezegd dat hij getrouwd is en haar niet kan ontmoeten. Ze is huilend de bar uit gelopen.'
'En Koch?'
'Je kent Angel. Drinkt nooit een druppel, maar die avond heeft hij een halve fles whisky opgezopen. Ik heb hem nog nooit zoveel medelijden met zichzelf zien hebben.'
Ik keek toe hoe Angel naar het water dook. Even flitste er iets zilverkleurigs toen de forel boven het water uitkwam. Daarna kronkelde hij uit zijn handen en verdween.
Ik voelde me beter door wat Chris me had verteld. Angels nobele gebaar verklaarde zijn rare stemming. En er was niets beters dan een missie om over een meisje heen te komen.
Ik keek op en zag dat Lobo zijn plunjezak tevoorschijn haalde uit de bagageruimte onder de bus. Ik was de tijd helemaal vergeten. Het was kwart voor negen. Er was geen tijd meer voor zwemmen en vissen. We moesten ons voorbereiden.

Ik voelde hoe de adrenaline in mijn bloed steeg. Ik kon alleen bij de les blijven door me te concentreren op kleine dingen.
Ik knoopte mijn veters zeer zorgvuldig dicht, zorgde dat er geen grint of steentjes in mijn schoenen zaten. Ik stopte mijn sigaretten in een zakje dat speciaal daarvoor op de mouw van mijn jas was genaaid. Een andere speciale aanpassing was een leren foedraal op mijn onderarm waar mijn mes in zat. De rest had hun mes in holsters die ze op hun bovenlichaam droegen. Ik had dat ook geprobeerd, maar het was niet bevallen. Ik had gemerkt dat als ik het op mijn bovenarm had, ik het mes gemakkelijk en snel kon pakken. Ik had bovendien Chris wat karatebewegingen op me laten oefenen en had gemerkt dat het mes van nut was bij mijn blokkades.
Ik stopte Suzi in de holster die op mijn rechterdij zat en zette het leren reepje vast om het handvat. De reservemagazijnen stopte ik in een zakje boven mijn linkerbil. De kaarten van de omgeving ritste ik veilig weg in een voorvak op mijn linkerbroekspijp.

Vervolgens kwamen de granaten. Ik had vier handgranaten, gericht tegen personen, en twee rotjes, goed om mensen van slag te brengen als je de goeden van de slechten wilde scheiden in een besloten ruimte. Deze gingen in de zakken van mijn jas. In een ander stel zakken stopte ik vijf 40mm-granaten voor de 203 granaatwerper.
Toen ik klaar was met de wapens en de munitie, ging ik verder met de radio die we allemaal bij ons droegen. Deze kon je vastzetten aan een speciaal zakje op je bovenlichaam. Ik voerde de draadjes door mijn jas en zette de microfoon en het oortje vast. Ik zou de radio testen zodra iedereen klaar was. We hadden reserveradio's bij ons voor het geval dat. Het laatste voorwerp dat ik bij me stak was een kleine verrekijker, die ik in het andere borstzakje stopte. Ik gebruikte liever een verrekijker dan nachtkijkers die (toen althans) lomp en onbetrouwbaar waren.
Even voor halfnegen hoorden we op de kronkelige weg onder ons een auto naderen. Angel had hem al gehoord en hij rende naar waar de bomen ophielden.
'Beige Opel,' riep hij naar me. 'Twee kerels met een chauffeur.'
'Hou ze tegen,' zei ik.
Angel ging midden op de weg staan, met zijn M16/203 in zijn hand, net toen de auto de heuveltop op kwam. Hij hield zijn hand op en de Opel kwam tot stilstand.
Een man van in de vijftig stapte uit aan de passagierskant. Hij was nogal opvallend gekleed in een grijze broek, een open hemd en een sportjasje.
Hij liep naar Angel toe. Ze spraken onhoorbaar met elkaar en Angel wees naar mij. De BND-man kwam naar me toe.
Hij stelde zich voor en liet papieren zien om hemzelf en zijn metgezel te identificeren. Pas toen keek ik goed naar de man op de achterbank. Tot op dat moment had ik aangenomen dat de man in het sportjasje de sukkel was die we zouden meenemen. Terwijl ik zijn papieren teruggaf, stapte de andere passagier uit de auto.
Hij was jonger dan zijn begeleider, ergens halverwege de veertig, en droeg een broek en een dunne trui die eruitzagen alsof ze rechtstreeks afkomstig waren van een rommelmarkt. In elk geval had hij zich voor zijn rol gekleed, dacht ik.
Hij zei niet hoe hij heette en ik zei ook niets.
Hij wierp een hooghartige blik op het team. Misschien was het arrogantie, al konden het ook zenuwen zijn geweest. De meesten waren bezig de laatste hand te leggen aan hun uitrusting. Zelfs zonder bivakmutsen zagen we er indrukwekkend uit, maar de spion liet zich totaal niet uit het veld slaan.

Hij keek me aan. 'Zijn er nog speciale regels?' Zijn stem verraadde geen enkele emotie. Ik schudde ontkennend. 'Breng ons naar de oversteekplaats. Blijf aan de andere kant in het midden en wij doen de rest.'
Hij keek op zijn horloge. 'Hoe laat beginnen we?'
'Zo snel mogelijk,' zei ik tegen hem. 'Jullie laten het er wel op aankomen. Ik wil er zo vroeg mogelijk zijn.'
'Wees niet bang. Ik zal rustig zijn,' zei hij.
Ik keek hem aan. Wat was er aan de hand? Wist de BND dat het rustig was omdat ze al een keer hier langs de grens door de verdediging waren gedrongen? Keken de wachtposten de andere kant op omdat ze hiervoor door de BND betaald waren?
Ik schudde het hoofd. Wie zou het zeggen? Wij hadden onze bevelen en soms was het maar beter om daar niet te veel over na te denken.

We kwamen in actie zodra de Opel uit het zicht was verdwenen.
Het schemerde toen we ons een weg baanden door de bomen. Boven de bomen was de maan verrezen. Een dik tapijt van dennennaalden dempte het geluid van onze voetstappen.
De agent liep voorop terwijl we omlaag liepen langs de heuvel. Ik had verwacht een lint van licht te zien naarmate we dichter bij de strook kwamen, maar toen het bos ophield zaten we er zowat bovenop en keek ik recht op de grens.
In eerste instantie was ik haast teleurgesteld, maar dat veranderde al snel in opluchting. Dit stukje grens leek totaal niet op de oversteekplaats in de Harz achttien maanden geleden, zelfs niet op ons nieuwe Speelterrein. Om te beginnen was het smal: tachtig meter, vergeleken met de 150 die gebruikelijk waren in de meer afgelegen delen van het land. Zelfs de lampen leken verder uit elkaar te staan, maar ik besefte algauw dat dit gezichtsbedrog was, veroorzaakt door het landschap. Door de heuvels kon je niet meer dan een paar honderd meter ver kijken.
Ik keek naar links en naar rechts en telde maar drie lampen, waar je er normaal gesproken een stuk of tien zou verwachten.
De BND had het plekje goed gekozen, want de dichtstbijzijnde wachttoren stond een halve kilometer verder.
We lagen een halfuur voor op het schema. Het was even voor tienen. Ik wilde de tijd gebruiken om de strook te observeren en mezelf ervan te verzekeren dat er inderdaad geen patrouilles waren of dat we iets over het hoofd zagen.

Ik gebaarde het team dat het moest hurken, terwijl Chris en ik naar het draad liepen.
Het hek begon vlak bij de bomen. Chris en ik staken na de laatste boom een open strook land van twintig meter breed over en gingen naast het hek liggen. Ik pakte mijn verrekijker en speurde de strook af. Het was doodstil. Ik spande me in om iets te horen, maar het bleef rustig. Het was zo kalm, zo stil, dat het onnatuurlijk aanvoelde.
De haartjes in mijn nek gingen recht overeind staan.
'Wat denk je?' fluisterde ik tegen Chris.
'Ik vind het perfect,' zei hij.
'Niet een beetje te perfect, wellicht?'
Hij keek me aan, maar zei niets.
'Belabberde verlichting, geen wachttorens, geen mijnen... begrijp je wat ik bedoel?'
Er glinsterde iets in het maanlicht. Het duurde even voor ik doorhad wat het was. Chris had een van zijn breinaalden gepakt.
'Persoonlijk neem ik geen risico's,' zei hij. 'Ik vind dat we gewoon moeten beginnen.'
Ik knikte. Als het op de doodsstrook aankwam, maakte Chris de dienst uit.
Chris pakte zijn rugzak en haalde zijn trukendoos tevoorschijn. Hierin zaten betonscharen voor de draden van het hek en een verfijnd stelsel van veren en katrollen waarmee hij de spanning kon opheffen die op de draden van het volgende hek stond. In de Harz had ik Chris aan het werk gezien. Het was een zenuwslopende ervaring geweest. Ik had naast hem gezeten, mijn ogen strak gericht op de wachtposten in de dichtstbijzijnde wachttoren, terwijl hij bezig was met het apparaat waarmee we langs het hek van schrikdraad konden komen.
Deze keer was er geen toren: alleen maar patrouilles. Ik kroop terug naar de schaduwen aan de rand van het bos en ging bij de anderen zitten in stille afwachting.
Een paar meter verderop hoorde ik een gedempt klikgeluid terwijl Chris bezig was met het doorknippen van het buitenste hek. Ik keek op mijn horloge. Het was 22.24 uur.
Tien minuten later hoorde ik een klik in mijn oortje.
Gebukt rende ik terug naar Chris. Hij lag op zijn rug naar het hek van schrikdraad te kijken. Het leek erop alsof hij het nog niet had aangeraakt.
'Wat is er?' fluisterde ik.
Ik zag hem glimlachen. Hij praatte zachtjes. 'Niets. Je kunt nog iets aan je paranoïde gedachten toevoegen. Het is een loos hek. Dit deel

althans. De draden zijn niet aangespannen en er loopt ook geen elektriciteit doorheen.'
'Weet je het zeker?' vroeg ik.
'Nou en of.'
'Wat is er in godsnaam aan de hand?'
'Wie zal het zeggen? Misschien was het geld op.'
'Wat ben je van plan?'
'Ik ga het klereding doorknippen en naar de overkant lopen. Ik roep wel als ik aan de andere kant ben.'
Ik haastte me terug en bracht de anderen op de hoogte. We waren bijna op het punt dat we niet meer terugkonden.

Chris gebruikte tijdens zijn overtocht de hele tijd de breinaalden hoewel, zoals bleek, de informatie van de BND correct was geweest. Om de een of andere reden lagen er in dit deel van de strook geen mijnen, waren er geen hekken met schrikdraad, geen automatische geweren en geen wachttorens.
Zodra Chris aan de andere kant was, hoorde ik gekraak in de ether, gevolgd door zijn stem, een hees gefluister, en het verlossende woordje 'Bingo'.
Dat was het signaal dat wij konden beginnen. We schuifelden naar het hek. Tony ging als eerste, gevolgd door Mike. Daarna kwamen Carl, Lobo, Peter en Andy. Toen ging de spion, met mij en Angel er vlak achter. Aan de andere kant voegde Lobo zich bij Tony, vooraan in de groep. Lobo en Tony waren onze navigatoren. Met behulp van kaarten en kompassen zouden zij een weg kiezen door de vijf kilometer land waar de NVA (Nationale Volksarmee) en de grenswachters nog regelmatig patrouilleerden, in de zogenaamde beperkte zone. Mike nam Lobo's plaats in tussen Carl en Peter.
Het was lastig terrein, steiler en ruiger dan in het Westen. De bomen stonden dichter bij elkaar, waardoor het bos erg donker was. Het was even na 23.15 uur. We hadden nog ongeveer een uur en een kwartier om bij de schuur te komen, iets langer als we minder tijd namen voor een verkenning. De ontmoeting zou stipt om 2.00 uur plaatsvinden.
Na een kilometer veranderde het terrein opnieuw. Het bos werd minder dicht en de hellingen minder steil. Ik begon me beter te voelen. Als dit zo doorging, zouden we tijd genoeg hebben. Omdat het zo donker was, wilde ik niet haasten. In een normaal wandeltempo konden we elk kwartier een kilometer afleggen. Door in dit tempo te lopen, konden we ook beter op de omgeving letten. Na ongeveer twee kilometer gebaarde Tony ons om te stoppen.

Voor me was er beweging toen de BND-man zich losmaakte uit de groep en naar voren liep. Tony vertelde me later dat ze maar even hadden gesproken. De spion vroeg om onze coördinaten, keek op zijn eigen kaart en kompas, en bromde iets instemmends. Voordat Tony iets kon zeggen, was de man al tussen de bomen door weggelopen, in noordoostelijke richting.

En dat was het dan. Geen bedankje, geen groet. Opgeruimd staat goddomme netjes.

We liepen verder. Met nog vier kilometer te gaan en vijftig minuten over voor de deadline van halftwee, het moment dat ik aan de bosrand wilde zijn, kwamen we bij een pad.

De colonne kwam tot stilstand terwijl Tony en Lobo overlegden. Het pad stond niet op de kaart, terwijl het breed genoeg was voor een vrachtauto. Ik wachtte tot we weer zouden gaan lopen. Er verstreken een paar minuten. Ik vloekte binnensmonds. Wat was er allemaal aan de hand daar voren?

Toen er nog twee minuten waren verstreken, kon ik mijn geduld niet langer bedwingen. Gebukt sloop ik naar voren. Tony en Lobo zaten ineengedoken. Onderweg naar voren kwam Andy met me mee. We waren ongeveer tien meter van Tony en Lobo toen ik het geluid hoorde. Ik tikte Andy op zijn schouder. Ik was gespitst op het kleinste geluid. In de stilte van het bos had ik een takje kunnen horen kraken op tweehonderd meter. Maar dit was anders. Het was constant en nauwelijks hoorbaar, maar toch duidelijk aanwezig.

'Wat is dat?' fluisterde Andy in mijn oor.

Ik zweeg. Mijn hart klopte in mijn keel. Het was gestoord, maar het leek wel op voetstappen. Onze eigen voetstappen werden gedempt door het dikke tapijt van dennennaalden.

Toen dacht ik weer aan het pad waar we langs waren gekomen. Ik haalde zo rustig mogelijk adem zodat ik het bloed niet langer in mijn hoofd voelde bonken en probeerde te luisteren naar de richting waaruit het geluid kwam.

Het geluid weerkaatste in de bergen en dalen om ons heen, waardoor het moeilijk te bepalen was waar het vandaan kwam. Maar het leek van links en van voren te komen.

Ik kroop weer naar achteren, kwam bij Peter en zei hem dat hij tegen de rest moest zeggen dat Tony, Lobo, Andy en ik naar voren zouden gaan en dat we terug zouden komen met nieuws, zo gauw we dat hadden.

Twee minuten later zaten we met z'n vieren op 150 meter van de plek waar we de rest hadden achtergelaten, waar het terrein ineens omhoogliep.

Het geluid was hier veel luider en het leek vanachter de heuvel te komen. Ik kon duidelijk het gekraak van het grint horen, het geluid van bewegingen.
Ik ging op mijn buik liggen en kroop naar voren. Mijn hoofd stak bijna boven de heuvel uit toen ik de goedkope tabak rook van een Oost-Duitse sigaret.
Ik gluurde over de heuvel. Dertig meter verder zag ik de silhouetten van drie trucks, met daaromheen iets wat op een zwerm vuurvliegjes leek. Ze zweefden in kleine, hypnotische cirkeltjes op ongeveer een meter boven de grond. Terwijl ik langs de voertuigen staarde, telde ik ze. Aan de lichtpuntjes te zien, waren er ongeveer twintig NVA-soldaten. Maar toen mijn ogen aan het licht waren gewend en ik de bewegingen van de soldaten op het pad kon volgen, realiseerde ik me dat er ook nog minstens twintig waren die niet rookten.
We waren op een colonne soldaten gestuit die uitgerekend hier even waren gestopt om te pissen en te roken.
Tony, Lobo en Andy kwamen bij me liggen. Eventjes lagen we gewoon toe te kijken. Ik was aan het tellen. Er waren minstens vijftig soldaten. Ik keek op mijn horloge. We moesten verder.
We gleden de heuvel af op onze ellebogen. Toen we op veilige afstand waren, stonden we op en liepen snel en rustig terug naar waar de anderen wachtten. Ze kwamen om me heen staan terwijl ik ze op de hoogte bracht. Ze zeiden niets, maar dat hoefde ook niet. We hadden patrouilles verwacht, maar niets op deze schaal. Het wierp allerlei vragen op, om te beginnen wat ze hier deden. Waren ze aan het trainen of bezig aan manoeuvres? Of waren ze naar iemand op zoek?
Gelukkig stonden de voertuigen niet op het pad dat wij volgden. Het schema liet geen tijd voor twijfel over. We konden doorgaan en naar het dorpje lopen, we zouden alleen heel voorzichtig moeten zijn bij het oversteken van het pad.
We waren nog geen vijftig meter verder toen we het geluid van een motor hoorden: het zware geknars van een vrachtauto in een lage versnelling. Ik liet me op één knie vallen.
Ik dacht eerst dat het een van de voertuigen was. Maar dat klopte niet met wat ik hoorde. Dat vervloekte terrein, met zijn hellingen en rotsformaties die elk geluid weerkaatsten, maakte het onmogelijk om iets met zekerheid te zeggen.
We bleven liggen, intensief luisterend, tussen de bomen, toen een voertuig de bocht om kwam. Het kwam op ongeveer honderd meter van waar wij lagen tevoorschijn en reed van rechts naar links. De auto had zijlichten aan.

Hij reed langzaam langs onze positie en kwam vlak achter de drie andere voertuigen tot stilstand. De bestuurder schakelde de motor uit en vrijwel meteen doofden de achterlichten.
Ik hoorde een scharnier kraken toen de achterklep openging, gevolgd door het rumoer van soldaten die uit de wagen sprongen.
We waren te dicht bij de auto om hier te kunnen oversteken, dus we kropen verder naar rechts, waarbij we ver van het pad bleven. Ik riep iedereen bij elkaar. In het midden van de kring, zodat zijn penlight werd afgeschermd door onze lichamen, keek Tony op de kaart.
'We zijn nog maar drie kilometer van de grens,' fluisterde hij, 'hemelsbreed drie kilometer van onze bestemming en nog een kilometer door dit kloteterrein.' Hij keek op zijn horloge. Het was even na middernacht. 'Wat is er in godsnaam aan de hand, Jackson?'
'Trucks gebruiken deze paden,' zei ik. 'Dat weten we van de operatie in de Harz.'
'Goed,' zei hij, nog altijd op de kaart kijkend, 'alleen staan die paden niet op deze kaart.'
'Dan kunnen we maar beroerd weinig doen,' zei ik. Ik maakte me ook zorgen, maar ik wist dat ik dat niet kon tonen. 'Kun je ons weer op schema helpen?'
Tony deed zijn zaklamp uit. 'Jawel,' zei hij, licht geïrriteerd. 'Maar we moeten wel sneller lopen. Kunnen we dat risico nemen?'
Hoe sneller we liepen, hoe meer we blootstonden aan gevaar. Trucks waren één ding, maar stel dat we tegen een patrouille van de NVA aanliepen?
Iedereen was gespannen. De snelheid waarmee we de opdracht hadden gekregen, de aanwezigheid van de spion, de slechte grensbescherming en nu dit.
We liepen verder.
We staken het pad zonder problemen over en even later werd het terrein vlakker. Het bos werd minder dicht, waardoor we sneller konden lopen, in een flink wandeltempo. Ik begon weer op de omgeving te letten. We bleven regelmatig stilstaan om te luisteren. Het was een beetje koud, maar windstil. Ik wist zeker dat we de enige mensen in de wijde omgeving waren. Het deed prehistorisch aan. Als de NVA hier aanwezig was, zou ik het hebben aangevoeld, dat wist ik zeker.
Anderhalf uur nadat we het pad waren overgestoken, zag ik een lichtje door de bomen schemeren.
De groep kwam tot stilstand. Honderd meter verder lag de rand van het bos. Tussen de bomen en het licht lag een grote donkere vlakte.
Ik herinnerde me het weiland dat ik op de kaart had gezien. Toen ik

mijn verrekijker recht hield, kon ik het licht duidelijk zien. Het kwam van de bovenverdieping van een huis. Een boerderij. We waren bij het dorpje.
Ik liet mijn ogen wennen en keek naar rechts tot ik een donkere schaduw zag tegen de hemel. We waren met twintig minuten speling op onze ontmoetingsplek aangekomen.

8

De schuur stond 350 meter van de rand van het bos. We observeerden de schuur en het dorpje een kwartiertje, maar het enige wat in die tijd gebeurde was dat het licht in het huis uitging.
Met nog vijf minuten te gaan en een misselijk gevoel in mijn maag, zei ik tegen Angel dat hij me moest dekken en kwam in beweging. Een lichte wolkenflard hing voor de maan. Ik kon amper een hand voor ogen zien, maar ik zei tegen mezelf dat als ik niets zag, anderen dat ook niet konden. Het was niet echt een geruststellende gedachte, terwijl ik door het open grasland tussen het bos en de schuur liep.
Ik rende gebukt zo snel als ik kon en bleef elke vijftig meter staan om te kijken en te luisteren.
Ik had een sterk gevoel van déjà vu. Achttien maanden eerder had ik in een vergelijkbaar weiland gestaan en mezelf voorbereid op het contact met een andere overloper.
Ik keek naar de schuur. Hij was nu heel dichtbij en het silhouet stak scherp af tegen de sluier van bewolking die voor de maan hing.
Het had geen zin om te blijven hangen in het verleden, sprak ik mezelf toe. Ginger was er niet meer en ik had mijn functie terug. Tijd om verder te gaan, Jackson.
Ik rende de laatste vijftig meter naar de schuur en kwam halverwege het lange stuk uit. Ik rustte even om op adem te komen, stapte naar voren en raakte de muur met mijn hand aan. Vervolgens legde ik mijn oor tegen de muur te luisteren.
Er stond een zacht briesje. Het waaide door het gras en floot door de

houten planken waar de schuur van was gebouwd. Binnen hoorde ik de planken kraken. Het was een typische schuur voor dit gebied en hij was waarschijnlijk een paar honderd jaar oud.
Ik haalde de veiligheidspal van mijn M16 en liep naar links, op zoek naar een deur. De schuur was minstens vijftig meter lang. Ik kwam bij de hoek en keek eromheen. Ik wist dat als de jongens iets zouden hebben gezien, ze me dat via de radio zouden hebben gemeld. Ik liep verder, op zoek naar een ingang, maar na anderhalve kant te hebben afgezocht, had ik nog steeds niets gevonden. Aan de derde kant was het hetzelfde verhaal. Zou je net zien, dacht ik. De deur zat in de vierde kant. Maar nu was ik tenminste voorbereid.
Even later stond ik voor een grote dubbele deur. Ik hield mijn oor tegen het hout en luisterde. Stel dat er binnen dieren stonden?
Ik duwde de loop van het geweer tussen de deuren en duwde een deur open. Ik verwachtte dat de scharnieren herrie zouden maken, maar de deur gleed geruisloos open. Zodra de opening breed genoeg was, glipte ik naar binnen, terwijl ik zo laag mogelijk bleef. Ik zocht de veiligheid van de muur op en ging zitten, mijn hart klopte in mijn keel.
Ik zat daar twee minuten, met mijn rug tegen het hout. De geopende deur liet nauwelijks meer licht binnenvallen. Het enige wat ik hoorde was de wind.
Ineens werd ik bang. Als alles volgens plan was gegaan, was ik niet alleen, hoe afgelegen en vredig het hier ook leek, hoe rustig het ook was. Met mijn linkerhand pakte ik een granaat uit mijn rechterborstzak. De schuur was zo groot dat er een heel NVA-bataljon in had gepast, zonder dat ik ze zou tegenkomen. Ik was al eens te gast bij de Stasi geweest. Als dit een valstrik was, als ze me wilden pakken, dan zou ik zo veel mogelijk van die klootzakken met me meenemen.
Met de granaat stevig in mijn linkerhand en de M16 in mijn rechter, haalde ik diep adem en vroeg: 'Is er iemand?'
Stilte, behalve het gesuis van de wind. Ik stond klaar om in actie te komen.
Vijf, tien seconden gingen voorbij en ik herhaalde de vraag. Deze keer vroeg ik of er iemand in de schuur was die naar het Westen wilde.
Opnieuw stilte. Toen herinnerde ik me het codewoord. Ik wilde dat net gaan gebruiken, toen ik ergens voor me in de duisternis een beweging hoorde.
'Als u die kant opgaat,' zei een stem, 'zou ik graag mee willen.'
Heel even dacht ik dat ik me het verbeeld had. De stem was rustig en kalm.
Ik wachtte op het klikken van een wapen, een plotseling bevel tot vu-

ren. Maar in de ijselijke stilte van het moment, hier in het midden van de schuur, waar er geen tochtje wind stond, leek het enige zintuig dat werkte, mijn reuk te zijn. Ineens rook ik de allesoverheersende geur van koeienstront, gemengd met de onmiskenbare geur van oude tabaksrook. Vlak voor mijn komst had de klootzak hier ijskoud een sigaret zitten roken.
'Laat uzelf zien,' zei ik.
'Hoe?' vroeg de stem.
'U hebt een lucifer of een aansteker, gebruik die.'
Ik deed een paar stappen naar links.
In de duisternis weerklonk geritsel. Ik richtte mijn M16 op het geluid, waarbij ik de loop op mijn linkerelleboog liet rusten. In mijn linkerhand had ik nog altijd de granaat.
Ineens flakkerde er een lichtje op. Ik richtte mijn geweer een klein stukje de andere kant op en vond het gezicht achter het licht, recht achter het halfautomatische geweer.
'Doe het licht niet uit,' zei ik. 'Bent u alleen?'
Hij keek naar links en naar rechts. Ik zou kunnen zweren dat hij zijn wenkbrauw optrok, alsof hij wilde zeggen 'wat denk je'. Hij was heel relaxed. Ik trok mijn M16 hard tegen mijn schouder en bleef op hem richten. Een druppel zweet viel van mijn haargrens op het geweer. De granaat voelde nat aan in mijn hand. Ik staarde de man aan. Door het flakkerende licht zag hij er macaber uit. Afgezien van de baard, die was afgeschoren, leek hij precies op de man op de foto die ik in de kazerne had gezien.
Ik vroeg het codewoord en hij gaf het me zonder aarzeling.
Terwijl ik hem in het vizier hield, keek ik in de schaduwen. De vlam wierp licht op de omgeving. Rechts van me stond een oude tractor en links een ploeg. Gelukkig was ik er in het donker niet tegenaan gelopen. De wetenschapper zat op een baal stro onder aan een houten steunpilaar, een van de vier in het midden van de schuur.
'Doof de vlam niet,' zei ik, 'en blijf zitten.'
Ik deed een paar stappen naar voren. Ik liet de M16 wat zakken, maar hield de loop nog altijd gericht op de wetenschapper. Ik stopte de granaat terug en haalde mijn zaklamp uit een andere zak. Hiermee scheen ik in de donkere hoeken van de schuur. Het licht scheen op meer landbouwwerktuigen: een balenmaker en een zeis. De schaduwen dansten, waardoor er dingen leken te bewegen. Ik scheen de lamp op de andere kant van de schuur en kwam bij de kale muur.
'We zijn helemaal alleen, dat beloof ik,' zei de wetenschapper. 'En ik kan het weten, want ik zit hier al uren.'

Ik deed nog een paar stappen in zijn richting.
'Mag ik het licht uitdoen?' vroeg hij.
'Niet voordat u mijn sigaret aansteekt,' zei ik.
De wetenschapper knikte. Hij droeg een regenjas en zijn boord stond open.
Hij tastte in zijn jaszak en ik greep mijn geweer wat steviger vast. Hij haalde een pakje F7's tevoorschijn, een Oost-Duits merk, en stond wat te hannesen met één hand tot hij twee sigaretten te pakken had. Hij stak er een aan en gaf die aan mij. Zijn hand beefde een beetje. Ik stopte de zaklamp weg en nam de sigaret aan.
'Laat de vlam niet doven,' waarschuwde ik hem.
Hij keek me aan. 'Moeten we niet gaan?'
'Pas als ik dat zeg,' zei ik.
'Dan hebt u er vast geen bezwaar tegen als ik rook?'
'Ga uw gang,' zei ik.
Hij stak de andere sigaret aan en nam een flinke trek aan de kartonnen houder. Na een paar trekjes voelde ik me al een stuk rustiger. Ik liet mijn geweer zakken, maar bleef het wel op hem richten, klaar om te vuren.
'Hoelang hebt u erover gedaan om hier te komen?' vroeg hij, alsof dit een volstrekt alledaagse ontmoeting was.
'Lang genoeg,' zei ik. 'Hebt u kinderen?'
'Ja,' zei hij, en ik kon zien dat de vraag hem verraste. 'Ik ben getrouwd en heb twee zoons.'
Ik wilde hem net gaan vragen hoe hij er bij kwam om ze achter te laten, toen ik gekraak hoorde in mijn oortje en Angels stem hoorde. 'Jackson?'
'Ja,' antwoordde ik.
'Gaat alles goed?'
'Ja hoor, prima.'
'Het spijt me dat ik je onderonsje moet onderbreken, maat, maar kunnen we misschien op weg gaan?'
'Precies wat ik dacht,' zei ik. 'We vertrekken meteen.'
'Met wie praat u?' vroeg de wetenschapper. Ik liet mijn sigaret vallen en trapte hem uit met mijn hak. Ik gebaarde hem hetzelfde te doen.
'Licht uit,' zei ik. 'Ga naar de deur en zwijg.'
Toen ik hem tegen het licht van de avondlucht kon zien staan tussen de deuren, liep ik naar hem toe. Ik duwde hem naar buiten, richtte de loop van mijn geweer nog een laatste maal op het interieur van de schuur en ging hem achterna.
Ik moest even wennen aan de omgeving. Rechts van me zag ik de bomenrij waar de rest van het team zat te wachten.

9

We liepen in formatie verder, met Lobo aan het hoofd van de driehoek en de rest verspreid achter hem. Ik zag Mike en Tony voor me lopen en de wetenschapper en Angel links van me.
Carl, Peter, Chris en Andy vormden de achterhoede. Iedereen hield een afstand van tien meter tot de ander aan. Het belangrijkste was dat de wetenschapper in het midden zat, aan alle kanten beschermd.
We liepen in gestaag tempo door het bos, onder takken door en voortdurend gespitst op vreemde geluiden. Ik hield de wetenschapper steeds in de gaten. Gelukkig was hij fit en kon hij Lobo's tempo bijhouden.
Na ongeveer twee uur wist ik dat we vlak bij de grens waren. We hadden licht moeten afwijken van de route die we op de heenweg hadden genomen, om de plek te vermijden waar de trucks stonden.
Ik hield mijn horloge nauwlettend in de gaten, maakte steeds berekeningen over de afstand en de benodigde tijd en zette dit af tegen het veranderende licht. Ook al hadden we dan geen patrouilles gezien bij de strook, ik wilde er overheen zijn voordat de zon opging om 4.50 uur.
Het was even na vieren. Met een beetje geluk zouden we over een kwartier bij de grens zijn. Dan hadden we nog voldoende tijd over.
In het Oosten mag je nooit denken dat je veilig bent, dat had ik tot mijn verdriet geleerd. Maar ik zat er akelig dicht in de buurt toen Mike en Tony plotseling stilstonden.
Mike liet zich op een knie vallen en stak zijn linkerhand op. Tony deed hetzelfde. Voor hen zag ik ook Lobo tegen de vlakte gaan. Angel en ik renden naar de wetenschapper en trokken hem omlaag.

De seconden tikten voorbij. Ik keek op en tuurde de omgeving af. Iedereen lag plat op de grond. Ik was gespannen en wachtte tot er iets zou gebeuren, maar het bleef rustig.
Na vijf minuten kwam Mike naar ons toe geschuifeld en zei dat Lobo uit zijn ooghoek iets gezien had. Tussen de bomen had iets bewogen, vlak voor waar wij liepen.
'Waarschijnlijk een hert of een wild zwijn,' fluisterde Andy. 'Daar stikt het hier van.'
Mikes stem klonk laag en dringend in mijn oor. 'Wat doen we?' vroeg hij. 'De tijd tikt verder.'
'Dat is aan Lobo,' zei ik. 'Wij hoeven hem er niet aan te herinneren dat we niet de hele nacht hebben.'
Vijf minuten later stond Lobo op. Ik gaf de wetenschapper, die tussen Angel en mij in had gelegen, een klopje op zijn rug en zei dat we verder gingen.
We hadden nog geen stap gedaan toen we iemand 'halt!' hoorden roepen. Het bevel weerkaatste door het bos. Vervolgens leek het hele bos te exploderen door geweervuur.
Ik keerde me naar de wetenschapper, maar Angel was me voor. Hij duwde hem in één beweging tegen de grond.
Ik handelde automatisch, rolde op mijn zij en vuurde op de bomen rechts van ons. Kogels floten door de lucht. De bomen schudden onder de aanval.
Een eindje verder kon ik de monden van de geweren van onze aanvallers zien opflitsen. Ik richtte me op een van hen en vuurde een lang salvo af. Ik zag de tracerkogels in de nacht verdwenen. Afgemeten aan het volume van de salvo's, werden we door minstens vijftien man beschoten. Nog een paar kogels verlieten het magazijn en het geweer hield er mee op. Ik wisselde van magazijn en begon opnieuw te schieten. Vlak voor me sloeg een kogel in de grond, de opstuivende aarde kwam in mijn ogen.
Achter me denderde het toen Angel een 40mm-granaat in de bomen wierp.
Als we hier blijven, dacht ik, worden we in mootjes gehakt.
Drie meter verderop zag ik een omgevallen boom liggen. Het was eigenlijk maar een boompje, maar het was beter dan niets.
Ik riep naar Angel en zei hem wat ik van plan was. Toen kwam ik in beweging, mijn voeten zochten naar houvast op de dennennaalden terwijl ik de wetenschapper naar de boom sleurde. Een kogel vloog langs mijn oor en ketste af tegen het hout. Hij kwam ergens voor ons vandaan, wat betekende dat we van ten minste drie kanten beschoten wer-

den. Ik moest mijn eerdere inschatting van vijftien aanvallers herzien. Het waren er net dertig tot veertig geworden.
Angel dreunde tegen de boom naast me en vuurde een salvo van 5.56 naar links. Uit mijn ooghoek kon ik zien dat Mike, Tony en Lobo in een hevig vuurgevecht verwikkeld waren met de aanvallers voor ons.
'We moeten ons terugtrekken.' Ik moest schreeuwen om mijn eigen stem te horen. 'Als we hier blijven, zijn we er geweest.'
'Maar de grens is die kant op,' schreeuwde Angel, terwijl hij gebaarde in de richting waar Tony, Mike en Lobo in hun eigen gevecht verwikkeld waren.
'We trekken ons terug en maken een omtrekkende beweging,' riep ik terug. 'Grijp jij zijn ene arm, dan neem ik de andere. De rest volgt wel als ze ons bezig zien.'
Angel stak de loop van zijn geweer boven de boomstam uit en vuurde blind in het bos. Een seconde later deed ik dat ook. Vervolgens pakten we de wetenschapper en begonnen te rennen. Kogels ketsten tegen de takken. Ik zag de flitsen rechts van me en vuurde terug, maar dit leek de vijand alleen maar feller te maken. Een regen van kogels deed de grond voor ons opstuiven, maar op de een of andere manier werden we niet geraakt en gingen we door. Angel slingerde zijn wapen naar voren en vuurde nog een granaat af. Er weerklonk een geluid van splinterend hout doordat de boom de volle laag kreeg en daarna hoorde ik gegil; de schok, pijn en angst van mannen die gevangenzaten onder een regen van granaatscherven en houtsplinters. In de stilte die volgde, hoorde ik de wetenschapper naar adem snakken en vervolgens hoorde ik achter ons, heel ver weg, zo leek het, opnieuw een salvo van kalasjnikovs.
De wetenschapper verstijfde en werd opeens een dood gewicht.
Angel en ik werden erdoor verrast en we vielen om. Ik voelde de pols van de wetenschapper. Hij leefde nog net. Op de rug van zijn regenjas werd een donkere bloedvlek zichtbaar.
Chris en Lobo vielen naast ons neer. Kogels ketsten af op de rotsen. Angel hurkte en vuurde terug, duwde zijn geweer in mijn handen en draaide de wetenschapper op zijn rug.
'Lopen jullie,' riep ik naar de andere drie. 'Ga terug over het hek. We dekken jullie wel en volgen vanzelf.' Als we hier zouden blijven, zou onze strijd zinloos zijn. Er zouden meer NVA'ers tussen ons en de grens komen, als ze er al niet zaten, en zo onze weg blokkeren.
Vlak daarna kwamen Mike, Andy, Peter, Carl en Tony naar ons toe. We bleven de drie anderen dekken terwijl ze – met de wetenschapper op Angels rug – zich een weg baanden door het gat achter ons.

De NVA zat in een soort halve kring om ons heen. We moesten Angel, Chris en Lobo een paar minuten dekking geven en zouden dan zelf gaan.
Het enige wat in ons voordeel werkte, was dat het vanaf hier tot aan de grens alleen maar heuvelaf liep.
'Mike, Andy, Peter,' gilde ik tussen de salvo's met de granaatwerper door, 'jullie gaan naar links. Carl, Tony en ik gaan rechtsom. We zien jullie bij het hek.'
Alle zes vuurden we het bos in, over een gebied van 270 graden. Onze 40mm-granaten explodeerden naast de NVA-geweren. Ergens in mijn achterhoofd probeerde ik de minuten af te tellen waarvan ik wist dat Angels groep ze nodig had om langs de NVA te komen en bij de grens.
Eén ding gaf me hoop. Als dit beroepsmilitairen waren geweest, waren we alleen al door hun numerieke overmacht verslagen. Ik klampte me aan deze gedachte vast terwijl ik nog een salvo afvuurde in het midden van de halve kring om ons heen. Toen braken we uit en renden weg.
Carl, Tony en ik renden om een rotsformatie, renden nog vijftig meter door en renden toen weer de andere kant op, rond de rechterflank van de vijand. De NVA leek nog steeds op de plek te vuren die we zojuist hadden verlaten. Het zou mooi zijn als we ze nog iets langer in de waan konden laten, lang genoeg voor mijn groep en die van Andy om langs ze te trekken en de grens over te steken.
We vorderden lekker toen ik struikelde over iets zachts en voorover viel. Ik sloeg tegen de grond en Angels M16 vloog uit mijn handen.
Carl en Tony liepen vlak langs me. In de verwarring had ik ze niet gezien en zij mij niet. Ik tastte wanhopig rond naar Angels M16 en raakte het gezicht van de soldaat over wie ik was gevallen. Ik voelde zijn bloed op mijn vingers.
Ik pakte de M16 en zette het op een lopen.
Ik liep zo hard dat ik het geluid van de geweren dat achter me wegstierf niet meer hoorde. Ik wist alleen maar hoe groot de afstand tussen mij en de NVA was toen ik bij de boomgrens kwam en de doodsstrook voor me lag. Carl en Tony liepen al langs het hek, een paar meter van waar ik lag. Ik kon zien dat we een stukje van de oorspronkelijke oversteekplaats verwijderd waren.
Toen ik weer bij Carl en Tony was, zagen we ineens koplampen naderen op het pad dat langs het hek liep. We doken tussen de bomen en wachtten tot de lampen naderbij kwamen. Ik richtte mijn granaatwerper, maar de jeep rolde verder. De inzittenden waren zich kennelijk niet bewust van het feit dat verderop op de heuvel de derde wereldoorlog was uitgebroken.

Zodra de jeep uit het zicht was, pakte Carl zijn radio. Lobo antwoordde. Ze hadden het gehaald en Mike, Andy en Peter waren met de overtocht bezig.
'Ik geef je wel een seintje,' zei Lobo.
Een paar seconden later zagen we de doffe rode gloed van een gedempte zaklamp heen en weer bewegen, 150 meter van waar we zaten.
'We zien jullie,' zei Carl. 'Dek ons terwijl we oversteken.'

Toen we eindelijk uitgeput terugkwamen bij de parkeerplaats, was de bus verdwenen. In zijn plaats stonden twee Volkswagen-busjes en twee sedans.
De zon was nog niet op, maar er was genoeg licht om in het voorbijgaan het lijk van de wetenschapper te zien op de achterbank van een van de auto's. Iemand was zo netjes geweest een deken over hem te leggen.
Ik gaf Angel zijn M16 en gooide de mijne achter in een van de busjes. Ik klom naar binnen en ging zitten. Ik rook sigarenrook en keek op. Op de passagiersstoel zat de Ouwe.
Angel, Andy en Chris klommen eveneens in de Volkswagen en ploften naast me neer. De Ouwe draaide zich naar de bestuurder en knikte.
Boven het bos brak het ochtendlicht door.
Ik vroeg me af of het gezin van de wetenschapper er ooit achter zou komen hoe en waar hij gestorven was.

Twee weken na de missie kwam Peter bij me langs. Het was een informeel bezoek, maar aan zijn gezicht kon ik al aflezen wat hij wilde gaan zeggen.
Ik bood hem een stoel aan, maar hij aarzelde. Hij moest nog lesgeven, legde hij uit, en hij was al laat.
'Klets niet en ga zitten,' zei ik. 'Het zijn studenten. Ze wachten maar even.'
Hij deed wat hem gezegd werd. Ik stak een sigaret op en wachtte.
'Het gaat om de Jackson Family, de eenheid, ons,' stamelde hij. 'Het spijt me, Jackson, ik ben niet zo goed in dit soort toespraken.'
'Het is wel goed,' zei ik. 'Ik begrijp het. Je gaat bij ons weg, nietwaar?'
Hij keek op en keek me strak aan.
'We kennen je beter dan je denkt,' zei ik.
Hij glimlachte aarzelend. 'Je maakt het alleen maar erger. Dit is al zo gênant.'
'Dus je wilt terug naar de FSK.'
Hij keek weer de andere kant op. 'Ik heb niets tegen jou of je team. Ik

voelde me welkom bij jullie. Eerlijk gezegd had ik toen ik hier binnenkwam niet gedacht dat ik dat ooit zou zeggen. Maar het is wel zo. Ik heb hier vrienden gemaakt.'
'Als het over de missie gaat, moet je weten dat je het goed gedaan hebt,' zei ik. 'We zijn hier niet zo scheutig met complimenten, maar je kunt trots zijn op jezelf.'
'Maar er is iemand gestorven,' zei hij. 'En het lijkt wel alsof er niets gebeurd is.'
'Luister, knul, je bent niet de enige die zich rot voelt,' zei ik.
Hij schudde het hoofd. 'Dat is niet wat ik bedoelde. Waar ik vandaan kom, zouden de lui van de inlichtingendienst erbovenop zijn gesprongen. Ze zouden elk klein detail uit ons hebben geperst. We zouden zijn ondervraagd, uitgehoord; kortom, een ware inquisitie. En dat zou nog maar het begin zijn geweest.'
'Hier doen we het nu eenmaal wat anders,' zei ik. 'Ze weten dat ze een beetje rekening met ons moeten houden, Peter. Als we de muur overgaan, zetten we ons leven op het spel. Meestal zeggen ze ons niet eens waarom we gaan en we hebben inmiddels geleerd er niet naar te vragen.'
'Dat weet ik. En ik word er gek van,' zei hij.
'En sommigen van ons worden er ook gek van. Maar we hebben er mee leren omgaan. En dat kun jij ook leren.'
'Maar ik wil niet eindigen zoals...'
'Zoals ik?' vroeg ik hem.
'Nee.' Hij kreeg een rood hoofd. 'Het enige wat ik zeker over jullie weet, is dat jullie een team vormen. Jullie spelen het hard en werken hard.'
'Jij hoort ook bij dat team,' zei ik.
Hij schudde het hoofd. 'Ik hoor er niet bij en dat zal ik ook nooit doen. Maar toch bedankt.' Hij sloeg zijn ogen neer, haalde diep adem en keek me vervolgens recht aan. 'Ik ben gek op het werk, Jackson, maar als ik moet doodgaan op die klotestrook, dan zou ik in mijn laatste seconden willen weten waar het allemaal goed voor was. En dat weet ik niet. Ik heb geen idee waar het allemaal om gaat. We leven in 1981. De muur staat er al twintig jaar en hij ziet er behoorlijk solide uit. Ik wil niet sterven, en ik vind het vreselijk om dit te moeten zeggen, voor een verloren zaak.'
Ik wilde hem vertellen wat Krause mij had verteld toen ik terugkwam van mijn niet goedgekeurde verkenningstocht van het SED-congresgebouw in Oost-Berlijn. Dat we waren opgericht om vergelding uit te delen.

Waarom, zo was ik tegen Krause tekeergegaan, reikte onze regering aan de ene kant Oost-Duitsland de hand, door de regering van Honecker leningen te geven en voedsel onder de Ostpolitik, en sloegen we ze met de andere hand in het gezicht?
Pas toen Krause me vertelde dat het Elitekommando Ost oog om oog gaf voor wat hun commando's ons aandeden, had ik het begrepen.
Ik keek Peter aan. Hij was een idealist. Zoals ik ooit was geweest.
Ik dacht dat we met ons werk invloed konden hebben op de Muur. Maar Peter had gelijk. De Muur stond er nog en zou er nog wel decennia staan.

10

Het laatste waar ik op uit was nadat mijn huwelijk op de klippen was gelopen, was een relatie, maar Uschi was heel anders dan Sabine. Uschi maakte het gemakkelijk.
Het was weekend en ik liep in de supermarkt om de voorraad in mijn flat aan te vullen. Het was een lange, koude winter geweest en het leven in de kazerne was een doffe ellende. Ik had mezelf voorbereid op een nasleep van de missie, maar ik had beter moeten weten. Deze dingen volgden een patroon. We gingen naar het Oosten en kwamen weer terug. Hoe heftiger het er aan toe ging, hoe rustiger het was als we weer terugkwamen. Zolang de Ouwe maar wist dat we ons best hadden gedaan, en hij wist dat we er in Beieren alles aan hadden gedaan om de overloper naar het Westen te krijgen, ging hij voor ons door het vuur. Wat ze hem ook betaalden, ik wist dat het niet genoeg was.
De dagen werden weken, de weken gingen voorbij en geleidelijk vielen we weer terug in onze trainingsroutine. Nadat Peter met me had gesproken, had ik hem een maand bedenktijd gegeven. Toen de maand voorbij was, stond zijn besluit om te vertrekken nog altijd vast. We gaven een afscheidsfeestje voor hem in de Krokodil en hij vertrok de volgende dag. Niemand van ons heeft hem ooit teruggezien.
Direct na zijn vertrek verslechterde de relatie tussen het Oosten en het Westen. Deze keer was Polen het middelpunt, waar de pro-democratische vakbond Solidariteit voet aan de grond probeerde te krijgen.
In december 1981 kondigde generaal Jaruzelski de staat van beleg af en

bracht Solidariteit in het gareel. We zagen de ontwikkelingen met stijgende bezorgdheid aan.
Hoewel de handelingen van Jaruzelski beroerd waren voor de Polen, voorkwam hij hiermee wel een wereldwijde catastrofe.
In het Westen had men sterk het idee, en de geheime diensten gingen hierin mee, dat de Sovjets Polen zouden zijn binnengevallen als de Poolse regering niet op deze manier had gehandeld. Reagan zat in het Witte Huis en de Europeanen waren woedend over de dreiging van de Amerikanen om middellange-afstandsraketten en kruisraketten te installeren op Europese bodem: de derde wereldoorlog was nog nooit zo nabij geweest.
Er zat een vreemde ironie aan dit alles.
De Ouwe had me voor onze eerste teammissie (de sabotage van een olieraffinaderij in Halle in 1978) gezegd dat deze acties voor onvrede in de DDR zouden zorgen en zouden leiden tot een revolutie door destabilisatie. Maar Polen was gedestabiliseerd zonder onze hulp, terwijl in de DDR het regime nooit sterker had geleken.
Daardoor wilde ik er helemaal uit zijn. Ik had mijn appartementje maandenlang verwaarloosd, maar nu ging ik er vrijwel elk weekend heen. Ik las, luisterde naar muziek en kookte, iets wat ik altijd graag had gedaan. Soms nodigde ik een van de jongens uit, maar meestal kookte en at ik alleen.
In de supermarkt reed ik Uschi zowat aan toen ik de hoek om kwam. Ze had de mooiste, langste benen die ik ooit had gezien en toen ik haar van top tot teen beter bekeek, zag ik dat de rest ook niet mis was.
Ze keek me aan en zocht verder in de schappen.
In een opwelling vroeg ik wat ze zocht. Ze antwoordde zonder aarzeling, terwijl haar ogen heen en weer schoten over de rij kruiden en specerijen. Ze sprak alsof ze me al jaren kende.
Ze zei dat ze wat vrienden te eten zou krijgen, dat ze te lang gewacht had en daarom nu haar toevlucht had moeten zoeken bij een recept uit een tijdschrift. En nu kon ze de ingrediënten niet vinden. Bovendien, zei ze, wat erger was, had ze een hekel aan koken; ze bracht er niets van terecht.
'Weet je wat,' zei ik. 'Dit vind je misschien gek, maar zal ik anders bij jou voor jou en je vrienden koken en er zelfs gratis wat wijn bij serveren? Dat lijkt me een onweerstaanbaar aanbod.'
Ze staarde me aan. 'Maar ik ken je helemaal niet.'
'Dat is waar. Maar hoe bedreigend kan een man in een schort helemaal zijn?'
Ze lachte.

'Bovendien,' zei ik, 'je andere gasten kunnen als chaperonne dienen. Hoeveel mensen komen er?'
'Drie. In totaal zijn we met z'n vieren.' Ze fronste haar wenkbrauwen. 'Waarom vertel ik je dit in godsnaam allemaal?'
'Dat is dan geregeld,' zei ik en ik reikte langs haar heen voor wat basilicum en kurkuma. 'Wie zijn die mensen voor wie ik ga koken?'
'Het zijn collega's van mijn werk.'
'En wat vind je man ervan dat je ineens een kok mee naar huis neemt?'
'Ik ben niet getrouwd, dus dat loopt wel los, denk je niet?' Ze keek me aan. 'Is er nog iets wat je wilt weten?'
'Ja. Hoe laat wil je eten?' vroeg ik.

Uschi woonde in een klein appartementje een dorp verderop. Ze had twee vrouwelijke collega's van wie er een niet kwam opdagen, dus uiteindelijk viel het allemaal keurig op zijn plaats.
We waren allemaal mensen die geen andere banden hadden dan met ons werk en aan het eind van de avond praatte ik met ze alsof ze ik al jaren kende.
Ze vroegen wat ik deed en ik zei ze de waarheid, dat ik al zes jaar in het leger zat en dat ik mijn werk bovendien leuk vond.
Toen ik nog getrouwd was met Sabine, hadden haar vrienden nooit kunnen accepteren dat ik een legerofficier was of dat ik genoot van mijn werk. Het had voor heel wat strubbelingen gezorgd. Bij Uschi en haar vrienden had ik het idee dat ik me nergens voor hoefde te verontschuldigen en zij accepteerden me voor wie ik was, niet voor het uniform dat ik droeg.
Bovendien leken ze het idee dat een luitenant uit de Bundeswehr ook de weg wist in de keuken wel leuk te vinden.
Ik was eerst bang dat de andere man in het gezelschap Klaus, Uschi's vriend was, maar het duurde niet lang voor ik doorhad dat hij inderdaad was wat ze had gezegd: een collega van haar werk.
Aan het eind van de avond, toen de anderen waren vertrokken, vroeg ik haar op de stoep of ze met me wilde uitgaan.
Een weekend later waren we een stel. En hoewel ik had gedacht dat ik door de scheiding van Sabine permanente schade had opgelopen, was ik verbaasd hoe snel ik het gevoel kreeg dat het allemaal goed zat.
Uschi was een secretaresse die meerdere talen sprak en veel reisde voor haar werk. Omdat we allebei veel weg waren, spraken we af dat we elkaar zouden zien als we daar zin in hadden, zonder enige verplichtingen.
Tijdens ons vierde weekend samen gingen we zeilen. Een paar weken

eerder had ik plannen gemaakt om in mijn eentje op de Baltische Zee te gaan zeilen. Het bleek dat Uschi ook dol was op zeilen. Dit was een aangename verrassing, want Sabine was altijd mateloos geïrriteerd geweest door mijn fascinatie voor boten.
Ik was altijd al gek geweest op zeilen. Als kind had ik elke minuut vrije tijd op de Wannsee doorgebracht, het grote meer aan de westkant van West-Berlijn.
Vrienden van mijn moeder die een huis aan het meer hadden, bezaten ook een bootje. Omdat mijn vader bij ons was weggegaan toen ik nog klein was en omdat mijn moeder werkte (ze was een technisch medisch assistente, een Duitse bevoegdheid tussen verpleegkundige en arts in) mocht ik altijd bij hen mijn zomervakanties doorbrengen.
Tijdens mijn eerste verblijf had mijn moeder me op zeilles gedaan en vanaf dat moment was alles anders geworden. Ik was geïnteresseerd gebleven in boten en zeilde met steeds grotere exemplaren. Ik had op de Middellandse Zee gezeild en op de Noordzee, maar het liefst zeilde ik op de Baltische Zee, die heel uitdagend kon zijn, maar waar de omgeving altijd adembenemend was. De Noord-Duitse kust, met zijn lange stranden en golvende duinen, was een wilde, afgelegen plek, die deed denken aan sommige delen van Schotland.
Ik had de schoener geboekt met het plan om zoals altijd alleen te gaan. Maar toen Uschi liet doorschemeren dat ze ook graag zeilde, vroeg ik of ze mee wilde.
De eerste paar dagen was het prachtig weer en we besloten om door de Kieler Bucht te varen, een stuk water tussen Kiel en de Deense eilanden. Het was warm genoeg om op het dek te zitten in korte broek en met korte mouwen. Uschi was een volleerd zeilster en ik besefte algauw dat er niets was wat ze op een boot niet kon. 's Avonds gingen we voor anker in een haven en aten we aan boord. Daarna praatten we bij een fles of twee rode wijn, meestal tot in de kleine uurtjes.
Op de vierde dag vertrokken we naar de Deense wateren en vonden daar algauw prachtig zeilwater voor de oostkust. Af en toe stond ik te staren naar de schepen die naar Rostock voeren, de grootste haven van de DDR. Dan dacht ik aan de missies die we hadden uitgevoerd en vroeg me af wat Uschi zou zeggen als ik haar ooit de waarheid zou vertellen.
Na de dood van Ginger had ik veel nachtmerries gehad en werd ik vaak midden in de nacht wakker, badend in het angstzweet, er van overtuigd dat ik bedekt was met zijn bloed. Ik had Sabine verteld dat Ginger was omgekomen bij een trainingsongeluk, maar ze was niet achterlijk. Ze werd steeds achterdochtiger over het werk dat ik deed.

Onze strikte eed aan de Ouwe, dat we nooit het bestaan van de eenheid aan iemand anders zouden onthullen, laat staan dat we zouden vertellen wat het Elitekommando Ost eigenlijk deed, legde een enorme druk op ons.
Wanneer we terugkwamen van een missie hadden sommigen, onder wie ikzelf, het moeilijk om weer in de routine van alledag terug te vallen. Dat was vooral waar geweest na de drie maanden die we in Oost-Duitsland hadden doorgebracht als *Gastarbeiter* in de raffinaderij in Halle, die we buiten werking moesten stellen.
Telkens als ik naar Uschi keek, die ontspannen en gelukkig rondliep over het dek, vroeg ik me af hoelang het zou duren voor ze meer wilde weten.
Het had me achttien maanden hard werken gekost om me weer gelukkig te voelen. Hoezeer Uschi en ik ook hadden beloofd om elkaar de ruimte te gunnen, vanaf de tweede dag op de boot wist ik al waar dit op uit zou draaien.
Ik wilde van de rest van de tocht genieten en vond het beter te zwijgen zolang we nog op de boot waren, maar nam mezelf voor om, zodra we weer aan land waren, er een einde aan te maken. Ik kon Uschi niet hetzelfde aandoen als Sabine. De eenheid liet mij geen bewegingsruimte. Dat mijn huwelijk was mislukt, was geen geïsoleerd geval. Vlak voor zijn dood waren Ginger en zijn vrouw uit elkaar gegaan, de relatie van Angel en Brigitte liep op zijn eind en anderen hadden ook problemen.
Op onze laatste dag sloeg het weer om. Grijze stapels Atlantische wolken kwamen aandrijven uit het westen. We lagen op koers voor Kiel, onze thuishaven, toen we een andere schoener, vergelijkbaar met de onze, zagen en deze probeerden te onderscheppen.
Toen we op gehoorsafstand waren, zag ik dat deze boot ook uit Kiel kwam en het duurde niet lang voor we in een wedstrijd waren verwikkeld.
De twee boten raceten een uur lang naast elkaar en we riepen goedaardige beledigingen naar elkaar. Soms lagen zij voorop, dan wij weer. Het was hard werk, maar Uschi en ik waren een goed team. Er was veel behendigheid nodig om met de andere boot te racen en tegelijkertijd de boeien in de gaten te houden die het ingewikkelde patroon van vaarroutes aangeven in de ondiepe wateren van het laatste stuk.
De wind trok aan en de golven werden ruwer. Het weer sloeg om. De wolken waren inmiddels donker, blauwzwart van kleur en hingen bijna boven ons. Voor ik het wist, zaten we midden in een storm, een plaatselijke hoosbui, waarbij de wind van alle kanten leek te komen.

Ik riep naar Uschi dat ze het roer moest overnemen terwijl ik naar voren liep om de zeilen te strijken. De wind was zo sterk dat ik dacht dat we om zouden slaan. Ik vocht met de windassen om ons drijvende te houden. Plotseling zag ik in mijn ooghoek ineens de donkere omtrekken van de andere schoener opduiken. Ze lag op een paar scheepslengten afstand op ramkoers.
Ik gilde naar Uschi, maar die draaide al aan het roer om ons te laten keren. We keerden hard en de giek zwiepte over het dek. Ik dook omlaag en zag hoe de schoener op nog geen meter afstand langs ons gleed. Daarna klonk er een afschuwelijk krakend geluid terwijl we aan de grond liepen.
Het laatste wat ik zag voor ik met mijn hoofd tegen het dek sloeg waren die kloteboeien die de vaargeulen markeerden. Toen gleed ik in het water.
Ik kwam weer bij bewustzijn maar ik had een hoop water binnen gekregen en ik voelde dat ik begon toe te geven aan de behoefte om naar de bodem te zinken en te slapen.
De stroming trok me omlaag, de vaargeul in. Ik deinde op de golven. Ik opende mijn ogen, maar in de schuimende, met zand gevulde draaikolken, kon ik niets zien. Het leek me niet te deren. Ik ging onder en het kon me niet schelen.
Iets greep me bij de pols en even dacht ik dat ik vastzat in een touw, maar plotseling werd ik omhoog getrokken.
Toen ik bovenkwam, was Uschi naast me.
Ze trok me naar de boot en klampte me aan een touwkikker vast, terwijl ik mijn longen uithoestte. Uschi hield me vast tot ik aangaf dat het goed ging. Ondanks het ijskoude water, bleef ze bij me tot ik de kracht had om aan boord te klimmen.
Binnen enkele minuten blies de storm zichzelf uit. De tweede schoener kwam weer in de buurt en wierp ons een touw toe. Gelukkig kwam het tij net op. Na een halfuur dreven we weer en konden we worden vlotgetrokken. We voeren weer.
Terwijl we terugvoeren, dacht ik er niet meer aan om het uit te maken met Uschi. Mijn gouden regel was te pletter geslagen. Ik was verliefd op haar geworden. We spraken af voor het volgende weekend en zouden dan verder zien.

11

Als onderdeel van onze training moesten we regelmatig achtergrondbriefings bijwonen over de ontwikkelingen achter het IJzeren Gordijn. Meestal ging dat over wat er gebeurde in Oost-Duitsland, maar soms kregen we ook informatie over andere landen. Deze keer ging de les over de Oekraïne, de broodmand van de Sovjet-Unie en een van de vijftien socialistische republieken van de USSR, na de Russische Federatie de machtigste en invloedrijkste republiek.
Ik was geïnteresseerd in geschiedenis en politiek en aangezien onze instructeurs bijna altijd specialist waren op hun gebied, zaten deze lessen meestal boordevol interessante feitjes en weetjes. Maar niet iedereen was even geboeid.
Ik zat midden in het lokaal tussen Carl en Mike. Carl was bezig om met zijn pennenmesje een miniatuurgeweertje van zijn potlood te snijden en Mike was kennelijk een brief aan het schrijven. Het was maar goed dat we niet overhoord werden.
Ik was geïnteresseerd in de Oekraïne omdat een oudoom van me had gevochten onder generaal Erich von Ludendorff, die tijdens de Eerste Wereldoorlog de Oekraïne had bezet.
In tegenstelling tot de grote verliezen aan het westelijke front, had de *Kaiser* het er beter vanaf gebracht in het Oosten en in de lente van 1918 had Ludendorff het gebied min of meer geannexeerd. Hij had troepen naar de Krim gestuurd en het gebied aangewezen als een plek waar Duitsers zich konden vestigen. Het gevolg hiervan was dat de streek lang onder Duitse invloed had gestaan. Ik had van mijn groot-

vader, die tijdens de Tweede Wereldoorlog aan het oostfront had gevochten, gehoord dat groepen Duitssprekende Oekraïners de Wehrmacht met open armen hadden ontvangen tijdens de Russische campagnes van 1941-1943.
Mijn opa had een levendig beeld geschetst van een streek die bestond uit uitgestrekt grasland, vlakten die eindeloos leken, enorme rivieren, de Dnjestr, Dnjepr en Donetsk, en badplaatsen aan de Zwarte Zee, waar de Duitse troepen, in de betere tijden van de oorlog, zich 's zomers konden ontspannen, ver van het front.
In 1982 werd de Oekraïne verscheurd door ingewikkelde politieke, sociale en economische onderstromingen en werd zijn dominante positie onder de veertien republieken buiten Rusland ondermijnd door de lange rivaliteit met en wantrouwen van de noorderbuur.
Terwijl ik dit zat op te schrijven, keek ik om me heen en zag ik de Ouwe achter in het lokaal zitten. Hij zag me en ik glimlachte, maar hij leek dwars door me heen te kijken. Een diepe frons ontsierde zijn voorhoofd.
Ik stootte Carl aan, die me woedend aankeek. Ik gebaarde naar achteren. Toen Carl de Ouwe zag zitten, werd hij bleek en stopte vervolgens rustig zijn pennenmesje weg.
Aan het eind van de les nam de Ouwe me apart.
'Ik ben blij dat er tenminste nog iemand zat op te letten,' zei hij. 'Je collega's zaten te pitten.'
'Dat denk ik niet,' zei ik, terwijl ik het er niet te dik op probeerde te leggen. 'Ik weet dat ze heel veel opsteken tijdens deze bijeenkomsten.'
De Ouwe trok een wenkbrauw op. 'Ik kon niet goed zien of Carls houtsnijwerkje een wandelende tak moest voorstellen of een sneu onderdeel van zijn anatomie.'
'Vanuit mijn positie leek het meer op een poging een G3 te snijden,' zei ik. 'U weet hoe dol hij is op dat geweer.'
'Ik wil jullie in mijn kantoor zien, allemaal,' zei de Ouwe plotseling. Hij keek op zijn horloge. 'Over een halfuurtje?'
Hij liep weg voor ik kon antwoorden. Ik werd ineens zenuwachtig. Er zat iets in de lucht.

We zaten in Curly's kamer te wachten tot de telefoon zou gaan. Vroeger zouden we de tijd hebben gevuld door grappen uit te halen met de rechterhand van de Ouwe, maar sinds de dood van Ginger en mijn gevangenschap in Oost-Duitsland, had het team weinig zin gehad in grappen en grollen.

In plaats daarvan heerste er een afwachtende stemming. Sommigen liepen heen en weer, sommigen rookten.
Waar zouden we deze keer heen gaan? Moesten we iets opblazen? Of moesten we iemand halen? Of brengen? Of allebei, zoals de laatste keer.
Ik probeerde mijn gedachten te bedwingen. Van te veel speculeren werd je alleen maar gestoord.
De telefoon ging en we werden het kantoor van de Ouwe binnen geleid.
Het was een warme, zonnige dag en het raam achter het bureau van de Ouwe stond wijd open. Ergens in de verte hoorde ik mensen tennissen. Ik glimlachte. De Bundeswehr had het maar druk, terwijl onze wereld op zijn kop werd gezet.
'Ik weet dat jullie graag reizen,' zei de Ouwe, 'dus deze opdracht zal jullie wel bevallen.'
Kom toch terzake, man, dacht ik.
De Ouwe rommelde even met wat papieren op zijn bureau en keek toen op. 'Is een van jullie ooit al eens in de Sovjet-Unie geweest?' vroeg hij.
Links van me begon Angel te lachen. Het was even stil en toen vielen de anderen hem bij. Een schaduw trok over het gezicht van de Ouwe.
Ik was al zenuwachtig geweest toen de Ouwe ons bijeen had geroepen, maar nu werd het nog erger.
'Jackson,' zei de Ouwe, 'herhaal eens de hoogtepunten uit de les van vandaag.'
Mijn god, dacht ik, we gaan verdomme naar de Oekraïne.
Ik probeerde rustig te worden. In gedachten zag ik mijn aantekeningen en ik spuugde zo veel mogelijk details uit als ik me kon herinneren. Maar ik kon alleen aan de achterliggende betekenis denken.
'De Oekraïne heeft vijftig miljoen inwoners, de hoofdstad is Kiev. Het is een belangrijke graanproducent, er zijn overvloedige kolen en ertsvoorraden en de wapenindustrie is omvangrijk.'
'Goed,' zei de Ouwe, 'maar dat was niet wat ik wilde horen.'
'Ze hebben olie nodig,' zei Angel, 'en gas. Ze importeren veel van beide.'
De Ouwe knikte. 'Bingo, Koch. Ze hebben olie en gas nodig. Veel olie en gas. En die krijgen ze van hun rivaal, de Russische Federatie. Hoe?'
'Via een pijpleiding,' zei Angel. Hij zweeg even en voegde er aan toe: 'Dat meent u toch niet, hè?'
De Ouwe gaf geen antwoord. Hij stond op en slenterde naar het raam. 'Luister,' zei hij. 'Over een week vliegen jullie naar de Oekraïne in een

civiel geregistreerd transportvliegtuig. Alles is al geregeld. Binnenkort is alles in gereedheid. Het vliegtuig zal vertrekken van een vliegveld in Oostenrijk en het luchtruim van het Warschaupact in vliegen met een commercieel vluchtplan.'
De Ouwe keek ons stuk voor stuk aan. Achter me hoorde ik het gekras van pennen.
'Jullie hoeven nu geen aantekeningen te maken, alleen te luisteren,' zei hij. 'Binnenkort krijgen jullie meer informatie. Jullie vliegen langs de Tsjechisch-Hongaarse grens en gaan dan ergens ten zuiden van Lvov het sovjetluchtruim in. Ongeveer een halfuur later zal de piloot de verkeerstoren melden dat hij technische problemen heeft en dat hij wil omkeren. Misschien trappen de sovjets erin, misschien niet. Dat doet er ook niet toe, want zelfs als het vliegtuig gedwongen wordt te landen op sovjetgrondgebied, zullen jullie niet langer aan boord zijn.'
Ik had een droge mond. Ik probeerde het allemaal te bevatten, maar ik was in shock. We zouden naar de Sovjet-Unie gevlogen worden en daar een HAHO-sprong maken.
HAHO stond voor high-altitude, high-opening, een sprong van grote hoogte waarbij de parachute vroeg openging, een standaardprocedure als je de dropzone, DZ, over een lange afstand in wilde glijden. We hadden hiervoor vaak geoefend, zowel overdag als 's nachts.
De Ouwe ging door: 'Ik laat de details aan jullie over, maar vanaf 8200 meter zouden jullie onder de juiste omstandigheden de DZ moeten halen.'
'Waar ligt de pijpleiding?' vroeg ik.
'Hij loopt ongeveer achttien kilometer ten noorden van Kiev in oost-westelijke richting. Er liggen kaarten en foto's in de briefingkamer. Jullie zullen ze zo zien. De DZ ligt ongeveer vijf kilometer ten noorden van de pijpleiding. Het wordt een in-en-uit klus. Jullie landen om 2.00 uur en een uur later zijn jullie bij de pijpleiding. De ladingen gaan af om 4.30 uur, maar dan zijn jullie al onderweg naar huis. Het is de bedoeling dat jullie weer terug zijn in Oostenrijk tegen de tijd dat de leiding de lucht in gaat.'
'Hoe komen we weg?' vroeg ik.
'Even ten zuiden van de pijpleiding ligt een vliegveldje. Het is een veldje dat de Russische luchtmacht en het leger gebruiken voor hun parachutetrainingen. Het is nagenoeg verlaten, nagenoeg aangezien uit rapporten blijkt dat er rondom en in de verkeerstoren een paar man bewaking lopen.' Hij haalde zijn schouders op. 'Maar dat zijn details. Om 4.00 uur zal een viermotorig transportvliegtuig op de landingsbaan landen, keren en weer opstijgen, met jullie aan boord. Alles

bij elkaar zal het nog geen twaalf uur duren.' Hij ging weer zitten. 'Iemand nog vragen?'
Andy, die naast me zat, keek me aan en mompelde uit zijn mondhoek: 'Een paar maar.' Hij stak zijn hand op.
'Waar gaat deze missie over? Ik bedoel, waarom wij? Waarom zij? Waarom nu?'
De Ouwe leunde met zijn ellebogen op zijn bureau en zette zijn vingertoppen tegen elkaar. 'Het is een soort Halle, maar dan op een aanzienlijk grotere schaal,' zei hij.
Halle was onze eerste opdracht geweest, in de winter van 1978/1979. We waren legaal de DDR in gegaan, waarbij we ons hadden voorgedaan als gastarbeiders in een grote olieraffinaderij. Drie maanden lang forensden we tussen Oost- en West-Duitsland, we kwamen op maandag en vertrokken op vrijdag. Toen we eenmaal het vertrouwen hadden dat het zou lukken, bliezen we een pompstation en een controlecentrum op met semtex dat we de grens over hadden gesmokkeld.
Het pompstation ging schitterend de lucht in, maar het controlecentrum bood meer weerstand, dus de week daarop waren we teruggegaan om de klus af te maken.
Het doel van die missie, zo had de Ouwe ons verteld, was de burgers van de Duitse Democratische Republiek te laten zien dat hun wereld niet zo gezellig en veilig was als Honecker en zijn maatjes het deden voorkomen.
In de utopische DDR zaten die winter vast een hoop mensen in de kou. En ook als de burgers van Oost-Duitsland hun woede niet openlijk konden uiten, dan waren de zaden van onvrede toch gezaaid.
Terwijl de Bondsrepubliek Honecker enerzijds gunstige leningen liet afsluiten zodat hij zijn brandstofrekeningen kon betalen, liet het anderzijds de infrastructuur van het land opblazen.
In dit geval leek dezelfde logica van toepassing te zijn.
Na de vragen leidde de Ouwe ons door de gang naar de briefingkamer. Daar hingen kaarten, plattegronden en foto's van het doelgebied, waaronder satellietfoto's, wat de betrokkenheid van de Amerikanen verraadde.
Hoewel we in Amerika onze training hadden gehad – we hadden halverwege de jaren zeventig twee jaar doorgebracht bij het Amerikaanse marinecorps op verschillende bases in het land – bleven de Amerikanen op de achtergrond. De enige keer dat een Amerikaanse officier bij een briefing aanwezig was geweest, was toen we te horen kregen dat we naar Oost-Berlijn zouden gaan om een spion, Lehmann, te bevrijden uit de zwaar beveiligde gevangenis van Rummelsburg.

Ik dacht aan wat er internationaal zoal broeide: de sovjetinvasie van Afghanistan, de problemen in Polen, Reagans bewapeningsplannen voor Europa en zijn voornemen om de sovjets waar hij maar kon 'terug te dringen'.
Ik vond het spannend en angstaanjagend tegelijk dat wij op de een of andere manier, die ik niet begreep en de Ouwe volgens mij ook niet, een onderdeel waren van dat plan.

12

We brachten zo veel details in kaart als mogelijk was, gebaseerd op de informatie die de Ouwe en Curly ons hadden gegeven.
De briefingkamer werd ons hoofdkwartier. Zoals gebruikelijk verdeelde ik het team in groepjes. We moesten snel handelen.
Bij een missie zoals deze besloten de Ouwe en wijzelf meestal dat we alle acht zouden gaan. Het was moeilijk genoeg om over het IJzeren Gordijn naar Oost-Duitsland te gaan, maar de Sovjet-Unie was een heel ander verhaal.
Gelukkig sprak Chris, onze explosievenexpert, uitstekend Russisch. Dit was weliswaar niet de oorspronkelijke taal van de Oekraïne, waar men behalve Oekraïens ook Tartaars sprak, maar de heerschappij van Moskou was dusdanig dat Russisch overal gesproken werd.
De druk was groot terwijl we de fijnere details van de missie invulden. De meeste dingen waren routine, maar ik wilde alles geregeld hebben. Chris en Angel kregen de taak om het doelwit, een deel van de pijpleiding van ongeveer een meter dik, nader te bestuderen. De pijp was gemaakt van lichtgewicht staal. De BND was erin geslaagd specificaties op te duiken waardoor Chris en Angel eventuele zwakke plekken konden opzoeken en gebruiken.
De meest voor de hand liggende plek voor de ladingen was op de gesoldeerde naden tussen de pijpdelen. Gebaseerd op zijn eerste indruk van de specificaties, voorzag Chris geen bijzondere problemen. De pijp liep door de drassige vlakten rond de Desna, ten noorden van Kiev. Hij stond op pijlers van ongeveer anderhalve meter hoog en

was dus gemakkelijk te bereiken. Volgens Chris zouden een paar kilo C4 meer dan genoeg moeten zijn.
Ik vroeg Carl en Mike om met Chris en Angel naar de wapenkamer te gaan. Terwijl Chris en Angel de springstoffen bespraken met Walter, zouden Mike en Carl de ondersteunende wapens uitkiezen en klaarmaken voor de klus.
Ik verwachtte dat we M16/203's nodig zouden hebben en de gebruikelijke verzameling geweren en granaten. Vlak voor het vertrek zouden we de wapens ophalen, onze pistolen uitkiezen en de munitie controleren. Lobo en Tony waren ondertussen bij de kwartiermeester om onze parachute-uitrusting te kiezen. Voor een HAHO-sprong hadden we zuurstof nodig, hoogtemeters, thermische pakken en speciale parachutes waarmee we grote afstanden konden afleggen.
We hadden bovendien radio's nodig waarmee we tijdens en na de sprong met elkaar konden communiceren. De Ouwe had ons bovendien bevolen om een langeafstandszender mee te nemen zodat we snel in code konden communiceren als we in de problemen kwamen of toestemming nodig hadden om onze plannen te wijzigen. In principe zouden we echter radiostilte bewaren. Aangezien Lobo de communicatie-expert was van de groep, liet ik dat aan hem over.
Andy en ik bleven in de briefingkamer en bestudeerden de kaarten en foto's om zo waar mogelijk de gaten op te vullen. De streek rond Kiev was een en al meren en rivieren. Ten noorden van de stad lagen de Pripetmoerassen en de op dat moment nog onbekende kerncentrale Tsjernobyl. Ten zuiden lag de Dnjepr, die op sommige plekken zo breed was dat je de andere oever niet kon zien. Het landschap zelf leek wel één grote graanprairie. Her en der lagen stadjes, dorpjes en landbouwcollectieven.
Ik begon met de stafkaarten en stapte geleidelijk over op de kaarten met een grotere schaal. Op alle kaarten had de BND de route van de pijplijn aangegeven. Het was precies zoals de Ouwe had gezegd. De dropzone lag 25 kilometer van de buitenwijken van Kiev en de pijpleiding lag vijf kilometer ten zuiden van de dropzone. Ik was bang dat we te dicht bij bebouwing zouden moeten springen, maar uit de kaarten bleek dat na de rondweg om Kiev de bebouwing snel afnam. Ik lette ook goed op de informatie van de geheime dienst over militaire installaties. Er waren vliegvelden, kazernes en zelfs wat luchtafweerlocaties, maar niet in de buurt van de DZ.
Tot zover zag het plan van de Ouwe er goed uit.
Ik was wel verontrust over het deel waarover ik niets te zeggen had: de routes erin en eruit.

Ik sprak hierover met Andy.
'Ik vind het net zomin prettig, maar de Ouwe weet wat hij doet,' zei Andy. 'Het zou me niks verbazen als ze de regionale verkeersleider hebben omgekocht, de kerel die het plaatselijke luchtverkeer overziet. Maar we moeten wel, dus we kunnen er maar gewoon beter niet aan denken.'
'Maar we moeten helemaal niet,' zei ik, 'we zouden kunnen weigeren. Hoe groot schat jij onze kansen?'
Hij keek me aan. 'Gek genoeg denk ik dat die best groot zijn.'
'Ga verder,' zei ik.
'Voorzover we weten, is zoiets nog nooit eerder geprobeerd. Het is gekkenwerk, dat zeker. Maar we hebben het verrassingselement aan onze kant. De sovjets verwachten dit nooit.'
'Volgens mij sta je te trappelen om te gaan.'
'Ik wil dit doen, Thomas. Bovendien denk ik dat het kan lukken.'
Ik bleef hem even strak aankijken. Toen gaf ik hem een klap op zijn rug. 'Welja, we gaan ervoor,' zei ik.
Hij glimlachte. 'Heen en terug binnen twaalf uur. Niet slecht voor een dagje werken?'
'Beter dan werken voor de kost.' En ik moest plotseling aan Uschi denken.
'Wat is er?' vroeg Andy.
'Niets,' zei ik. 'Helemaal niets. Uit en thuis in twaalf uur. Je hebt gelijk. Dat kan niet verkeerd zijn.'
Vervolgens gingen we aan de slag.
Onze communicatieapparatuur werd gecheckt en nogmaals gecheckt door diverse leden van het team, onder leiding van Lobo, onze communicatiespecialist. Hij gaf ons de codes en frequenties die we zouden gebruiken als we vanuit het veld moesten communiceren met de Ouwe.
Chris en Angel regelden bij Walter tien kilo C4 plastic explosieven, plus ontstekingen en timers. Onze parachutes en zuurstofmaskers werden uit en te na getest, voordat we ze eindelijk in handen kregen.
Andy en ik zorgden er ondertussen voor dat we de omgeving van de DZ op ons duimpje kenden en dat we niet voor verrassingen zouden komen te staan onderweg naar de pijpleiding en het vliegveld. Waar de kaarten tekortschoten, gebruikten we de satellietfoto's die voor die tijd een opmerkelijk hoge resolutie hadden.
De DZ zelf was, volgens de analyse van de satellietfoto waar we steeds weer op terugvielen, een groot aardappelveld. Op een van de foto's was zelfs een tractor te zien en de vage omtrek van een man aan het stuur.

Misschien was het verbeelding, maar het was net alsof hij naar boven keek. Ik vroeg me af wat zijn aandacht getrokken had. Hij had zeker niet kunnen weten dat hij op dat moment geobserveerd werd door een Amerikaanse spionagesatelliet van enkele miljarden dollars.

Donderdagavond was het plan rond. Ergens halverwege de volgende week zouden we vertrekken.
De precieze timing hing af van het weer. Onze spullen zouden vooruit worden gestuurd en een groot deel van de missie was uit onze handen. Angel grapte dat het net een georganiseerde reis was. We hoefden alleen maar op het vliegtuig te stappen: de reisorganisatie, de goeie ouwe BND, ongetwijfeld gesteund door de CIA, zou voor de rest zorgen. We zouden onze spullen achterna reizen op een commerciële vlucht van Frankfurt naar Wenen. Op de luchthaven van Wenen zou de BND voor een bus zorgen die ons naar een rustig vliegveld in de buurt van de Tsjechische grens zou brengen, waar ons transportvliegtuig, een C-130 met civiele registratie, al klaarstond.
We zouden in vrijetijdskleding, jeans, T-shirts en bomberjacks, aan boord gaan en onze spullen zouden al in het vliegtuig liggen.
Vrijdagochtend brachten Andy en ik rapport uit bij de Ouwe. We vinkten de details van de missie af en behandelden elk onderdeel van het plan. Hij was het meest geïnteresseerd in de sprong, aangezien dat zonder twijfel het gevaarlijkste deel van de opdracht was.
We hadden 's nachts HAHO-sprongen geoefend, precies voor een opdracht zoals deze. Omdat het aardedonker was tijdens de afdaling, was het lastig, zo niet onmogelijk, om oogcontact te houden met de anderen. We hadden allemaal een zender, maar het was belangrijk om zo veel mogelijk radiostilte te bewaren.
Bij het bestuderen van de kaarten en satellietfoto's hadden Andy en ik een hoog gebouw ontdekt in de buitenwijken van Kiev. Het was een opvallende wolkenkrabber met een baken op het dak dat vliegtuigen waarschuwde. Volgens de rapporten brandde er 's nachts altijd veel licht in het gebouw en viel het nogal op. Het was in de wijde omtrek te zien en dus een goed herkenningspunt voor onze sprong.
Met onze hoogtemeters en kompassen konden we onze afdaling bepalen met het gebouw als ijkpunt.
Tony zou als eerste springen en ik als laatste. We zouden een seconde interval aanhouden, waardoor het springpatroon heel strak bleef.
Onder gunstige omstandigheden dacht ik dat we niet meer dan een kilometer verspreid zouden raken om de landingszone. In het gunstigste geval zouden we op een paar honderd meter van elkaar landen.

Eenmaal geland zou Tony een penlight met een rood filter aansteken om ons een richtpunt te geven.
Hij zou nog een paar minuten na onze landing met de zaklamp blijven zwaaien, zodat we naar hem toe konden komen.
Als we er allemaal waren, zouden Tony, Lobo en Mike naar het vliegveld gaan en dit verkennen, terwijl de rest naar de pijpleiding zou gaan. Het vliegveld lag ten noorden van de pijpleiding, op vier kilometer van de DZ. De laatste instructie die de Ouwe ons gaf was dat we vijf minuten voor het vliegtuig arriveerde ons moesten melden op de langegolfradio voor instructies.
We doorliepen het plan meerdere malen, tot de Ouwe zeker wist dat het waterdicht was. Daarna konden we niets anders doen dan wachten.
Op zaterdag maakten Uschi en ik van het mooie weer gebruik om een lange autotocht langs de Rijn te maken, waarbij we onderweg ergens langs de rivier in een restaurant lunchten.
Ik had gehoopt dat ik door er even uit te gaan, niet meer aan de missie zou hoeven denken, maar ik had beter moeten weten. Ik had dit al meegemaakt met Sabine. Uschi zag dat er wat was en maakte zich zorgen. Ze vroeg me herhaaldelijk of er iets mis was. Ik bleef zeggen dat ik het goed maakte, maar ik was niet overtuigend. Ze dacht dat mijn ego een deuk had opgelopen door mijn bijna-verdrinking op de Baltische Zee. Ze had er niet verder naast kunnen zitten, maar het was een soort uitweg en ik liet het maar zo.
's Avonds, na een paar glazen alcohol, kon ik de opdracht achter me laten. We liepen langs de rivier en keken naar de lichtjes van de schepen.
'Luister,' zei ze en ze pakte mijn hand, 'ik heb je vanaf het begin al gezegd dat we niets hoeven. Ik ben net zo bang als jij om te hard van stapel te lopen.'
Ik hield haar vingers vast en kneep er zachtjes in. 'Dat is het niet. Ik wil bij je zijn.'
'Maar je lijkt zo ver weg.'
'De komende week wordt het vreselijk druk op het werk. Sorry, ik had het niet mee naar huis moeten nemen.'
'Misschien kan ik wat voor je doen,' bood ze aan. 'Je weet wel, gedeelde smart is halve smart.'
Ik had moeten lachen, maar ik voelde me alleen maar ellendig. Dezelfde smoesjes, dezelfde leugens.
'Volgende week is alles weer beter, ik beloof het,' zei ik.

13

Toen we eenmaal de oproep kregen, ging alles heel snel. We brachten de hele maandag door in de wapenkamer met het controleren van onze wapens en munitie. Toen we allemaal tevreden waren met het resultaat, werden de spullen in een canvas droppingzak gestopt. Deze zakken, die tijdens de sprong aan een touw aan onze riem zouden hangen, bleven achter bij Walter totdat ze naar Oostenrijk zouden worden verzonden.

Op dinsdag betrok het weer, waardoor de vrees ontstond dat de missie zou worden afgeblazen.

Maar 1500 kilometer naar het oosten waren de omstandigheden heel wat gunstiger. Toen ik die ochtend om tien uur bij de Ouwe langsging, zat hij net het weerrapport te bekijken. Zodra hij ermee klaar was, gaf hij het aan mij.

Terwijl ik het bestudeerde, voelde ik de adrenaline door mijn aderen stromen. Het weer in Kiev was bijna perfect.

Er hing wat lichte bewolking, maar die zou tegen de avond wegtrekken. Vanuit het westen blies een licht windje. We waren onderweg.

Ik riep de anderen. Alles was in gereedheid. Het laatste deel van de voorbereidingen kwam toen Curly ons 40.000 dollar in gouden Krugerrands gaf. Deze verdeelden we onder elkaar en stopten ze in onze geldbuidels.

De Ouwe had helemaal niet gezegd wat we moesten doen in geval van nood. De regels hiervoor waren ongeschreven, maar duidelijk. Als je

kon ontsnappen, moest je dat proberen, kon het niet, dan bewaarde je de laatste kogel voor jezelf.
Even voor twaalven 's middags kropen we in twee Volkswagen-busjes en vertrokken naar de luchthaven van Frankfurt. Andy, Angel, Chris en ik zaten samen in het eerste busje.
Op het laatste moment had de Ouwe besloten mee te gaan. We zwegen de hele weg naar het vliegveld. Krause zat de hele tijd aan een sigaar te lurken. Zijn rusteloosheid maakte ons allemaal zenuwachtig.
Bij de paspoortcontrole namen we afscheid. Toen ik me even later bij de anderen had gevoegd en me omdraaide, was Krause al in de menigte opgelost.
In Wenen werden we opgewacht door een man van de BND, die ons naar onze bus begeleidde. Korte tijd later bereikte we het vliegveld. Onze begeleider loodste ons door de beveiliging en we reden direct weg. Ik keek op mijn horloge. Het was na tienen en volledig donker. In de verte kon ik de Alpen zien, de besneeuwde toppen waren roze in de avondschemering.
Toen we om de hangar heen reden, zagen we het silhouet van een vliegtuig opdoemen tegen de horizon. Door de hoge stabilisatorvin en de opvallende motorgondels was het direct herkenbaar als onze C-130.

We stapten uit de bus en liepen direct naar de vliegtuigtrap. Terwijl ik aan boord klom, hield ik mezelf voortdurend voor dat het over twaalf uur allemaal voorbij zou zijn.
Aan boord controleerden we onze spullen. Alle zakken waren aanwezig en de inhoud was compleet. Vervolgens controleerde ik mijn parachute en reserveparachute twee keer. Om mij heen deden de anderen hetzelfde.
De servomotoren begonnen te ronken toen de klep omhoog werd getrokken. Ik liep naar voren en ging dicht bij de scheidingswand zitten. Chris en Angel zaten tegenover me. In het zwakke licht van de lage voltage lampen, kon ik zien dat Angel glimlachte.
Door de opening in het midden van het tussenschot zag ik dat een van de bemanningsleden de controle doornam. Even later werd voor de doorgang het silhouet zichtbaar van een andere man. Op zijn gesteven witte overhemd zaten versleten epauletten.
Hij keek me aan. Plotseling werd ik overmand door zenuwen. Ik wilde maar één ding en dat was de lucht in, deze zaak zo snel mogelijk in gang zetten.
Het bemanningslid sprong het vrachtruim in en kwam op ons af. Ik

bleef zitten. Hij stak zijn hand uit en ik gaf hem een hand. 'Ik heet Sanders,' zei ik. 'Is alles in orde?'
Hij knikte en zei hoe hij heette, iets onuitspreekbaars dat Russisch of Pools klonk. Toen herinnerde ik me dat de Ouwe had gezegd dat de copiloot in Joegoslavië was geboren en vloeiend Russisch sprak.
'Een van ons spreekt Russisch,' zei ik en ik wees naar Chris.
De copiloot wendde zich tot Chris en begon tegen hem te brabbelen. Chris brabbelde terug.
Van ons allemaal liet Chris zich altijd het minst van de wijs brengen in de aanloop van een missie. Ook nu weer was er bij hem geen spoortje van zenuwen te bekennen.
Toen de copiloot terugklom naar de cockpit, vroeg ik Chris waarover ze gesproken hadden.
'Hij vroeg of ik zin had om na het opstijgen bij hen te komen zitten. Zei dat jij er ook bij mocht als je wilde. Er zitten daar ook een paar klapstoeltjes. Heb je ooit voor in een Herc gezeten?'
Ik schudde van nee.
'Neem van mij aan,' zei hij, terwijl hij naar de cockpit wees, 'het is heel wat comfortabeler daar dan hier beneden.'
Ik keek op mijn horloge. Over acht minuten zouden we vertrekken. Ik vroeg me af wanneer we in beweging zouden komen.
De lage trilling die door het vliegtuig trok, gaf me mijn antwoord. Ik keek uit het raampje naast het tussenschot en zag dat de binnenste propeller draaide.
Ik deed mijn gordel om en leunde achterover. Het geluid van de vier draaiende propellers vulde het vrachtruim van de Hercules met een donderend geraas.
Het vliegtuig schoot plotseling naar voren en versnelde in hoog tempo.

Zodra we gelijkmatig vlogen, kwam ik uit mijn stoel en trok mijn zwarte jumpsuit aan. Daarna liep ik naar voren en ging bij Chris op het vluchtdek zitten.
We klommen gestaag door de nacht. In het vage schijnsel van de instrumenten zagen de gezichten van mijn medepassagiers er spookachtig uit. Ik gaf de kapitein een hand toen ik ging zitten. Tegenover me hees Chris zich in zijn pak. Naast me keek een derde bemanningslid, de boordwerktuigkundige, op van zijn metertjes en glimlachte even. De copiloot gaf Chris een koptelefoon en maakte daarna een verontschuldigend gebaar naar mij. Er was maar een beperkt aantal koptelefoons.
Het was vreemd om de bemanning hun handelingen te zien uitvoeren

zonder te horen wat er gebeurde. Net als achter in het vliegtuig was ook in de cockpit het geluidsniveau oorverdovend. Aan de gezichten van de bemanning kon ik echter precies zien wanneer we het luchtruim van het Warschaupact in vlogen. De kapitein keek even heel betekenisvol uit het raam, alsof hij verwachtte een stel MiG's te zien. Ik volgde zijn blik, maar zag niets anders dan een met sterren gevulde hemel en een donkere, rafelige lijn die de bergen van zuidelijk Tsjecho-Slowakije markeerde. De copiloot deed het meeste praatwerk. Soms ving ik een woord op tussen het gebrul van de motoren door, een hoogteniveau of een identificatiecode voor de luchtverkeersleiding onder ons.
We vlogen langs de Tsjechisch-Hongaarse grens. Ik zat de hele tijd in spanning, te wachten tot de luchtverkeersleiding ons zou tegenhouden. Maar tegen middernacht vlogen we ongehinderd het Russische luchtruim in. Onder ons kon ik de lichtjes zien van afgelegen dorpjes. We vlogen boven het Karpatengebergte in het zuidoosten van de Oekraïne.
Chris gebaarde me naderbij te komen. Hij zette zijn handen aan mijn oor en zei: 'We moeten zorgen dat we klaar zijn. Over zo'n 25 minuten zijn we bij de dropzone.'
Ik ging naar achteren en waarschuwde de anderen. Achter in de Hercules was het ineens een en al activiteit toen we ons pak aantrokken en onze parachute ombonden. Tien minuten later testte ik het zuurstofsysteem, het laatste, allerbelangrijkste onderdeel waardoor ik bij bewustzijn zou blijven in de ijle lucht op deze hoogte.
Plotseling begon de Hercules te keren. De manoeuvre was zo scherp dat ik me moest vastgrijpen aan wat netten van de fuselage om overeind te blijven.
De copiloot stak vanaf het vluchtdek zijn duim naar me op.
We liepen naar het achtergedeelte van het vliegtuig. Met onze helmen en zuurstofmaskers op waren we moeilijk van elkaar te onderscheiden. Maar terwijl we ons opstelden bij de laadklep, slaagde ik erin Tony aan te kijken. Hij zou als eerste de diepte in springen, ik als laatste. Hij maakte een nepsaluut, deed zijn vliegbril goed en draaide zich om, zodat hij zich mentaal kon voorbereiden.
Onder mijn strak zittende helm kon ik het kenmerkende geloei van de servomotoren horen. De laadklep ging open. In de verte zag ik lichtjes branden, maar het was niet te zien of ze op de grond waren of sterren die laag boven de horizon hingen.
Het gebrul van de motoren en de bulderende wind buiten vormden een crescendo. We gingen dichter bij de rand staan.
Naast ons luisterde de boordwerktuigkundige naar de instructies van-

uit de cockpit. Hij droeg een koptelefoon die via een draad, die helemaal naar de voorkant van het vliegtuig liep, verbonden was met het communicatiesysteem.
Hij zag zowel toe op het inladen als op het uitladen en springen. We hielden hem goed in de gaten. Hij stak zijn arm op als teken dat we ons klaar moesten maken voor de sprong.
Het vliegtuig was bijna klaar met keren. De laadklep stond nu helemaal open. Toen de vleugels recht kwamen te hangen, zag ik voor het eerst Kiev liggen, een netwerk van oranje en witte lampjes in de diepte.
De boordwerktuigkundige riep iets en liet zijn arm zakken. Tony rende de laadklep op en sprong de diepte in.
De rest volgde snel. Lobo, Carl, Mike, Chris, Angel en Andy sprongen de duisternis tegemoet. Acht seconden nadat Tony was gesprongen, kwam ik. Ik rende over de lege laadklep, haalde even diep adem toen ik de lokkende diepte onder me zag en, hoewel ik er klaar voor was, het misselijke gevoel in mijn maag voelde toen het solide frame van de Hercules wegviel en ik de slipstream in gleed.

14

Gedurende de schok van de val zag ik nog heel even het vliegtuig afsteken tegen de sterren. Ik greep het trekkoord stevig vast en trok er hard aan. Er klonk een geruststellende geluid toen de parachute openging. Automatisch draaide ik in mijn tuigage om te controleren of hij was ontvouwen.

De opwinding ging na tien seconden over in stilte, terwijl ik richting aarde zweefde.

Ik keek om me heen om zeker te zijn dat ik tegen niemand aan zou zwaaien en keek vervolgens naar de grond om me te oriënteren.

De lichten van Kiev waren zo hel dat het net leek alsof ik ze zou kunnen aanraken. De stad lag onder en achter me. De lichten die ik vanuit het vliegtuig had gezien, waren betoverend en ik vergat heel even naar het herkenningspunt te kijken, het hoge gebouw aan de rand van de stad. Er waren zoveel lichtjes dat ik overdonderd was. Plotseling zag ik het. Zelfs 's nachts was het duidelijk te zien. Een rood waarschuwingslicht knipperde op het dak. Ik zat goed.

Ik keek op mijn hoogtemeter en kompas en trok zachtjes aan de geleidetouwen om me richting de landingszone te koersen.

Onder mijn voeten kon ik koplampen zien bewegen op een grote doorgaande weg die in noordelijke richting de stad uit liep.

Ik richtte me op één enkel lichtpunt, een lantaarn. Hij leek beweginglooos te zijn, maar hij begon toch haast onmerkbaar van plaats te veranderen.

Op 6500 meter leek ik ontzettend langzaam te dalen, maar dat was maar schijn. Hoe lager ik kwam, hoe sneller ik zou lijken te gaan. De lichten van de stad verdwenen achter me. Ik hield het baken in de gaten en paste mijn vluchtpad licht aan zodat ik binnen de landingszone terecht zou komen.

Ik had het zo druk met deze minuscule koerswijzigingen dat ik de bomen pas op het allerlaatste moment zag.

Er klonk een krakend geluid toen mijn plunjezak en voeten de bovenste takken raakten. Ik hield mijn adem in en wachtte tot de zak zou blijven haken aan een tak, maar de snelheid van de val bracht me omlaag. De grond kwam snel dichterbij.

Met deze parachute had ik mijn daalsnelheid moeten kunnen afremmen, maar door de aanvaring met de bomen was ik uit mijn concentratie geraakt en ik landde hard op de grond. Ik rolde over groeven en richels tot ik tot stilstand kwam, opgerold in mijn parachute.

Ik stond op, snakkend naar adem. Door mijn harde ontmoeting met de aarde was ik buiten adem geraakt. Ik trok mijn mes tevoorschijn en sneed de parachutestof door die om mijn enkels gewikkeld zat. Daarna sneed ik het touw door van mijn droppingzak.

Er stond een warme briesje dat de parachute opblies. Ik rolde hem snel en geruisloos op. Vervolgens ging ik plat op de grond liggen en keek om me heen.

Achter me kon ik door de bomen de lichten van Kiev zien. Voor me was er alleen ondoordringbare duisternis.

Ik voelde om me heen, greep een plant en trok er aan. Ik werd begroet door de geruststellende aanblik en de gronderige geur van aardappels.

Twee minuten lang tuurde ik de horizon af. Net toen ik begon te denken dat ik terug moest door de rij bomen naar het aangrenzende veld, zag ik iets aan mijn rechterhand. Een licht, ik wist zeker dat ik een licht had gezien. Een rood licht.

Ik hield mijn ogen strak gericht op de plek waar ik het had gezien en hoopte dat het weer zou verschijnen.

Maar nee.

Ik pakte mijn M16 uit, deed mijn helm en zuurstofmasker af en stopte ze samen met de parachute in de droppingzak. Ik sloeg de zak over mijn schouder en begon in de richting van het licht te lopen, mijn M16 in de aanslag.

Na vijf minuten door het veld te hebben geploegd, kwam ik bij een greppel. Het leek een irrigatiegreppel, maar ik wist het niet zeker, want hij was helemaal begroeid.

Kennelijk stond ik midden in het veld. Ik keek om me heen en liep weer verder in de richting van het licht. Behalve de gloed aan de hori-

zon die afkomstig was van Kiev, zag ik niets. Ik had me zelden zo afgezonderd en alleen gevoeld.
Ik ging op mijn hurken zitten en bereidde me voor om de radio te gebruiken. De radio's hadden maar een beperkt bereik, maar ik wilde ze liever niet gebruiken voor het geval onze berichten onderschept werden. We mochten ze alleen in uiterste noodzaak gebruiken. Het probleem was dat ik geen tijd had om verstoppertje te spelen. Ik keek op mijn horloge. Het was tien minuten na middernacht. We moesten verder om op schema te blijven. De uiterste noodzaak was aangebroken.
Plotseling begon het struikgewas naast me te bewegen. Voordat ik mijn M16 kon gebruiken, greep iemand me bij de arm en trok me de greppel in.
Angels hand sloeg over mijn mond. Hij fluisterde dat ik laag moest blijven en me koest moest houden. Ze hadden iemand gehoord. Ik volgde zijn blik naar de andere kant van de greppel.
Ik keek naar links en rechts. Aan weerskanten kon ik meer figuren onderscheiden die tegen de zijkant van de greppel lagen. Mijn voeten gleden in de drab, het stonk naar de mest waarmee ze de gewassen besproeiden.
Ik telde de mannen. We zaten met z'n zessen in de greppel. Tony zat naast Angel, met zijn wapen in de aanslag.
Aan de andere kant van de greppel hoorde ik iets bewegen. Angels greep op mijn kaak verslapte. Ik volgde de lijn van Tony's wapen en zag tien meter verderop de omtrek van een man. Terwijl hij verder liep, probeerde ik het wapen in zijn hand te herkennen. Het was niet te zeggen of het een M16 was of een AK-47. Ik kon alleen de loop zien.
De figuur liep verder. Ik hield hem nauwlettend in de gaten. Plotseling struikelde hij. Hij vloekte binnensmonds, maar ik hoorde het toch. We hoorden het allemaal.
'*Scheisse.*'
Het was Lobo.
Angel floot zachtjes.
'Hierheen, eikel. We zitten in de greppel.'
Lobo sprong omlaag. Nu waren we met z'n zevenen.
Ik nam een soort appèl af. De ontbrekende man was Chris.
'Tony,' zei ik, 'schijn die zaklamp nog eens.'
Tony haalde de penlight tevoorschijn en liet hem 360 graden in de rondte schijnen. We wachtten.
Tien minuten later was er nog niets gebeurd. Ik begon me zorgen te maken.
We konden het hoge gebouw met het baken niet langer zien. Het lag

verscholen achter de rij bomen waar ik bijna tegenaan was gebotst tijdens mijn afdaling.
Gemeten aan de lichten van Kiev, schatte ik dat we iets verder naar het noorden zaten van de pijpleiding dan we hadden verwacht. We moesten verder, maar we konden Chris niet achterlaten.
'Stel dat hij ergens buiten bewustzijn ligt?' vroeg Carl. 'Misschien is hij wel bewusteloos geraakt toen hij landde.'
'Of gedood,' zei Mike.
'Hij is niet dood,' zei Angel. 'Daarvoor heeft Chris te veel springervaring. Hij kan niet dood zijn. Hij komt wel tevoorschijn. Kom op, Tony, schijn nog eens met die lantaarn.'
Ik hield hem tegen. 'Te riskant. We hebben de lantaarn genoeg gebruikt. We moeten een beslissing nemen. We kunnen hier niet de hele nacht blijven.'
'Misschien is zijn parachute niet opengegaan,' zei Lobo.
'Dan had hij zijn reserveparachute gebruikt,' merkte ik op.
'Ik zeg toch dat hij niet dood is,' zei Angel. Maar er klonk paniek door in zijn stem. Hij en Chris waren vrienden, vrijwel vanaf het moment dat ze elkaar hadden ontmoet.
Ik wilde er niet aan denken dat Chris dood kon zijn.
'Misschien is hij afgedreven van de landingzone. Misschien is hij al onderweg naar de pijpleiding,' suggereerde Tony.
'Waarom zegt hij dat dan niet over de radio?' vroeg Lobo
'Misschien werkt die niet,' zei Carl.
'Of is hij buiten bereik,' zei Tony.
Iedereen wist dat we maar wat zeiden.
Chris en Angel hadden de springstoffen, ontstekers en timers verdeeld. We konden de opdracht nog altijd uitvoeren. Angel had genoeg C4 bij zich om de pijpleiding op te blazen. Maar de opdracht leek ineens minder belangrijk. Waar was Chris?
Ik klampte me vast aan de onwaarschijnlijke mogelijkheid dat Tony gelijk had, dat hij inderdaad op weg was naar de pijpleiding. Of dat hij te ver weg was om ons per radio te bereiken.
Maar misschien liet hij expres niets van zich horen omdat hij wíst dat de boodschap gehoord zou worden door de vijand.
Ik had mijn radio niet willen gebruiken omdat ik vond dat het risico bestond dat het signaal werd opgevangen. Maar wat als Chris wist dat die angst gebaseerd was op de waarheid?
Ik stond op. 'Waar ga je heen, Jackson?' fluisterde Andy.
'Kom mee,' zei ik tegen hem, 'jullie allemaal. Ik denk dat ik weet waar hij is.'

We renden over het veld naar de plek waar ik was geland. Na tien minuten doemden de bomen die ik maar net had gemist voor ons op. Ik zei dat ze zich moesten verspreiden. De rij bomen was nog geen honderd meter lang, maar de bomen waren hoog. Boven in de bomen zou een radiosignaal, zelfs ons kortegolfsysteem, ver dragen. Chris zou dat maar al te goed weten.

'Chris,' zei ik, met gedempte stem.

Even hoorde ik alleen de wind door de bladeren ruisen, maar toen hoorde ik een tak kraken. Hoog in de boom rechts van me bewoog iets.

Toen hoorde ik hem. Hij fluisterde schor. Zijn parachute zat om zijn bovenlichaam gewikkeld, waardoor zijn armen tegen zijn lichaam zaten geklemd en hij niet kon bewegen. Hij had de radio niet willen gebruiken en was bezig geweest zich los te wrikken, met het plan om later naar de pijpleiding te gaan.

Tien minuten later, toen Andy en Angel hem hadden losgesneden, waren we weer een groep.

We begroeven de parachutes, helmen en zuurstofmaskers in de zachte grond onder de bomen. Ze waren ontdaan van herkenningstekens of cijfers; daar had Walter voor gezorgd.

Als ze ooit werden gevonden, deed het er niet meer toe. Dan zouden we allang weg zijn.

We konden ons herkenningspunt niet langer zien. Dit hadden we nodig om de ligging van het vliegveld te bepalen. Als we naar het zuiden liepen, zouden we echter vanzelf bij de pijpleiding komen. We hoefden dan alleen maar in westelijke richting te lopen tot we het hoge gebouw zagen. Wanneer dat precies ten zuiden van ons lag, moesten we vier kilometer naar het noordoosten lopen. Dan zouden we bij het vliegveld zijn.

Maar eerst moesten we de ladingen plaatsen.

We hadden al genoeg tijd verknoeid. Het was bijna één uur. We hadden een halfuur nodig om bij de pijpleiding te komen. Dan hadden we een paar minuten nodig voor de ladingen. Het vliegtuig zou om 4.30 uur landen en voor die tijd moesten we het vliegveld nog verkennen. We moesten gaan.

15

We waren een paar minuten eerder dan verwacht bij de pijpleiding, die met metalen frames omhoog werd gehouden door pilaren op voetstukken van beton. De onderkant van de pijp zat ongeveer een meter twintig van de grond. Hij zag er precies zo uit als op de tekeningen die ik in de kazerne had gezien. Ik dook onder de leiding en rook meteen een sterke roestlucht.

Ik ging met mijn hand langs de onderkant en voelde door mijn handschoenen heen dat het oppervlak gebarsten en gebobbeld was. Roestschilfers vielen op de grond.

Het was een beetje een anticlimax. Plotseling besefte ik dat we in het hart van de Sovjet-Unie een oud stuk roest gingen opblazen.

We liepen in snel tempo in westelijke richting. De pijpleiding leek niet te worden verdedigd, er stond niet eens een hek omheen, maar ik kon de mogelijkheid niet verwerpen dat er toch wachtposten liepen.

Na een paar minuten kwam het hoge gebouw met het rode bakenlicht erop in zicht. We bleven doorlopen tot het direct ten zuiden van ons was en vervolgens stuurde ik Lobo, Tony en Mike naar het vliegveld. Het zou ze een halfuur kosten om er te komen.

Angel en Chris waren de pijp al aan het inspecteren. Ze hadden berekend dat het ze ongeveer twintig minuten zou kosten om de ladingen te plaatsen en de timer te zetten. Dan zouden we maken dat we wegkwamen en het verkenningsteam volgen.

Ik had tegen Lobo gezegd dat hij op ons moest letten. Als alles goed ging, zouden we even na 2.30 uur bij het vliegveld zijn. Ik hoopte

van ganser harte dat hij dan inmiddels al zou hebben vastgesteld wat de plattegrond van het vliegveld was, waar de ingangen waren en hij een antwoord had op de onbekende factor: of er mensen waren en hoeveel.
Ik zag ze weggaan. Carl en Andy stonden al op wacht: Carl tweehonderd meter naar het westen, Andy op een vergelijkbare afstand naar het oosten.
Ik liep een stukje bij de pijp vandaan waar ik kon kijken en luisteren. Als er iemand zou komen, kon ik Chris en Angel waarschuwen. Ze hadden een lasnaad gevonden, een rand tussen twee stukken pijp, en waren bezig de lading in elkaar te zetten.
Volgens Chris zou een kilo C4 genoeg moeten zijn om de pijp te breken. Hij zou, zo zei hij, met een enorme klap omhooggaan.
Tien minuten later zat de lading op zijn plaats. We besloten om het erop te wagen en een halfuur extra toe te voegen aan de timer. Thuis in West-Duitsland had men besloten dat het beter was om de pijp voor zonsopgang op te blazen om het risico dat de lading ontdekt en ontmanteld zou worden beperkt te houden. Nu we eenmaal hier waren, besefte ik dat we elke minuut extra konden gebruiken om zo veel mogelijk afstand te scheppen tussen ons en het sovjetluchtruim, als de pijpleiding eenmaal omhoog ging. Het plan hing op het feit dat de autoriteiten in eerste instantie zouden uitgaan van een ongeluk. Na een tijdje zouden ze ongetwijfeld sabotage vermoeden en nog later zouden ze misschien zelfs concluderen dat het Westen erachter zat. Maar dan zouden we allang weg zijn.
Ik floot zachtjes en Andy en Carl kwamen aanrennen. Ik zei ze dat het tijd was om te vertrekken.
We liepen hard weg van de pijpleiding. Andy en ik keken af en toe op ons kompas om te zien of we nog steeds op koers lagen. We waren zo opgewonden dat we in nog geen halfuur bij het vliegveld waren.
Vier kilometer lang hadden we over doorploegde velden gelopen en nu kwamen we bij een laag hek, dat er niet uitzag alsof het bedoeld was om mensen buiten te houden, eerder dieren. We stonden nog na te denken over de beste manier om er over te gaan, toen Mike op kwam dagen. Hij had ons zien aankomen.
'Hoe staan we ervoor?' vroeg ik hem.
'Het is precies zoals ze zeiden,' zei hij. 'Je kunt hem niet zien, omdat de grond glooit, maar de landingsbaan ligt ongeveer zevenhonderd meter verder, parallel aan het hek. Aan deze kant staan een paar hangars, we kunnen niet zien wat erin zit, niets bijzonders waarschijnlijk, afgaand op de rest van het vliegveld. Ik geloof niet dat er vliegtuigen zijn. Het ziet er vrijwel verlaten uit. Tony heeft de landingsbaan van dichtbij be-

keken. Die ziet er goed uit en heeft vrij baan. Een transportvliegtuig met vier motoren kan er moeiteloos landen.'
Ik onderbrak hem. '"Vrijwel" verlaten? Wat bedoel je daarmee?'
'Er is een toren waar licht brandt,' zei hij simpelweg.
'Hoeveel mensen?' vroeg ik.
'In elk geval twee man, misschien drie. Ze bewegen nauwelijks, dus het is moeilijk te zeggen.'
'Ik wil hem zien,' zei ik. Ik keek op mijn horloge. Het was 3.15 uur. Over drie kwartier zou het vliegtuig landen.
Mike ging voorop. We liepen laag gebukt achter hem aan naar de top van een heuveltje. Daarachter lag, net zichtbaar, het vliegveld. Van waar wij lagen, strekte het zich naar twee kanten uit. Ik kon de landingsbaan zien en een groep gebouwtjes aan deze kant, de twee hangars, wat schuurtjes, waarschijnlijk voor lichte onderhoudswerkzaamheden en daarachter de toren.
Ik ging liggen, pakte mijn verrekijker en bestudeerde het gebouw.
Omdat het maar twee verdiepingen had, was 'toren' niet helemaal het juiste woord. Maar het gebouw was duidelijk bedoeld om de luchthaven te overzien en het luchtverkeer te leiden.
De bovenste verdieping had aan alle kanten ramen en stak nauwelijks boven het dak van de dichtstbijzijnde hangar uit. Het dak werd gestut door een aantal pilaren.
Op de observatiepost brandde een geelachtig licht. Ik kon twee mensen zien zitten. De ene zat in een stoel met zijn rug naar me toe, de andere stond tegen een muur geleund te roken. Beiden leken een uniform te dragen.
'Je zei dat er ook nog een derde was,' zei ik, terwijl ik het gebouw in de gaten bleef houden.
Mike gromde. 'Ze kijken steeds naar links, alsof ze met iemand anders staan te praten. Het kan zijn dat er iemand achter die pilaar staat, het is niet te zeggen.'
Hij had gelijk, maar het maakte weinig uit of er twee of drie man in de toren aanwezig waren. Waar het om ging was dat ze konden communiceren met de buitenwereld. Op het dak waren de antennes duidelijk zichtbaar.

We wachtten gehurkt in de beschutting van een van de hangars. We zaten daar uit de wind en buiten het bereik van het licht dat uit de observatietoren scheen. Ik keek om de hoek van de hangar. De toren stond nog geen honderd meter bij ons vandaan. Vanuit deze positie kon ik maar één van de figuren die we zojuist hadden geobserveerd

zien. We hadden niet kunnen vaststellen hoeveel mensen er binnen waren, twee, drie of meer. Ik maakte me echter drukker over de antennes. Ik had geen idee van de 'afspraken' die de Ouwe en de mensen boven hem hadden gemaakt om hier een vliegtuig te laten landen. Misschien hadden ze wel het hoofd van de luchtverkeersleiding hier omgekocht, misschien wel de mensen die we nu konden zien. Maar niemand had ons iets verteld en op dit moment kon ik de toren en de antennes erop alleen maar als een bedreiging zien.
Ik keek opnieuw op mijn horloge. Het zou nog 22 minuten duren voor het vliegtuig volgens onze informatie zou landen; een uur en 22 minuten voor de ladingen zouden ontploffen. Ik luisterde of ik een vliegtuig kon horen, maar ik hoorde niets, behalve Chris die in zijn plunjezak rommelde. Ik keek naar het vliegveld en probeerde me voor te stellen wat er zou gebeuren als het vliegtuig landde. De wind blies zachtjes uit het oosten, dus de piloot zou van links komen om tegen de wind in te landen. Maar wat dan? Zou het met draaiende motoren op de landingsbaan blijven staan? Of zou het doorrijden tot aan het platform voor de hangar?
Iemand naast me kuchte zachtjes. Ik draaide me om. Het was Chris. Hij had iets in zijn hand.
'Commandant, ik heb je toestemming nodig,' zei hij.
'Wil je pissen of zo?' vroeg ik.
Hij schudde het hoofd en wees met zijn duim om de hoek van het gebouw. Terwijl hij dit deed, zag ik dat hij wat C4 in zijn hand had.
'Ik denk dat we de toren moeten opblazen,' zei hij.
Ik zweeg.
'Luister,' ging hij verder. 'Ik weet dat je twijfelt. Maar in het ergste geval zijn het er maar een paar. Kijk eens om je heen. We zitten in de rimboe. Als we het dak er vanaf blazen, komt dat hele oerwoud van antennes mee. En volgens mij verzekeren we ons daarmee van een hoop extra veiligheid voor de terugtocht.'
'Hoeveel springstof heb je nog?'
'Genoeg,' zei Angel. 'Ik heb de omgeving al verkend. Aan de andere kant van het gebouw hangt een ladder. We kunnen onder aan twee pilaren wat springstof plaatsen. Ze zijn niet zo dik, dus een kilo per pilaar moet voldoende zijn. Maar als we het doen, moeten we snel zijn. We moeten de ladingen instellen zodat ze tien minuten nadat het vliegtuig is geland, afgaan. Tot die tijd moet de bemanning ze wel kunnen afhouden.'
'Zullen er doden vallen?' vroeg ik.
'De lui in de toren? Misschien wel, misschien niet,' zei Chris. 'Maar als

we die zendapparatuur niet vernielen, geloof ik dat we een groot probleem voor onszelf creëren zodra we in de lucht zijn.'
Er was geen tijd voor discussie. Ik gaf mijn volledige toestemming.
In de vijf minuten die volgden, hield ik de toren nauwlettend in de gaten om te zien of ze binnen bewogen. Het was zo stil dat ik me na een tijdje afvroeg of Chris en Angel van gedachten waren veranderd. Toen hoorde ik iets achter me. Ze waren terug.
'Gebeurd,' zei Chris luchtig. 'Het zal wel een leuke klap geven.'
Een paar meter verderop hoorde ik een zacht gekraak. Het was Lobo die met de langegolfradio bezig was. Het wachten was ondraaglijk. Lobo hing boven het toestel, met zijn koptelefoon op. Ik spande me in om het geluid van naderende motoren te horen.
'Herhaal, graag,' zei Lobo zachtjes.
Iets in zijn stem deed me naderbij komen. Ik was niet de enige. Ook de anderen kwamen dichter bij de plek waar Lobo over de radio gebukt zat. Lobo vroeg ze de boodschap te herhalen. Toen werd hij stil en heel rustig. Ik kreeg opeens een heel akelig gevoel in mijn maag. Ik keek op mijn horloge. Het was twee minuten voor vier. Ergens in de lucht boven ons hadden we nu een vliegtuig moeten horen.
Ik bleef Lobo strak aankijken. Plotseling deed hij zijn koptelefoon af en gooide hem op de grond bij zijn voeten.
'Wat is er?' vroeg ik.
'Het is niet te geloven,' zei hij.
'Wat is niet te geloven?' vroeg ik zo rustig mogelijk.
Lobo begon te lachen. Hij begon werkelijk te lachen. Zachtjes, maar hysterisch.
'In godsnaam,' gromde ik woedend, 'wat zeiden ze?'
'Ze gaan ons niet ophalen,' zei hij. 'We zitten helemaal hier en ze gaan ons niet ophalen. Ze gaan ons godbetert achterlaten. Ze hebben ons in de steek gelaten.'
Andy stapte uit de schaduwen. Hij liep naar Lobo en greep hem bij de revers van zijn jumpsuit. 'Vind je dit grappig, eikel?'
Lobo duwde hem weg. 'Je denkt toch niet dat ik zoiets verzin, Andreas?' siste hij.
Ik kwam tussenbeide en haalde ze uit elkaar. Ik nam Lobo apart. 'Vertel me precies wat ze zeiden.'
Lobo zakte naast de radio in elkaar, met zijn rug tegen de muur van de hangar. 'Ze zeiden dat de vlucht was afgebroken. Ze gaven geen reden. Weet je wat ze zeiden toen ik ze vroeg om de boodschap te herhalen?' Hij lachte weer zachtjes in zichzelf. 'Ze zeiden, ga naar het zuiden en probeer de Zwarte Zee te bereiken.'

'En dat was het?' vroeg Chris.
'Ja.'
'De Zwarte Zee ligt honderden kilometers hier vandaan,' zei ik.
'Wat moeten we doen,' vroeg Tony, 'een trein pakken zeker?'
'Als het zo moet, ja,' zei ik afwezig. Het was alsof ik de gebeurtenissen observeerde, er geen deel van uitmaakte.
We moesten overleven. We zouden overleven. Ik was verantwoordelijk voor deze jongens.
Ik zei tegen Chris dat hij naar de toren moest gaan en de ladingen moest weghalen en dan terug moest komen. De vraag was wat we moesten doen met de ladingen op de pijpleiding.
Andy stak een sigaret op.
'Waar ben je in godsnaam mee bezig?' vroeg ik hem. Andy was mijn beste vriend en het teamlid voor wie ik het meeste respect had.
Hij trok lang aan zijn sigaret en ademde haast nonchalant uit. Maar ik kon zien dat zijn hand trilde. 'Wat maakt het uit, Jackson? Maakt het werkelijk uit of we hier doodgaan of ergens anders? Persoonlijk vind ik dat we het maar beter gehad kunnen hebben. Tot die tijd rook ik.'
'Krijg de klere, Andreas,' zei Angel. Als we doodgaan, dan stel ik voor dat we dat ergens anders doen.'
'Er gaat niemand dood,' zei ik. 'We gaan dit overleven. Allemaal. Maar we moeten wel nadenken. En we moeten als team handelen. Eerst de prioriteiten. Wat doen we met de pijpleiding? Laten we die afgaan of halen we de ladingen weg?'
'Daar hebben we geen tijd voor,' zei Angel.
Ik keek op mijn horloge. We hadden nog een halfuur voor de ladingen zouden exploderen. We waren in een halfuur bij het vliegveld gekomen. De terugweg zouden we sneller kunnen afleggen.
Ik stak mijn hoofd om het gebouw. Waar was Chris? Als Chris een beetje opschoot, zouden we uit deze ellendige plek weg kunnen en iets met die leiding doen.
'We hebben geen tijd om de ladingen weg te halen,' zei Angel opnieuw. 'Het is toch al een race tegen de klok. Stel dat we de plek niet meteen terug kunnen vinden? We kunnen onze zaklampen niet gebruiken. Het zou een ramp zijn als de pijpleiding explodeert terwijl wij bezig zijn de ladingen te zoeken. Als we dan niet omkomen, zitten we hoe dan ook op de plek waar het binnen de kortste keren zal wemelen van de mensen. Nee. We kunnen er beter voor zorgen dat we zo ver mogelijk van de ladingen verwijderd zijn.'
'Mee eens,' zei Tony.
'Ik ook,' zei Mike.

Op dat moment kwam Chris aan lopen. Ik kon zien dat hij de lading uit de verkeerstoren in zijn hand had.
'Wat nu?' vroeg hij.
'We gaan weg,' zei ik. 'En snel ook. Die pijp gaat over 25 minuten de lucht in. We moeten aan de andere kant zitten voordat dat gebeurt.'
'Waarom?' vroeg Andy, terwijl hij de sigaret uitstampte met zijn hak. 'Wat maakt het uit aan welke kant van de pijp we zitten?'
'Omdat we gaan doen wat ze zeiden. We gaan naar het zuiden.'
Ik dacht geen moment dat het nodig zou zijn om naar de Zwarte Zee te gaan. De Zwarte Zee was zeven- of achthonderd kilometer verder. Bijna duizend kilometer dwars over het grondgebied van onze gezworen vijand, de Sovjet-Unie. Ik wist alleen dat we langs die pijpleiding moesten komen voor de explosie de hel zou doen losbarsten en dat we voor zonsopgang ergens een onderkomen moesten vinden.
Over twee uur zou het al licht zijn.

16

De meest directe route naar de pijpleiding was niet de route die we op de heenweg hadden afgelegd. Hemelsbreed lag de leiding slechts twee kilometer ten zuiden van de rand van het vliegveld. Als we hard renden, konden we tien minuten voordat de ladingen zouden afgaan onder de pijpleiding door kunnen gaan.

We wachtten niet.

Ik rende voorop en hield het tempo hoog. Mijn beenspieren voelden aan alsof ze in brand stonden. Ik haalde zwaar adem. Maar ik werd gedreven door de behoefte om zo veel mogelijk afstand tussen ons en de pijpleiding te krijgen. Ik richtte me op de lichten van Kiev, die in zuidelijke richting aan de horizon gloeiden. Het was onnatuurlijk om in de richting van een bewoond gebied te lopen, maar Kiev lag ten zuiden van de pijpleiding, de kant waar we moesten zijn en de aanwijzingen waren duidelijk geweest. Ga naar het zuiden, hadden ze gezegd. En dat deden we dus.

We waren bijna een kilometer voorbij de pijpleiding toen de horizon achter ons plotseling oplichtte. Ik keek om en zag een geel-blauwe vuurbal omhoog schieten in de lucht.

Toen hoorden we het geluid van de ontploffing. Het was niet echt een knal, meer een *whoemf,* als het geluid dat een gasoven maakt.

We bleven staan om naar de vuurzee te kijken. Hij gloeide even op, waarbij de vuurbal in omvang toenam, en zakte toen in elkaar, waarna alleen nog een zwakke gloed aan de horizon te zien was. Niemand zei iets. Niemand juichte. Geen gejoel. De klus was geklaard, maar tegen welke prijs? Een stemmetje in mijn hoofd zei dat we dat in elk geval gedaan hadden. Toen keerde ik me om naar het zuiden en rende verder.

Tien minuten later zag ik koplampen bewegen op een weg voor ons. De enige kaart die we bij ons hadden was een overzichtskaart van de omgeving van Kiev. Omdat ik de kaart uit mijn hoofd had geleerd, hoefde ik er niet op te kijken. Om Kiev lag een ringweg waar enkele hoofdwegen uit de stad op uitkwamen vanuit verschillende richtingen. Deze weg liep in noordwestelijke richting. We moesten er overheen als we in zuidelijke richting wilden.

We liepen nog altijd over boerenland, een lappendeken van velden waar aardappels en kool de voornaamste gewassen leken.

Ik viel op mijn knieën en pakte mijn verrekijker, blij dat ik een reden had om even op adem te komen. De anderen gingen om me heen zitten.

Ik keek door de verrekijker naar de eenzame achterlichten die hard van ons weg reden, naar de stad toe. Godzijdank was de weg onverlicht.

Naast me zat Lobo naar adem te snakken. 'Waar gaan we heen, Jackson?'

Ik liet de verrekijker zakken en stopte hem terug in mijn jumpsuit. De weg lag een halve kilometer verderop. Ik wilde er zo snel mogelijk overheen.

'We moeten een plek vinden om ons te verstoppen. Het kan hier elk moment wemelen van de auto's.' Ik vroeg me af waar de dichtstbijzijnde reddingsdiensten waren en of ze burgers of militairen zouden sturen om de brand in de pijpleiding te blussen.

Ik maakte me zorgen over het gebrek aan schuilplaatsen onderweg. Vanaf de pijpleiding was het landschap vlak en leeg geweest. Er was zelfs geen bosje bomen waarin we konden schuilen. Over een uur zou het te licht zijn om nog verder te gaan. Als we hier bleven, in het open veld, zouden we zeker gezien worden. Als het op een gevecht zou uitlopen, wilde ik dat we ten onder zouden gaan op een betere plek. Hier, zonder beschutting, maakten we geen enkele kans.

In het oosten kwam de zon op. In de ochtendschemer werden de lichten van Kiev wat minder fel. Paniek begon toe te slaan. We waren nog twee wegen overgestoken en nog altijd hadden we niets gevonden waar we de dag konden doorbrengen.

Op de wegen reden steeds meer auto's, forenzen die op weg waren naar de stad. We moesten heel voorzichtig zijn.

In de verte zag ik door mijn verrekijker nog een weg lopen, de vierde

sinds de pijpleiding. Inmiddels zochten we gewoon een schuilplaats. Alles was goed.
Ik keek naar de snelweg en het talud waarop deze was aangelegd om te zien of er afwateringsbuizen in liepen, een plekje waar we konden wegkruipen en ons verstoppen, zo wanhopig waren we.
Ik zei tegen de anderen dat ze stil moesten blijven zitten terwijl ik een kijkje ging nemen. Ik gaf Andy mijn M16. Als ik op verzet zou stuiten, zou ik moeten vertrouwen op Suzi, mijn Beretta.
We hadden nog een kwartier duisternis over om ons te verplaatsen. Daarna zou het dag worden.
Ik kroop de weg op. Ik kon een voertuig horen naderen. Ik rende het laatste stuk en drukte mezelf plat tegen het talud terwijl een truck voorbij denderde. Het werd meteen duidelijk dat er geen afwateringskanalen liepen aan deze kant van het talud.
Ik stak mijn hoofd boven het talud uit, waardoor mijn ogen parallel kwamen aan de weg. Ik keek naar links en naar rechts. De kust was veilig.
Langzaam kwam ik overeind en ik liep naar de overkant. Ik had Suzi stevig in mijn rechterhand geklemd.
Ik was halverwege de weg toen ik iets hoorde. Ik was gespitst op het geluid van voertuigen en dit geluid, hoog en metaalachtig, verraste me. Het duurde even voor ik doorhad wat het was, net iets te lang onder de omstandigheden.
Ik keek naar links en zag vanuit mijn ooghoek iets bewegen. Tegelijkertijd besefte ik wat ik had gehoord en wierp mezelf op de grond.
Ik drukte mijn wang hard tegen het asfalt. Mijn hart klopte zo hard in mijn keel dat ik dacht dat ik van mijn stokje zou gaan.
Vijftien meter verder kwam een figuur op een fiets aangewiebeld.
Ik kon hem van opzij zien terwijl ik daar lag, midden op de weg. Een man met een platte pet. Een arbeider op weg naar een collectief of een fabriekswerker op weg naar de stad.
Hij had geen licht op zijn fiets en het geluid dat ik had gehoord was het geratel geweest van een slecht geoliede ketting.
Ik hield mijn adem in terwijl de fiets naderbij piepte. Zou hij me zien? Dat kon eigenlijk niet anders.
De wielen reden achter me langs en de fiets verdween uit mijn gezichtsveld. Ik durfde geen vin te verroeren. Ik lag ingespannen te luisteren. Als ik remmen hoorde piepen, wist ik dat ik moest rennen.
Toen voelde ik een trilling in de verte. De fietser was nog maar tien meter verder toen ik opstond, de weg overstak en mezelf van het talud wierp.

Een paar seconden later denderde weer een truck voorbij.
Terwijl ik me platdrukte tegen het talud, kon ik het gewas in het veld naast me zien in de koplampen. Het was een graanveld en de aren waren nog niet geoogst. Ik zat te denken dat we in het midden van het veld konden gaan liggen. Maar toen ik opkeek, zag ik een paar honderd meter verder een gebouw. Het dak stak scherp af tegen de horizon. Het stond midden in het veld en ik kon de lichten van Kiev zien door een gat in het dak.
Er was geen tijd om het te verkennen en dan pas de anderen te waarschuwen. Ik keek of er niemand aan kwam en rende naar de overkant van de weg. Dertig seconden later was ik terug bij het team.
'Aan de andere kant van de weg staat een gebouw,' bracht ik hijgend uit. 'Het lijkt wel een schuur.'
Niemand zei iets terwijl we opstonden en voorzichtig naar de weg slopen.

Het wás een schuur. Andy en ik liepen er een keer omheen, voordat we de grote dubbele deuren open wrikten en naar binnen gingen. Ik scheen met mijn zaklamp om me heen. Het zag eruit als een schroothoop. In het midden stonden enkele grote landbouwwerktuigen. Geen van alle zagen ze eruit alsof ze vaak gebruikt werden.
De muren waren van baksteen en houten balken stutten een golfijzeren dak. Het gebouw was nogal vervallen.
Hoog tegen de tegenoverliggende muur zat een platform. Vlak boven het platform bevond zich een kleine opening in de muur. Aan de rand van het platform zat een soort van takelmechaniek, stoffig en roestig. De opening keek uit op de weg. Vanaf het platform zouden we iedereen kunnen zien aankomen. Als we iemand bij de deur zetten, zouden beide kanten gedekt zijn.
Ik stootte Andy aan en zei hem dat ik dacht dat het wel goed genoeg was. Andy lachte en mompelde: 'Goed genoeg.' Hij had gelijk. We konden niet anders.
Andy ging naar buiten en riep de anderen. Ik zette Carl op het platform en liet Mike bij de deur posten. Het was bijna zes uur.
We waren al sinds middernacht onderweg en 24 uur wakker. Voor die tijd had trouwens niemand goed geslapen.
Ik zei tegen de anderen dat het slim zou zijn als we om de beurt de wacht hielden en wat probeerden te slapen. Dat was echter gemakkelijker gezegd dan gedaan. Toen ik ging zitten op de aangestampte grond, wist ik dat ik te gespannen was om mijn ogen te sluiten en te rusten. Ik voelde me ineens ontzettend verraden. Waarom hadden ze

ons in de steek gelaten? Was het vliegtuig gedwongen tot omkeren? Was het neergeschoten? Misschien, als de gemoederen waren bedaard, zouden ze van gedachten veranderen en nog een poging wagen om ons te halen.

Lobo, de enige die de instructies tot afbreken had gehoord, twijfelde er niet aan dat we aan ons lot waren overgelaten, dat we het zelf moesten uitzoeken.

17

Terwijl het daglicht naar binnen begon te vallen, bespraken we onze mogelijkheden.
Ik ontvouwde mijn kaart van de omgeving van Kiev. Deze bestreek een gebied van ongeveer duizend vierkante meter, dertig kilometer lengtegraad en dertig kilometer breedtegraad. Op de kaart stonden de wegen in en uit de stad, de route van de pijpleiding, het grote Kievskoye Vdkhrmeer ten noorden van de stad en een stukje van de Dnjepr ten zuiden ervan.
Wij zaten in het noordoosten, aan de oostelijke oever van de Dnjepr. Om naar het zuiden te kunnen, zei ik, moesten we de rivier over.
'Je wilt echt naar het zuiden, hè?' zei Tony.
'Ja,' zei ik. 'We moeten in beweging blijven, dat is onze enige kans.'
Tony, die meestal niet zo snel kwaad was, stompte met zijn vuist in de lucht. 'We hebben geen kaarten behalve die ene kaart van jou. Je bent gek, Jackson. We kunnen beter naar de Roemeense grens gaan, die is maar drie-, vierhonderd kilometer hier vandaan.'
'En dan?' vroeg ik. 'In Roemenië zijn we niet veel beter af dan hier.'
'Hadden we maar een kaart,' zei Andy. 'Ik wil kunnen zien waar we zitten.'
Angel liep weg. Wij bespraken onze situatie.
Even later kwam Angel terug met een grote papieren zak. Ik kon geen cyrillisch lezen, maar het zag eruit alsof er ooit kunstmest in had gezeten. Angel zag er heel tevreden uit.
'Wat moet je met die zak?' vroeg Chris.

Angel maakte een scheurtje in de zijkant en keerde de zak binnenstebuiten, zodat de onbedrukte binnenkant boven kwam.
'We maken een kaart,' zei hij, 'zolang de informatie over de Oekraïne nog vers ons geheugen zit.'
Het was een prima plan, al was het alleen maar omdat we zo zouden nadenken over wat we moesten doen. Ik pakte een pen en zette een kruisje in het midden dat Kiev aanduidde. Daarna tekende ik grof de omtrekken van de Oekraïne. Ik wist nog dat het ongeveer zo groot was als Turkije, even groot als Frankrijk en Duitsland samen. Ten noorden ervan lag de Russische Federatie, ten noordwesten Wit-Rusland. Ik tekende de grenzen van deze landen. Naar het westen lag Polen en ten zuiden daarvan Tsjecho-Slowakije en Hongarije, waar we langs waren gevlogen om het Oekraïense luchtruim te bereiken. Tsjecho-Slowakije en Hongarije grensden allebei aan de Oekraïne. Ook deze grenzen tekende ik. In het zuidwesten lag Roemenië en ten zuiden daarvan de Zwarte Zee.
'Je bent er een vergeten,' zei Angel. 'Moldavië. Dat ligt hier.' Hij wees op een gebied ten oosten van Roemenië. Het zuidelijke deel van Moldavië, een sovjetvazalstaat, lag aan de Zwarte Zee.
We discussieerden over de ligging van de landen en de grenzen die ik had getekend. Vervolgens bracht ik wat verfijningen aan. Toen we tevreden waren over de algehele ligging van de landen, begon ik te werken aan de details van de Oekraïne zelf. Ten zuiden van Kiev liep de Dnjepr, die het land bijna in tweeën deelde. Hij slingerde helemaal tot aan de Zwarte Zee, over een traject waarvan ik vermoedde dat het ruim duizend kilometer lang was. Van de briefing over de Oekraïne wist ik nog dat de rivier door enkele enorme meren kwam, waarvan sommige minstens 25 kilometer breed waren. We zouden goed moeten bedenken waar we de Dnjepr over wilden steken. Wat de Zwarte Zee aanging, wist ik nog dat de havenstad Odessa, dicht bij de Moldavische grens, de thuishaven was van de sovjetvloot in de Zwarte Zee. Tussen Odessa en de monding van de Dnjepr lagen de enorme scheepswerven van Nikolayev die de Russische oorlogsschepen produceerden. 'Aan dat deel van de kust zou de beveiliging ongetwijfeld enorm zijn,' zei ik hardop denkend. 'We zouden dat gebied moeten mijden en meer naar het oosten moeten gaan.'
'Wat is er in het oosten?' vroeg Carl.
'De Krim,' zei ik, en ik begon de omtrek te tekenen. De Krim, die uitstak in de Zwarte Zee, was met het vasteland van de Oekraïne verbonden via een smalle landengte. Deze landengte, zo meende ik me te herinneren, lag ongeveer honderd kilometer ten oosten van de monding van de Dnjepr.

Ik dacht aan wat mijn opa me verteld had over de Krim; dat het een plek was waar de Duitse troepen tijdens de Tweede Wereldoorlog zich hadden ontspannen. Het was zo'n tweehonderd kilometer verder dan Odessa, de dichtstbijzijnde stad aan de Zwarte Zee, maar het zou de reis waard zijn. De Krim was nog altijd een populaire vakantiebestemming voor Russen en Oekraïners. Ik had het idee dat we beter af zouden zijn in de Krim dan elders.
'En wat doen we in godsnaam als we daar aankomen?' vroeg Lobo. 'Zwemmen?'
'Nee,' zei ik, 'we zoeken een boot.'

Iemand had het over een trein gehad. We hadden geld, een hoop geld, maar voorzover ik wist, accepteerde de Russische spoorwegen alleen roebels, geen gouden Krugerrands.
We dachten erover om naar het zuiden te liften, op een truck misschien, maar verwierpen dat idee algauw omdat het niet praktisch was. Chris was de enige die Russisch sprak. Hoe we ook gingen, we zouden als groep moeten reizen, met Chris in ons midden.
Even overwogen we om een voertuig te stelen, een vrachtauto, een bus of zelfs een stel auto's. Maar als ze het al niet wisten, zouden de sovjets er gauw achter komen dat de pijpleiding was gesaboteerd. Het eerste wat ze dan zouden doen was wegblokkades instellen op alle grote wegen van en naar Kiev. Dan waren de rapen gaar.
Mike stelde voor om af te wachten tot de opwinding voorbij was, maar als we dat deden, gaf dat geen garanties dat er geen controleposten zouden zijn op de wegen naar het zuiden. Misschien waren controleposten hier wel heel normaal. We wisten het domweg niet.
Als we een voertuig zouden stelen, hadden we hoe dan ook benzine nodig en ik had geen idee hoe het in de Sovjet-Unie werkte bij een benzinestation, net zomin als Chris. Een verkeerd gebaar, een domme opmerking zouden ons direct verdacht maken.
Door dit eliminatieproces bleef er nog maar één ding over: lopen.
Eerst leek het onmogelijk. Niemand had ook maar enig idee hoe ver het was naar de Zwarte Zee. De schattingen varieerden van vijfhonderd tot twaalfhonderd kilometer.
'Stel dat het gemiddeld ongeveer achthonderd kilometer is,' zei Andy, 'en stel dat we gemiddeld dertig kilometer per dag kunnen lopen. Dan zijn we over een kleine maand bij de Zwarte Zee.'
Iedereen knikte instemmend. 'Een maand overleef ik nog wel,' zei Chris.
In mijn halfwakkere toestand had ik even nodig voor ik doorhad wat er

niet klopte aan deze redenering, maar Angel sprak nog voor ik iets kon zeggen.
'Dertig kilometer overdag is geen punt, meer zou ook nog kunnen,' zei hij, 'maar we overleven dit alleen als we 's nachts lopen. En 's nachts lopen beperkt ons enorm. We kunnen waarschijnlijk maar tien tot vijftien kilometer per nacht afleggen, niet meer. En dat betekent dat onze totale reistijd oploopt tot twee of drie maanden.'
'En vergeet niet,' zei Tony, 'dat we zullen moeten eten, veel eten, als we dat tempo willen volhouden.'
'Hmm,' zei Lobo, 'het is een heel logistieke operatie om acht man te voeden, Jackson.'
We hadden een kleine voedselvoorraad: het 'eten' dat we doorgaans meenamen op een korte, snelle missie; zakjes met chocolade en pindakaas om aan energie te komen en ieder een paar liter water. Ik voelde in mijn zakken. Ik had nog twee zakjes over: een met chocolade en een met pindakaas. Die avond zouden we honger gaan krijgen, heel veel honger. En als we honger hadden, konden we niet lopen.
'Zeg,' zei Carl vanuit zijn uitkijkpost tussen de balken, 'kunnen we niet beter hier blijven voor het geval ze nog een vliegtuig sturen? Nu ik er toch aan denk, waarom vragen we niet via de radio of ze nog een vlucht kunnen sturen?'
Lobo stond aan de rand van onze kring en groef een kuiltje in de grond met de neus van zijn schoen. 'We kunnen de radio niet gebruiken,' zei hij. 'Russische afluisterstations van de Zwarte tot de Baltische Zee zullen inmiddels de radiogolven wel afspeuren naar elke verdachte uitzending. Zelfs als ik steeds maar kort zou zenden, zouden ze ons kunnen vinden met richtantennes. Ik zei toch dat je een reddingspoging kunt vergeten. Schrijf dat maar op je buik.'
'Goed dan,' zei ik, 'laten we dan de radio ook maar meteen hier laten. Het heeft weinig zin om hem mee te nemen, dat is alleen maar extra gewicht.'
Ik zag dat Lobo hier even goed over moest nadenken. De radio was onze levenslijn. Wilden we werkelijk alle banden met de thuisbasis afsnijden?
Uiteindelijk knikte hij. 'Je hebt gelijk, Jackson. We zijn beter af zonder.'
'Zoek dan maar een plek om het ding te verstoppen,' zei ik.
Hij ging meteen de uithoeken van de schuur verkennen.
'Goed, we lopen dus 's nachts,' zei Angel. 'En we doen het rustig aan. Als we ons haasten, zijn we dood. We kunnen alleen bij de Zwarte Zee komen door heel geduldig te zijn. We moeten in de omgeving opgaan en voedsel stelen waar we kunnen.'

'Jezus, man, we zijn toch geen stropers?' merkte Mike op.
'Zo moeten we ons anders wel gedragen,' zei Angel, 'als stropers.'
Ik was ooit een keer met Angel in Zweden op vakantie geweest. De hele reis was één groot misverstand gebleken. Ik had gedacht dat we van hotel naar hotel en trekkershutten zouden trekken, en goed zouden eten en slapen. Ik kwam echter algauw tot de ontdekking dat voor Angel de ideale vakantie iets was waarbij je onder de blote hemel sliep en je eigen eten verzamelde, zelfs midden in de Scandinavische winter. Ik had hem vervloekt om de nachten die we in het bos hadden doorgebracht, in elkaar gekropen bij een kampvuur, stervend van de kou, maar nu wist ik in elk geval dat we een stroper in ons midden hadden.
Ergens vroeg ik me zelfs af of Angel hier niet stiekem van genoot.
Lobo kwam terug, haalde de radio uit zijn rugzak en begon hem uit elkaar te halen. Hij had in een van de hoeken een opening gevonden. Door de onderdelen van de radio in het gat te stoppen, dat verborgen zat achter een stapel planken die tegen de muur stonden, zou het apparaat nog lang nadat wij waren vertrokken verborgen blijven.

*

We twijfelden over wanneer we uit de schuur moesten vertrekken, maar uiteindelijk werd er voor ons beslist.
Angel, Chris en Andy waren ervoor om die nacht uit de schuur weg te glippen, Lobo, Carl, Mike en Tony wilden blijven.
Ik vond ook dat we verder moesten, omdat ik wist dat het psychologisch gezien goed was om in beweging te blijven. Maar ik besefte ook dat deze schuilplaats, in een landschap dat een schreeuwend tekort had aan schuilplaatsen, een plek was om te rusten en ons voor te bereiden op wat komen ging.
We hadden genoeg voedsel voor nog één nacht. Waarom zouden we niet van dit dak boven ons hoofd gebruikmaken tot de honger ons verder dwong?
We spraken er lang en breed over. Uiteindelijk bond Angel in en zei dat hij het bij nader inzien wel een goed idee vond als wij die nacht in de schuur bleven terwijl hij en Chris naar buiten ging om eten te zoeken, en daarmee leek de zaak beslecht. Angel wilde ook graag wat burgerpakkies voor ons regelen. Hij wees erop dat als ik eruit had gezien als een Oekraïner, ik me misschien wel uit mijn ontmoeting met de fietser had weten te bluffen.
Naarmate de middag vorderde, kwamen we tot een aantal basisregels

voor de reis die voor ons lag. We wilden geen afstand doen van onze geweren, ook al was het een beetje tegenstrijdig om rond te lopen in burgerkleren met een M16 over onze schouder. Over één ding waren we het allemaal eens: we zouden er alles aan doen om te voorkomen dat er burgerslachtoffers zouden vallen.

We hadden hier een onderdeel van de infrastructuur willen vernietigen en die opdracht hadden we volbracht. Om de een of andere reden wilden we het land verlaten zonder verder schade aan te brengen; om zo een signaal af te geven aan de sovjets en onze eigen mensen.

Hoewel we hier waren achtergelaten, wilden we laten zien dat we ons op een gedisciplineerde, nette manier konden gedragen. Burgers doden was in tegenspraak met alles waar we voor stonden. Dat was de theorie althans, maar deze zou veel eerder op de proef worden gesteld dan iemand van ons had kunnen verwachten.

Ik rookte een van mijn laatste, kostbare sigaretten toen Mike, die de wacht hield op het platform, plotseling riep dat er een voertuig naderde over het pad. Even was het stil, een onwerkelijk moment, waarin we zijn mededeling lieten doordringen. Ik doofde mijn sigaret en stopte de peuk in mijn zak. Mike sprak opnieuw: 'Het is een tractor met aanhanger. Ik zie twee mensen, de bestuurder en iemand op de aanhanger.'

We kwamen allemaal in actie. We hadden onze spullen al verstopt voor het geval zo'n situatie zich zou voordoen, maar dat wilde niet zeggen dat het gemakkelijk was. Lobo en Carl verstopten zich achter de stapel hout waar ook de radio lag, Mike bleef op het platform en de rest verborg zich in de schaduwen achter de kapotte machines.

Ik maakte mijn holster los en tastte naar Suzi. Toen hoorde ik de tractor.

Hij kwam dichterbij. Ik keek naar het platform. Mike lag plat op zijn buik, maar hij gebaarde met drukke handbewegingen dat we verborgen moesten blijven. Als ze binnenkwamen, zouden ze niets bijzonders zien, hield ik mezelf voor.

Maar toen stak ik mijn hand in mijn zak en voelde de peuk. Zouden de bestuurder en zijn maat de geur ruiken? De gedachte bleef knagen. Al mijn mooie ideeën over het niet vermoorden van burgers smolten als sneeuw voor de zon.

De tractor kwam dichterbij. Ik keek naar de dubbele deuren. Door de smalle opening viel zonlicht naar binnen, waarin stofdeeltjes dansten. Voor de deur passeerde een schaduw. De tractor reed verder.

Ik haalde opgelucht adem, maar meteen daarna hoorde ik het gepiep van remmen en het geknars van versnellingen.

De tractor reed achteruit. Ik keek op, maar ik kon Mike niet meer zien. Hij zat plat tegen de muur.
De klootzakken kwamen naar binnen.
Zelfs boven het geluid van de lopende motor uit kon ik het gekraak van de deur horen terwijl de man uit de aanhanger de deuren opentrok.
Daglicht stroomde de schuur in.
De andere deur werd geopend en de tractor begon achteruit te rijden. Vanuit mijn positie achter een oude houten ton, kon ik wolken vette rook zien opstijgen naar de balken.
De aanhanger reed de schuur binnen, helemaal naar achteren tot de tractor ook binnen was.
De bestuurder riep iets naar zijn maat, die buiten bleef. Toen sprong hij van zijn stoel en liep langs de aanhanger naar een oude baalmachine achterin. Ik wist dat Angel en Chris daar verstopt zaten.
Ik keek omhoog om te zien of ik een teken van Mike zag. Maar Mike verroerde geen vin.
Voorzichtig haalde ik de veiligheidspal van Suzi. Als Angel of Chris de bestuurder zou pakken, zou een van ons als de gesmeerde bliksem zijn maat moeten grijpen.
Door het gebrul van de draaiende motor kon ik niet denken.
Die vent buiten zou het op een lopen zetten, toch?
De weg was maar driehonderd meter verder. Stel dat een passerende automobilist zou zien hoe wij hem achtervolgden of doodden?
Ik hoorde iets. De bestuurder kwam terug, met twee zwaar uitziende jerrycans. Hij zette ze achter in de aanhanger, sprong in de stoel, liet de motor opkomen en reed weg.
Tien minuten later, toen we allemaal weer midden in de schuur stonden, was de beslissing unaniem. Zodra het donker was zouden we vertrekken in zuidelijke richting.

18

We liepen achter elkaar, met onze M16's in de aanslag. We wilden die nacht de wegen uit Kiev oversteken, zodat we in open veld in zuidelijke richting konden gaan lopen. Het was een warme nacht en het duurde niet lang voor ik de effecten begon te merken van het meedogenloze marstempo. De jumpsuit was al warm genoeg, maar we droegen bovendien ook nog materieel mee, dat steeds meer overbodig leek te worden.

Even na middernacht liet ik de groep stoppen en bespraken we de voor- en nadelen van het achterlaten van het overbodige materieel, te beginnen met onze radio's. Toen we het eens waren over de radio's, kwamen we al snel tot de conclusie dat we ook best zonder de granaten konden. We zaten op dat moment net in een graanveld en dat leek een goede plek, dus we begonnen te graven. Het gat was niet groot, maar wel diep.

We waren bijna klaar toen we een lange colonne voertuigen zagen rijden op een weg die niet op mijn kaart stond. Door mijn verrekijker zag ik hun vale olijfkleur. Ik telde er meer dan twintig.

'Wat zijn dat?' vroeg Andy.

Ik dacht na terwijl ik bleef kijken. 'Geen idee. Het lijken wel militaire voertuigen van het een of ander.'

'Denk je dat ze zijn opgeroepen?'

Ik liet mijn verrekijker zakken en keek hem aan. 'Ze rijden wel de goede kant op. Als ze hier zijn vanwege ons, ga dan maar na. Twintig trucks, tien, vijftien zwaarbewapende soldaten in elk. Dan hebben we

het over twee- tot driehonderd soldaten. En ze rijden in noordelijke richting.'
'Maar misschien is het niets.'
'Juist,' zei ik en ik keek peinzend naar het dichtgegooide gat waarin we net de granaten hadden begraven. Misschien waren we iets te voorbarig geweest.
'Het gaat erom dat we in beweging blijven,' zei Andy. Ik knikte.
We liepen verder, waarbij we links bleven van de weg en de lichten van Kiev. Lobo gaf het tempo aan. We staken nog twee wegen uit de stad over en omstreeks vijf uur kregen we het vermoeden dat we eindelijk richting platteland gingen; er waren geen grote wegen meer. We zouden het pas de volgende nacht zeker weten, want het werd bijna licht en we moesten een plek zoeken om ons te verschuilen.
Tegen halfzes was het duidelijk dat we weer geen gebouw zouden vinden, dus we overlegden kort onze mogelijkheden.
Voor ons lag een maïsveld. Het gewas stond hoog, maar was nog niet rijp genoeg om te oogsten. Als we midden in het veld gingen zitten en een paar man op wacht zetten, leek dit een goede schuilplaats, bij gebrek aan beter.
We liepen naar het midden van het veld, waarbij we erop letten dat we geen spoor achterlieten. Toen we bijna in het midden waren, keek ik omhoog en zag de zon in het oosten opkomen.
Iedereen was moe en wilde slapen. We trokken strootjes en Angel en Chris verloren. We besloten om elke twee uur de wacht te wisselen.
Toen ik eenmaal sliep, begon ik over Ginger te dromen. Het was alweer een paar maanden geleden dat ik door deze nachtmerrie werd geteisterd. Ik sleepte zijn lijk door de modder van de doodsstrook, praatte tegen hem, probeerde hem wakker te houden. Toen hij op de mijn was gevallen, was zijn hele onderlichaam weggeslagen. In de droom ging ik steeds terug naar de strook om stukjes van hem op te halen, terwijl ik ondertussen huilde en tot God bad om Ginger te laten leven en mij te laten sterven.
Ik werd wakker met Tony's hand over mijn mond. Hij had een wilde blik in zijn ogen. Ik had niet gehuild, maar geschreeuwd.
Twee minuten later zat iedereen, behalve Angel en Chris, in een halve kring om me heen. Ik stak mijn op een na laatste sigaret aan en trok er hard aan. De beelden trokken langzaam weg.
We praatten over Ginger. Iedereen had zijn eigen favoriete herinnering aan hem. De mijne was aan de keer dat hij een opstandje had aangesticht na een van onze braspartijen.

We hadden net gehoord dat ons verzoek om wat 'routine' parachutetraining was ingewilligd. Een paar maanden eerder had ik tegen de Ouwe gezegd dat we onze HALO-techniek (High-Altitude Low Opening) moesten bijschaven.
HALO was een belangrijk onderdeel van de training voor speciale operaties en vereiste grote vaardigheid. Om de parachute op lage hoogte te kunnen openen, moest je met een zeer verfijnde hoogtemeter kunnen werken en dat vereiste oefening. Als we eenmaal de HALO-sprongen overdag onder de knie hadden, zouden we 's nachts gaan springen. Sprongen in het donker vereisten perfectie. Als je niet kunt zien dat de grond met 200 kilometer per uur nadert, kan een verkeerd ingestelde hoogtemeter voor een mansgroot gat in de grond zorgen.
Curly had het geregeld. In de buurt van de kazerne die het leger en de Luftwaffe gebruikten voor hun geheime gezamenlijke trainingsoperaties lag een vliegveldje. We moesten ons de maandag daarop melden aan de rand van het vliegveld. In de dagen daarvoor moesten we onze spullen bijeenzoeken en Curly zou er voor zorgen dat ze in de hanger zouden klaarliggen. We hoefden er alleen maar heen te gaan, een paar goede sprongen te maken en onze vaardigheid laten zien, waarna we terug konden naar onze eenheden.
Het feit dat het verzoek was ingewilligd was in elk geval een teken dat het Elitekommando Ost nog altijd actief was.
De zaterdag voor de sprong was Gingers 25e verjaardag. Ginger was het oudste lid van de eenheid en we waren het er allemaal over eens dat hij een flink feest verdiende. Andy stelde voor om dat weekend ergens naartoe te gaan. Hij wist een klein pension in het dal ten zuiden van het Rothaargebergte, een lage bergketen ongeveer zestig kilometer ten zuiden van de kazerne.
We zouden daar op vrijdag heen rijden, op zaterdag uit de band springen en op zondag terugkomen. We moesten zondag bijtijds naar bed, want we moesten maandagochtend vroeg op het vliegveld zijn.
De tocht naar de bergen was spectaculair. Op de lagere hellingen waren de bladeren van de bomen al wel verkleurd maar nog niet gevallen. Voorbij de hogergelegen naaldbomen kon ik de sneeuw zien liggen op de duizelingwekkende toppen. Het Rothaargebergte stond in de omgeving bekend als een bescheiden wintersportgebied, maar in deze tijd van het jaar, voor de hevige sneeuwval van de winter, waren er geen toeristen. Het echtpaar dat het pension voerde, een pittoresk chalet in een afgelegen dorpje, begroette Andy als een verloren zoon. We waren de enige gasten en het feest begon meteen.
We feestten door op zaterdag en gingen zondag verder. We vertelden

elkaar nieuwe grappen en lachten opnieuw om bekende moppen. 's Avonds waren we te dronken om terug te rijden naar de kazerne, dus leek het ons verstandiger om de volgende dag na een goede nacht slapen direct vanaf het pension naar het vliegveld te rijden. Helaas liep het anders. Het feest ging de hele zondag door. Op een gegeven moment konden we niet meer terug en besloten we dat we beter maar helemaal niet konden gaan slapen.
Het vliegveld lag in de buurt van Keulen en een aantal van ons was nog dronken toen we er aankwamen.
We passeerden de beveiliging, gingen naar de hangar en begonnen ons om te kleden. Ik bleef mezelf voorhouden dat we alleen maar hoefden te springen, rapport hoefden uit te brengen aan de Ouwe en dan terug konden keren naar onze eenheden. Maar ik wilde alleen maar slapen.
We strompelden de hangar uit naar het vliegtuig, een Transall middelgroot transportvliegtuig met dubbele motor. Het was een schitterende ochtend. De zon brak net door de laaghangende mistflarden. Het gekoer van een houtduif was het enige wat de stilte doorbrak. Ik klom aan boord en ging op de grond achter het voorste tussenschot zitten. De anderen kwamen na mij aan boord. De stoelen waren verwijderd en iedereen zocht een plaatsje.
De piloot, die toen we binnenkwamen zijn instrumenten aan het controleren was, keerde zich om en wuifde naar ons.
Alleen Angel, die minder dronken was dan de rest, slaagde erin om terug te zwaaien.
De dubbele turbopropellers begonnen te draaien en we taxieden naar het eind van de startbaan. Een oorverdovend gebrul weerklonk toen de piloot de kleppen opende, het frame schudde terwijl het vliegtuig kreunde tegen de remmen en daar gingen we. In de open deur zag ik de grond voorbij snellen. Met een schok schoot het vliegtuig de lucht en ik voelde mijn maag omhoog komen. Ik trok mijn knieën tegen mijn borst en sloot mijn ogen. Ik wist zeker dat ik zou gaan overgeven. Iemand porde me in mijn ribben.
Andy haalde een fles Johnny Walker uit zijn jumpsuit en zwaaide ermee onder mijn neus.
'Neem een slok,' riep hij in mijn oor. 'Is goed voor je maag.'
Ik deed wat me gezegd werd en ik voelde me meteen beter. Andy liet de fles rondgaan en iedereen nam een slok, zelfs Angel. De Transall naderde de 2500 meter. We zouden springen op 8000 meter.
Op 3000 meter zouden we overgaan op zuurstof. Op het vluchtdek had de bemanning al de maskers om gedaan. Zowel de piloot als de copiloot leek zich bewust van het feestje dat achterin gaande was.

Binnen een minuut was de fles leeg en begon iedereen zich te ontspannen. Angel maakte zijn parachute los, geeuwde en ging languit liggen. Tony en Lobo deden hetzelfde. Andy en Ginger deden hun parachutes helemaal af.
Ginger lag met zijn hoofd op zijn reserveparachute en deed zijn ogen dicht. Ik schopte hem. Hij opende een oog en keek me aan.
'Maak het jezelf niet te gemakkelijk,' gilde ik en ik wees op mijn horloge. 'We springen zo meteen.'
'Ik moet je iets vertellen, Jackson,' gilde hij terug. 'Ik spring niet.'
Het geluid van de turbulentie en van de twee propellers was oorverdovend. Ik dacht even dat hij had gezegd dat hij niet ging springen.
'Ik heb een gigantische kater en het is hier stervenskoud,' zei hij. 'Maak me maar wakker als we landen.' En hij rolde zich om.
Ik rolde hem terug. 'Dat meen je toch zeker niet? Ik bedoel, als we niet springen, hoort de Ouwe daarvan. Dan hangen we.'
Achter me klonk geschreeuw. De piloot stak zijn hoofd om de deur, tikte met zijn vinger tegen zijn hoofd en wees naar Ginger. Ik kon zien wat hij dacht. Overal lagen parachutes en over de vloer rolde een lege drankfles.
Ik hield mijn handen op en wees toen naar de instrumenten. Maak je geen zorgen, vlieg jij nou maar.
Toen ik me omdraaide, leek Ginger op wonderbaarlijke wijze te zijn hersteld. Hij schuifelde naar de achterkant van het vliegtuig en verzamelde alle parachutes. Ik liep naar hem toe en vroeg wat hij aan het doen was.
'De piloot gaat zo de Ouwe oproepen,' gilde hij. 'Als hij dat al niet gedaan heeft.'
Dat was precies waar ik bang voor was, maar ik snapte niet wat hem ineens bezielde.
'Als we geen parachutes hebben, kan de Ouwe ons niet dwingen te springen,' zei Ginger hij en gooide zijn parachute naar buiten. Ik moest zijn woorden nog laten doordringen en ondertussen wierp hij nog twee parachutes weg.
Lobo en Mike juichten instemmend en gooiden hun parachute door het ruim. Ginger ving ze op en gooide ze naar buiten.
Toen er nog maar één parachute over was, keek hij me aan.
'En, vriend,' zei hij met meer ernst dan ik had verwacht, 'doe je mee of niet?'
Ik dacht aan de kameraadschappelijke sfeer van het weekend en in een flits zag ik ook weer voor me hoe we het in Amerika hadden gehad. Ik keek naar de anderen. Het had zo lang geleden geleken.

We hadden het meteen kunnen vinden met z'n negenen en dat allemaal omdat iemand ergens onze dossiers had geplukt uit honderden, misschien wel duizenden kandidaten; ze hadden besloten dat ieder van ons het juiste 'profiel' had om in een team te kunnen werken.
Ik glimlachte bij mezelf. Daar hadden ze gelijk in gehad.
Ik maakte mijn parachute los en gaf hem aan Ginger. Met een sierlijk gebaar wierp Ginger hem uit het vliegtuig. Vervolgens schuifelde hij terug naar zijn plekje bij het tussenschot, een voldane glimlach om zijn lippen, en viel in slaap.
De piloot, die alles gezien moest hebben, liet het vliegtuig langzaam en zachtjes keren. Tegen de tijd dat we landden op het vliegveld, was iedereen buiten westen.
Ik opende mijn ogen omdat ik de servomotoren hoorde janken en zag de achterklep opengaan. Licht stroomde het vliegtuig binnen.
Ik knipperde met mijn ogen en wreef eens goed. Daar, kaarsrecht in het zonlicht, stond de Ouwe, geflankeerd door een stel Feldjagers.
We krabbelden overeind en liepen allemaal naar de laadklep. Ik wist dat we in de puree zaten, dus ik dacht dat we er maar beter goed uit konden zien. Toen ik uitstapte, sprong ik op mijn best in de houding. De anderen stonden strak achter me.
'Luitenant Sanders en acht man, terug van.... nergens, mijnheer.'
De Ouwe nam ons op. We wachtten op de onvermijdelijke explosie.
Zijn stem was beheerst, maar kortaf, toen hij zei: 'Goed gedaan, dames.'
Een van de Feldjagers stapte naar voren, haalde Suzi uit haar holster en boeide me.
In het maïsveld, waar ik achterover geleund naar de sterren keek, moest ik glimlachen bij de herinnering. Maar op dat moment was dit een dieptepunt in onze relatie met de Ouwe geweest.
Mijn gedachten werden onderbroken door Tony's stem: 'Wat ga je doen als je terug bent, Jackson?'
'Bedoel je wat ga ik doen wannéér ik terug ben?' vroeg ik.
Ik had hier al uitgebreid over nagedacht. Onze relatie met de Ouwe was altijd al ingewikkeld geweest. Onze training in Amerika was een test geweest. Mijn eerste missie naar Oost-Berlijn was een test geweest. Ergens vroeg ik me nog altijd af of dit niet ook een soort test was, hoewel dat werkelijk een belachelijk idee was.
'Dat weet ik niet,' zei ik, maar eigenlijk wist ik het wel.
Door de woede op de Ouwe, de man die de leemte had gevuld van mijn afwezige vader, kon ik me richten op het einddoel.

19

Zodra de avond inviel, gingen we weer op pad. Op deze derde nacht in het hol van de leeuw was honger onze grootste vijand. We hadden geprobeerd om maïs te eten, maar daar kregen we alleen maar buikkramp van. Als we verder wilden, moesten we iets vinden wat op een echte maaltijd leek.

Er waren geen wegen meer en zonder de gewassen zou het landschap kaal en kleurloos zijn geweest. We liepen over de paden tussen gigantische velden met maïs en graan. Hoewel we elk moment verwachtten iemand te zien, zagen we geen tekenen van menselijk leven: geen voertuigen, geen gebouwen, niets.

Het lichtje dat Carl die zaterdag even na drie uur zag, kreeg hierdoor een enorme betekenis. Het ene moment was de lucht nog pikzwart geweest, het volgende was er een licht, een enkel peertje, op driehonderd meter van ons verwijderd, dat helder scheen door een raampje.

We kwamen dichterbij om het te observeren. Het licht scheen uit een bovenkamer in een groot huis met twee verdiepingen. Vanwege de afgelegen ligging vermoedden we dat het een of ander landbouwcollectief was. Behalve het huis konden we met enige moeite de omtrekken van lage bijgebouwen herkennen.

Omdat we wanhopig op zoek waren naar eten, besloten we tot een foeragetocht. Angel, onze eigen stroper, wees zichzelf hiervoor aan. Chris wierp zich op om hem te vergezellen. Ze vertrokken met alleen hun wapens.

We kropen in een greppel naast de weg. Na twintig meter verdwenen Angel en Chris uit het zicht. We ontspanden ons en wachtten.

'Als iemand in dat van god verlaten oord wat vette, sappige kippen kan vinden, is het Angel wel,' zei Andy. 'Weet je nog hoe hij vroeger voor ons op jacht ging als we op oefening waren?'
'Midden in Duitsland in een bos een hert neerschieten met een G3 is wel iets anders dan een kip stelen uit een sovjetcollectief,' zei Mike.
'En als ze honden hebben?' vroeg Lobo. 'Ik weet niet zoveel over dit land, maar op alle boerderijen die ik heb gezien, waren honden.'
'Angel weet wat hij doet,' zei ik, vurig hopend dat dat zo was.
Ik keek naar de bijgebouwen en wachtte tot ik licht zag aanflitsen of tot er honden aansloegen. Maar na een halfuur hadden we nog altijd niets gehoord of gezien.
Ik begon me al af te vragen of ze er eigenlijk wel naartoe waren gegaan, toen ik iets hoorde op het pad. Het licht in de bovenkamer was allang uit. Ik staarde in het donker tot mijn ogen pijn deden. Ik gebruikte de verrekijker en zat nog altijd naar het pad te kijken toen ik merkte dat er iemand naast me zat. Ik keek op en zag Angel. Op de een of andere manier was hij erin geslaagd om onze positie te trekken en ons van achteren te naderen. Chris dook naast hem op.
Beiden hielden ze iets vast. Het leek wel alsof ze waren teruggekomen met een stel dode schapen.
'Hier, pak aan,' zei Angel. Hij klonk woedend. Hij liet wat hij vasthield met een plof op de grond vallen.
Ik boog naar voren en voelde. Kleren. Angel was godbetert teruggekomen met kleren.
'Wat moet dit voorstellen?' vroeg ik.
'Geloof me, als ze er geweest waren, hadden we nu geroosterde hond gehad. Er was niks, geen kippen, geen konijnen, niks. Alleen maar wat oude kleren.'
'En dit,' zei Chris en hij zette een zak naast de stapel kleren. 'Ik hoop dat iedereen van aardappels houdt.'
Mijn maag ging kreunend tekeer. We hadden ons allemaal verlekkerd bij het idee dat we goed zouden kunnen eten, en nu dit.
Angel en Chris waren terechtgekomen op het enige collectief in de Oekraïne zonder dieren. Op zoek naar een kippenren waren ze een bijgebouw in gelopen en waren daar gestuit op een stapel kleren die gewassen moesten worden. In een ander gebouw had Chris de aardappels gevonden. We hadden zo'n honger dat we ze, nadat we ze eerlijk hadden verdeeld, rauw begonnen op te eten, vuil en wel.

We pakten de kleren en liepen verder, we hielden pas een paar uur later bij een bosje kreupelhout stil. Daar maakten we ons leger voor

de dag. We handelden hetzelfde als in het maïsveld: twee man op wacht terwijl de rest sliep.
Toen ik wakker werd, zag ik Mike en Carl, onze wachten op dat moment, in de kleren die Angel en Chris de nacht ervoor hadden gestolen. Ik begon te lachen. De anderen, die wakker werden van de commotie, staarden slaperig naar het schouwspel dat ze begroette en begonnen ook te lachen. We lachten zo hard dat het pijn deed.
In feite hadden Chris en Angel het prima gedaan. We hadden kleren nodig en dit waren authentieke spullen van de plaatselijke boeren. Mike en Carl, die handenvol geld uitgaven aan hun uiterlijk, zagen er alleen belachelijk uit. De broeken waren zo wijd dat ze om hun benen flapperden. De hemden waren ongelooflijk bont: dat van Carl was feloranje en dat van Mike had een onaangename tint geel. Over de kleren droegen ze jasjes vol motgaten.
Tony liep naar Mike en snoof. 'O, hemel, je wilt niet weten hoe erg die kleren stinken.'
Carl en Mike zwegen, maar ze schuifelden wat ongemakkelijk heen en weer door alle aandacht.
Uiteindelijk wees Mike naar de stapel kleren die er nog lag. 'Wie volgt?' vroeg hij. 'Er is nog een broek, hemd en jas voor twee man.'
Pas toen begreep ik hoeveel kleren Angel en Chris hadden gestolen.
Ik keek Angel aan, die zijn schouders ophaalde. 'Dan moeten een stel Ivans het maar zonder kleren doen,' zei hij.
We trokken lootjes om te bepalen wie de kleren kreeg. Andy en Chris verloren. Chris zag er absoluut lachwekkend uit. Omdat hij veel kleiner was dan de rest, moest hij de tailleband van de broek vier of vijf maal omslaan voordat hij paste, waardoor het net leek alsof hij een zwemband om zijn middel had. Maar hij zag er wel authentiek uit.
In de loop van de dag kwam Andy terug van een verkenningstocht door de omgeving met de mededeling dat we ongeveer een kilometer van een boerderij zaten. Hij had hier allerlei activiteiten gezien: tractoren die heen en weer reden, mensen in twee schuren, machines die buiten gebruikt werden. We liepen om beurten door het aangrenzende maïsveld om de boerderij te bekijken en we vonden dat hij die nacht wel een omweg waard was. Twee boerderijen in twee nachten. Het kon toch niet anders dan dat we hier wel iets zouden vinden wat we konden roosteren.

Het liep bijna verkeerd af. Andy en Mike waren in een van de schuren, toen ze geblaf hoorden vanuit het huis. Wij hadden het ook gehoord. Ze waren maar net via een achterraampje ontsnapt toen

iemand naar binnen stormde en het licht aandeed. Andy en Mike renden terug naar de plek waar wij zaten te wachten. Ze hadden alleen onze waterflessen kunnen bijvullen en een overall kunnen meenemen. Gelukkig ging de boer niet verder op onderzoek uit.
We wachtten een halfuur tot de hond ophield met blaffen en de lichten uitgingen en liepen toen verder naar het zuiden. De aardappelen hadden de ergste honger gestild, maar we konden niet eeuwig doorlopen op een maal van rauwe groenten. Onze prioriteit was nog altijd het zoeken van eten en extra kleren.
Ondertussen was ik in stilte best tevreden over de afstanden die we tot nu toe hadden afgelegd. Het was moeilijk om het precies te zeggen, maar ik dacht dat we in de afgelopen twee nachten ergens tussen de vijftien en twintig kilometer hadden weten af te leggen. Ik wist dat we dat gemiddelde niet elke nacht zouden halen, maar het was belangrijk om het te blijven proberen. Psychologisch gezien waren deze streefafstanden belangrijk voor het moreel.
Die nacht sloop Angel opnieuw een boerderij binnen, maar hij vond alleen een overall. In een van de zakken zaten twee pakjes Russische sigaretten. Het merk was Mochoka en ze smaakten zelfs nog smeriger dan de Oost-Duitse sigaretten die we hadden gerookt tijdens onze operaties aan de andere kant van de muur. Maar het waren sigaretten. Ik had nog één Benson & Hedges over maar ik beloofde mezelf dat ik die pas mocht roken als we de Zwarte Zee zagen.
Wanneer we overdag lagen te rusten, droomde ik van dat moment. Ik hoorde de golven tegen de kust slaan, proefde de zilte zeelucht op mijn lippen en hoorde zeemeeuwen boven mijn hoofd. Het was alsof ik er al was. Heel even was het visioen net zo levendig als de Baltische Zee waar Uschi en ik een paar weken geleden nog hadden gezeild.
Opeens kwam ik overeind. Ik keek naar Lobo, die naast me lag en vroeg hem welke dag het was.
'Zondag, Jackson,' zei hij en hij zoog lui op een Mochoka. 'Wat is er? Ben je bang dat je te laat komt voor de kerk vandaag?'
Ik zag het gezicht van Uschi haarscherp voor me. Het was zondag en vandaag zouden we elkaar weer zien. Ik hapte naar adem bij de herinnering aan die belofte.
Wat deed ze nu? Waar dacht ze aan? Als ik dit overleefde, hadden we dan nog een toekomst samen?
Ik had het idee dat zij en mijn hele leven van me wegglipten. Plotseling werd ik overvallen door de waanzin van wat we aan het doen waren. Ik voelde paniek opkomen.
Als ik aan de totale tocht dacht, zes weken, of meer, van deze ellende,

werd ik gek. Alleen door te denken aan wat we van dag tot dag, nacht tot nacht, moesten doen, kon ik de paniek terugdringen. Ineens besefte ik dat ik hier alleen doorheen kon komen door elke dag op zich te nemen; met het einddoel voor ogen, maar met het dagelijks overleven als prioriteit.

Die nacht, de vijfde, kwamen we langs een dorpje. Het was even na middernacht en in een aantal huizen kwam nog licht door de gordijnen. Het waren gammele bouwwerkjes van hout en golfijzeren platen. Door mijn verrekijker zag ik nette tuintjes en versierde veranda's. Het kwam bij me op dat daar misschien wel kleren hingen te drogen, kleren die we konden stelen, toen ik een eindje verderop een hutje zag staan. De reflectie van het licht viel op wat draad. Plotseling besefte ik wat het was.

Of je nu in de Oekraïne was, West-Duitsland of West Virginia, een kippenhok zag er overal hetzelfde uit. Ik waarschuwde de anderen.

Angel keek even door de verrekijker en begon meteen plannen te maken. Om te beginnen moesten we wachten tot de bewoners waren gaan slapen.

Even na halftwee ging een deur van een van de huizen open en kwam er een oude man naar buiten. Hij stond bij de deur te praten met iemand die we niet konden zien. Het huis lag enkele honderden meters bij ons vandaan, maar we konden ze duidelijk horen. Aan zijn bewegingen te zien, was de man op de veranda dronken. Ik kon me voorstellen dat er hier ook niet veel beters te doen was dan kaartspelletjes doen en je bezatten met wodka.

De oude man zei gedag en liep waggelend de veranda af, stak de straat over en liep het huis in naast de kippenren.

Binnen ging er een licht aan; het was meer een schijnsel, van een olielamp of kaars, en ging weer uit.

'Oké,' fluisterde Angel. 'Ik heb een vrijwilliger nodig.'

Niemand verroerde een vin. Ik wachtte even en stak toen aarzelend mijn hand op.

'Goed. Bedankt, Jackson,' zei Angel. 'Dit gaan we doen.'

Vervolgens legde hij zijn plannen uit. 'Kippen maken een hels kabaal als je ze wakker maakt, maar als je sluw bent, op een manier die vossen niet kennen, kun je ze van hun stokje plukken zonder dat de rest wakker wordt. Snap je?'

Ik knikte dom. Ik had geen flauw idee waar hij het over had.

'Het vereist de nodige coördinatie,' zei Angel. 'We pakken ieder twee kippen. We gaan die ren in, zo stil als verdomde muizen, en op mijn seintje pakken we ze. Vossen zijn stomme jagers, want die gaan naar

binnen en rennen net zolang rond tot ze iets gedood hebben. Wij gaan behoedzamer te werk. Je pakt een kip bij de nek en plukt haar van haar stokje. Je moet de nek dichtdrukken, anders gaan ze piepen. Dan worden de andere wakker en zijn we er allemaal geweest.'
'Wat doen we dan?' vroeg ik. Ik zag mezelf daar al staan, met een kip in elke hand.
'Je blijft in de nekjes knijpen en dan bijt je ze door,' zei hij bedaard.
'Wat?'
'O, wees een vent, Jackson. Ik zei, dan bijt je de nek door. Dan gaan ze dood zonder een geluid te maken.'
Om me heen hoorde ik sommigen kreunen van afschuw.

Andy's vader was een rijke, gepensioneerde zakenman die een enorm landgoed bezat buiten Stuttgart, compleet met paarden en wildkooien. Vier jaar eerder, vlak voor onze missie om een olieraffinaderij in Halle te saboteren, was ik met Andreas naar zijn ouders geweest. Andy had altijd al een slechte relatie met zijn vader gehad en ik maakte van dichtbij mee hoe groot de spanning tussen hen was toen ik naar de wildkooien liep met Andy's vader, die te horen had gekregen dat hij voor het diner wat konijnen moest meenemen.
Die dag had ik getwijfeld aan mijn werk als soldaat, want ik wist dat als hij me dat had gevraagd, ik geen konijn had kunnen doden, laat staan een mens. Niet in koelen bloede.
Tijdens de missie in Halle had ik met mijn blote handen iemand gedood, omdat het niet anders kon. Daarna leek het alsof onze opdrachten alleen maar uit doden hadden bestaan.
Angel en ik vertrokken naar het dorp. Het was opnieuw een rustige nacht en de hemel boven ons stond vol sterren. Een lampje op de veranda van een huis in de verte wees ons de weg.
Toen we dichter bij het dorp kwamen, zag ik pas hoe gammel de huizen waren. De buitenmuren zagen eruit alsof ze van karton waren. Ik wist dat als we het minste geluid maakten, de bewoners wakker zouden worden. Maar de honger dreef me verder.
Angel kroop naar de kippenren in de tuin van de oude man. Om het hok stond een laag hekje. Angel tuurde er voorzichtig overheen.
Er was geen hond, dus Angel klom over het hek; het was zo laag dat hij er in één keer overheen stapte, en gebaarde dat ik mee moest komen.
We stonden in de tuin van de oude man, recht voor het kippenhok. Angel liep een keer om het hok. Het gaas liep van de grond tot het dak. Het had geen zin om het door te knippen, we moesten door de deur naar binnen.

We werden begroet door de typische geur van kippen: een stoffige mengeling van kippenvoer en stront. Binnen klonk een zacht geritsel.
Angel maakte het draad los dat de deur dichthield en trok eraan. De deur kraakte. Angel bleef staan. Ik hield mijn adem in en luisterde.
In het hok klonk één klokgeluid. We verwachtten dat een hond zou gaan blaffen, maar het dorpje sliep verder.
Angel trok de deur millimeter voor millimeter open tot hij er net door kon. Ik volgde.
Voor ons kon ik, op planken die van de vloer tot het plafond liepen, de omtrek van de vogels zien. Er waren er ongeveer vijftig.
Angel deed een paar stappen naar voren. Met uitgestrekte handen wees hij me de twee vogels aan die hij wilde gaan pakken. Ik tuurde langs de plank en koos twee witte kipjes uit.
Angel knikte. Ik wachtte op zijn teken. Een, twee, drie....
We doken naar voren en grepen tegelijkertijd onze kippen. Mijn handen sloten zich om de nekken van de kippen en ik trok ze van hun plek. Ik had geen tijd om na te denken over wat volgde. Om me heen hoorde ik de andere vogels wakker worden. Ik zette mijn tanden in de nek van de kip en hoorde een knakje. Even later was ook de andere kip dood. Ik keek naar Angel. We konden gaan.
We glipten weg door de deuropening en sprongen over het hek. Daarna renden we door het veld naar de anderen.
Ik keek nog eenmaal naar het dorpje toen we verder liepen naar het zuiden. Niemand zou ooit weten dat we er waren geweest, ze waren alleen vier kippen armer. We liepen nog zeven, acht kilometer tot aan de rand van een graanveld. We liepen nu al drie kilometer door wat wel een graanprairie leek te zijn. Het was niet zo beschut als onze schuilplaatsen tot nu toe waren geweest, maar we vonden dit het risico waard.
Zodra het licht was, maakte Angel een vuur. Hij groef een ondiepe kuil en vulde deze met droge graanstengels. De zemelen van graan rookten, zei hij, maar stengels niet. Als we alleen stengels gebruikten, konden we ons eten klaarmaken zonder aandacht te trekken.
We hadden echter een probleem: er waren vier kippen en we waren met z'n achten. Toen ik ze had gepakt, hadden ze heel groot geleken, maar nu we ze hadden geplukt, leken ze meer op magere mussen.
'Dit is het plan,' zei Angel, terwijl hij de vlammen aanwakkerde. 'Sommigen van ons hebben meer eten nodig dan anderen. We zijn veel lichaamsgewicht kwijtgeraakt, maar ik heb nog flink wat vet. Ik hou het nog wel een dag vol, misschien langer. Ik stel daarom voor dat

iedereen die denkt dat hij nog wel een dagje zonder eten kan, zijn portie opgeeft voor wie dat niet kan.'
Hij legde twee kippen op het geïmproviseerde rooster en ze begonnen meteen te spetteren. Alleen al van het geluid ging ik kwijlen; de geur van geroosterd vlees die ik daarna rook, maakte het alleen nog maar erger.
Ik kon Angels idee niet omzetten in een bevel. Dat zou niet juist zijn geweest. Uiteindelijk was ook Lobo bereid zijn portie af te staan, een nobel gebaar.
Ze zaten met hun rug naar ons toe terwijl wij aten, maar de geur alleen al moet ze gek hebben gemaakt.

20

Overdag sliepen we bijna allemaal, al sliepen degenen die hadden gegeten beter dan degenen die dat niet hadden gedaan.
Ik kon niet slapen, ik had te veel dingen aan mijn hoofd. Elke keer dat ik mijn ogen dichtdeed, zag ik Krause. Ik werd verteerd door het gevoel verraden te zijn. Ik kon niet geloven dat de Ouwe ons zou verlinken, maar zo leek het wel.
Toen begon ik na te denken over hoe deze situatie ontstaan zou kunnen zijn. In het begin was onze relatie met de Ouwe bijna perfect geweest. We keken naar hem op en hij koesterde ons. Maar naarmate we in de rol groeiden die hij voor ons had bedacht, kwamen we meer en meer in protest, als opstandige pubers.
Toen we onze parachutes uit het vliegtuig hadden gegooid, liet Krause ons arresteren.
Terwijl ik in het graanveld lag, dacht ik terug aan die keer in de gevangenis, mijn hoofd kloppend van de enorme kater. Ik kon mijn cel nog precies voor me zien. Hij was ongeveer vier meter lang en drie meter breed en had kale betonnen muren. Voor en achter me was een raampje waar licht door naar binnen viel. Aan het voeteneind van het bed stonden een toilet en een fonteintje. Rechts van het fonteintje was een zware metalen deur met een opening op ooghoogte. Voor deze opening zaten tralies. Ik lag naar de tralies te staren en vroeg me af waar ik was, toen een gezicht verscheen. Mijn blik viel op de pet op zijn hoofd. De Feldjager nam me koel op.
De Feldjager sloeg met een sleutel tegen de tralies en het geluid ging

me door merg en been. De deur vloog open en ik kreeg het bevel in de houding te springen.
'Je bent een misselijk stuk vreten, Sanders.'
De laatste keer dat iemand me zo had toegesproken, was in Pendleton geweest of Fort Story.
Fragmenten van de gebeurtenissen van die ochtend kwamen boven: het gedoe met de parachutes, de Ouwe op het vliegveld, de handboeien en, dit kon ik me ineens heel levendig herinneren, het moment dat een Feldjager, op bevel van de Ouwe, mijn luitenantsstrepen van mijn schouders had gerukt. Ik was zo bezopen en moe geweest dat het me niet kon schelen. Net als nu wilde ik toen alleen maar slapen.
Overal klonk geluid en geroezemoes. Sleutels kraakten in sloten en deuren sloegen. We werden de gang in gejaagd.
Ik hoorde het bevel 'rechts draai' en zag de anderen. Ze hadden met z'n tweeën in een cel gezeten en niemand had nog zijn insignes van rang. De rapen waren echt gaar.
Twee kolossale Feldjagers die dienstdeden als fitnessinstructeurs schreeuwden ons toe en duwden ons naar buiten. Daarna moesten we in hoog tempo de bossen in. De Feldjagers hielden het tempo er goed in. We liepen sneller en sneller. Telkens als we tekenen van vermoeidheid vertoonden, kwam een van de Feldjagers schreeuwend naast ons staan, hij schopte ons in de modder en bleef bij ons tot we vijftig push-ups hadden gedaan. Dit ging twee uur zo door.
Toen we de laatste druppels alcohol hadden uitgezweet, lieten ze ons terugrennen naar het wachthuis en sloten ons weer op. Ik ging liggen en stortte in.
Mijn horloge was me afgenomen, maar aan het licht buiten kon ik zien dat het tegen het eind van de middag liep toen de Feldjagers terugkwamen.
We moesten ons opnieuw opstellen in de gang.
Een koude wind blies door de gang. Ik rook de onmiskenbare geur van schrale sigarenrook. Mijn maag trok samen toen Krause binnenkwam.
'Zo,' zei hij, 'de vogeltjes zijn gevangen.' Hij liep een stukje verder en draaide zich toen naar ons om. Zijn uniform was keurig geperst; zijn bruine ogen keken vermanend en alert.
Hij zag er kordaat en indrukwekkend uit. Ik wist dat hij achter dat kalme uiterlijk door het lint aan het gaan was.
'Jullie grappenmakers wilden een eigen plekje,' zei hij, 'hier is het dan. Hier kunnen jullie lekker je eigen kooi vol schijten zonder dat iemand er om maalt.'
Hij vertelde ons hoe het zou gaan. De komende zes weken zouden we

voor straf langs de hekken moeten patrouilleren en de ingang bewaken. We zouden maar vier uur slaap krijgen. Als we niet op wacht stonden, zouden we worden opgesloten. Als we onze taak voorbeeldig volbrachten, als we niet over de streep gingen, zouden we over een paar weken misschien worden vrijgelaten. Als we er een zootje van maakten, dan... de Ouwe lachte, konden we Kerstmis wel vergeten.

Nadat we een maand hadden gepatrouilleerd en op wacht hadden gestaan, kwam Curly langs met een boodschap van de Ouwe. Hij was zo onder de indruk van ons gedrag dat hij had besloten ons vervroegd vrij te laten. Als we alles volgens het boekje zouden doen, zouden we over een week weg mogen. We konden het zien als vervroegde vrijlating vanwege goed gedrag.

Twee dagen later, op een kletsnatte maandagmorgen, stonden Ginger, Angel en ik bij het hek. Ons wachtkwartier was om vier uur begonnen en we zouden pas om tien uur worden afgelost. De hoofdingang liep dwars over de dubbelbaans weg naar de kazerne. Tussen de twee wegen lag een eiland met daarop een verwarmd wachthuisje. In het wachthuisje was maar plaats voor een man. Het rooster was speciaal zo uitgedacht, waarschijnlijk door de Ouwe zelf, om het ons zo onaangenaam mogelijk te maken. Terwijl één man in het wachthuisje stond, stonden de twee anderen te vernikkelen.

De regen viel met bakken naar beneden. Het goot al sinds we aan onze wacht waren begonnen. De regen sijpelde door mijn kleren en in mijn kisten. Aan de andere kant van de weg hield Ginger een oogje op de voertuigen die de kazerne verlieten, terwijl ik de toegangsweg nauwlettend in de gaten hield. Angel stond in het wachthokje. Af en toe keek hij op en wuifde hij naar me. Het was even voor zessen en er was nog nauwelijks verkeer.

Ginger riep naar me van de andere kant van het verkeerseiland. Hij stampte met zijn voeten om warm te blijven.

'Weet je, Jackson, je bent een behoorlijk gestoord persoon,' zei hij.

'Ik?' Ik lachte. 'Jij hebt ons deze ellende bezorgd.'

'Jij was de enige die wel wilde springen, maar toch veranderde je van gedachten.'

'Ik was bezopen,' zei ik. 'Net als jullie allemaal. Wat wil je zeggen?'

Ginger keek naar de lucht. De regen spoelde over zijn gezicht en hij begon te lachen. 'Ik was die dag zo zat dat ik niet meer wist wat ik deed. Maar jij verkoos dit,' en hij gebaarde naar onze waterrijke omgeving, 'boven een lekker warm bed en een rustig weekend met Sabine. Waar zijn we mee bezig, Jackson?'

Ik dacht aan zijn uitbarsting over zijn vrouw op onze eerste dag in Halle.
'Misschien zijn we allemaal wel even gek.'
Iemand tikte tegen het raam van het wachthokje. Ik keek naar de overkant en zag Angel. Hij wees druk gebarend naar een oude Mercedes die op ons af kwam, de ruitenwissers in woest gevecht met de regen. Het was nog half donker, maar ik herkende de auto meteen. Ik floot om Gingers aandacht te trekken.
'Shit,' zei hij en hij veegde het water uit zijn ogen. 'Is dat wie ik denk dat het is?'
'Reken maar,' mompelde ik binnensmonds. Krause woonde door de week in de kazerne, net als wij allemaal: naast zijn kantoor was een slaapkamer, maar in het weekend ging hij naar huis. Ik wist iets van zijn gewoonten. Hij stond vroeg op. Wanneer ik voor zonsopkomst ging rennen, had ik vaak gezien dat om vijf uur het licht bij hem aanging.
Krause ging langzamer rijden. Misschien had hij ons niet gezien door de zware regenval. Misschien dacht hij aan zijn echtgenote of vriendin die hij had achtergelaten in een warm bed, misschien sliep hij nog half. Hoe dan ook, toen hij bij de slagboom kwam en zijn raampje omlaag draaide, sloeg hij grote ogen op, waardoor ik meteen wist dat hij glad vergeten was wie de poort bemande.
Ik hield mijn stem keurig in bedwang. 'Goedemorgen, *Herr Oberst*. Fraai weertje, nietwaar?'
Krause kuchte, het was duidelijk dat hij baalde dat hij zo door de mand was gevallen. Zijn ogen waren rooddoorlopen en hij zag er afschuwelijk uit. 'Eh, morgen, Jackson,' bracht hij uit.
'Uw papieren, graag, Herr Oberst.'
Krause sloeg zijn ogen ten hemel. 'Hou op met die geintjes en laat me erdoor, wil je? Ik ben je kolonel, man.'
Met een uitgestreken gezicht zei ik: 'Het spijt me, mijnheer, maar ik moet u vragen mee te gaan naar het wachthokje. Ik moet hier rapport over uitbrengen.'
Krause glimlachte geforceerd. Achter hem stond een kleine rij wachtende auto's. 'Oké, heel grappig. Je hebt je lol gehad. Nou moet je ophouden en me doorlaten.'
Ik keek hem zo uitdrukkingsloos mogelijk aan. 'Hoe bedoelt u, mijnheer?'
'Ik zei, genoeg met die onzin en laat me erdoor.'
'Ik hoop dat ik u verkeerd heb verstaan, mijnheer, want u moet beseffen dat ik alles wat u zegt moet rapporteren. Als u uw wagen opzijzet,

kunnen de andere voertuigen erlangs.' Ik wees hem naar de zijkant van de weg.
Angel zag wat er aan de hand was en nam mijn werk over.
Na veel gekreun van de versnellingsbak en gebrom van de motor, kreeg de Ouwe zijn auto aan de kant. Daarna begeleidde ik hem naar de wachtpost.
Ik hield de deur open en liet hem binnen. De pezen in zijn nek klopten. Toen ik na hem de kleine ruimte binnen stapte, omgeven door de geur van natte hond, liet Krause zich een reeks krachttermen ontvallen.
'Kom, mijnheer, als u even meewerkt,' zei ik, terwijl ik in een la zocht naar de juiste papieren.
'Ik heb een vergadering over vijf minuten, godverdomme,' zei hij.
Ik draaide me om. 'U begrijpt toch wel dat ik dit correct moet afhandelen? Volgens het boekje, als het ware.'
Ik liet de woorden even bezinken. 'Dat was de uitdrukking die u gebruikte, toch? Dat we alles volgens het boekje moesten doen.'
Ik zag hoe mijn woorden tot hem doordrongen.
Ik vond het formulier en zocht in mijn zakken naar een pen.
'Neem de mijne,' blafte de Ouwe.
'Dank u, mijnheer. Dat is heel vriendelijk, mijnheer.' Ik haalde diep adem. 'Hoe heet u?'
'Je weet godverdomme hoe ik heet,' brulde de Ouwe.
Ik zei hem dat ik het nodig had voor het formulier. Daarna ging ik alle punten van het formulier af. Heerlijk langzaam. Rang, serienummer, geboortedatum en eenheid.
Toen ik klaar was, vroeg ik de Ouwe of hij de details die ik had genoteerd, wilde controleren. Krause keurde ze nog geen blik waardig. Hij greep het formulier en zijn pen en ondertekende het met zoveel geweld dat de balpen door vier velletjes ging. Daarna stormde hij naar buiten. Hij was al bijna bij zijn auto toen ik hem terugriep.
Krause draaide zich om. 'Wat is er?' schreeuwde hij.
'Het spijt me, mijnheer, maar ik heb een getuige nodig.'
'Een getuige?'
'Ja, mijnheer. Iemand die kan bevestigen dat u bent wie u zegt dat u bent.'
'Dit is onuitstaanbaar,' brulde hij. Ineens kreeg hij een ingeving en wees naar Angel.
'En hij dan? Hij kent me. Vraag zijn handtekening.'
Met vlekkeloze timing keek Angel ineens doelloos in de verte. De spieren van zijn gezicht verslapten. Hij leek op Jack Nicholson na

zijn lobotomie in de slotscènes van *One Flew Over The Cuckoo's Nest.* De Ouwe zuchtte en wees naar Ginger, die er in elk geval in slaagde om rechtop te staan en er behoorlijk uit te zien.
'En hij dan?'
Ik schudde het hoofd. 'Het spijt me, mijnheer, maar dat kan niet. Volgens de regels moet het iemand zijn óp de basis.'
Angel kwam bij me staan. Hij hield zijn handen tegen elkaar en slaagde erin om zo te kijken dat het leek alsof wat we deden voor ons net zo pijnlijk was als voor de Ouwe.
De Ouwe zat in zijn auto te koken van woede terwijl wij op Curly wachtten. Het duurde eindeloos voor hij was gevonden.
Het bleek dat Curly net lekker zat te schijten in de latrines bij de kantine. Toen hij eindelijk op kwam dagen, moesten er nog meer formulieren worden ingevuld. Het leek erop dat de Ouwe niet wist op wie hij kwader moest zijn: op ons omdat we hem deze ellende hadden bezorgd of op Curly omdat hij op het verkeerde moment op de verkeerde plaats was.

Tien minuten nadat we ons bed in waren gedoken, joegen de Feldjagers Angel, Ginger en mij er weer uit. Toen ik uit mijn cel stapte, zag ik Curly en de Ouwe. Het was tien voor halftwee 's ochtends. Het gebrek aan slaap van de afgelopen tien dagen knaagde aan me. Ik voelde alsof een tank over me heen was gereden.
We moesten naar de wapenkamer rennen en kregen ieder een LMG. Daarna moesten we, met een wapen van elf kilo in onze gestrekte armen, in marstempo naar de paradegrond. Curly en de Ouwe renden met ons mee. De Ouwe schreeuwde bevelen als een drilsergeant: linksom, snel marstempo, harder, sneller, terwijl Curly, samen met een Feldjager, als zijn schoothondje dienstdeed en ons in de hielen beet als we onze armen lieten zakken.
Toen het voorbij was, gaf de Ouwe ons een hand. Aan zijn gezicht was te zien dat wat hem betrof de zaak voorbij was. Daarna ging hij slapen. Ik staarde naar de klok boven de paradegrond. Over een halfuur moesten we langs de omheining gaan patrouilleren.
Terwijl we terug marcheerden naar de wapenkamer, kon ik een glimlach niet onderdrukken. Krause dacht dat hij slim was. Onze nachtelijke wandeling was niet gebracht als een straf, maar als een soort extra sportoefening. We hadden volgens het boekje gewerkt, maar dat had hij ook. Hij was zelfs zover gegaan dat hij zelf toezicht had gehouden op onze 'training'.
Daar had het natuurlijk bij moeten blijven, maar we konden het er niet bij laten zitten dat de Ouwe het laatste woord had.

Terwijl de graanstengels me weer scherp voor ogen kwamen, vroeg ik me af of we niet te ver waren gegaan.
Vroeger zou Krause hemel en aarde hebben bewogen voor ons, om ons te beschermen tegen de slechte besluiten van hogerhand die de vele tegenslagen en rampen binnen de speciale operaties kenmerkten. Het Amerikaanse fiasco van Desert One in Iran was een goed voorbeeld.
Kon het, ook al was dit moeilijk voor te stellen, dat we hier werkelijk zaten omdat Krause, onbewust, zijn gelijk wilde halen voor het gebrek aan respect dat wij hadden getoond?
Kon het zijn dat Krause deze keer niet heel erg zijn best had gedaan om ons uit de puree te halen?
We hadden er zes nachten op zitten. Nog veertig te gaan.

21

Het landschap was veranderd. Waar er eerst niets anders was geweest dan eindeloze graanvelden, stonden er nu bomen en struiken langs de wegen. 's Nachts viel het niet op dat het landschap anders was, maar 's ochtends, na een mars van zo'n vijftien kilometer, werd duidelijk hoe groot de verandering was. Twee dagen en nachten zagen we het landschap veranderen en eindelijk werd ons vermoeden bevestigd. Op de tiende dag zagen we bij zonsopgang in de verte een rij hoge bomen. Angel wierp zich op om ze te gaan verkennen, maar omdat hij nog altijd niet goed gegeten had (hij had nog een greintje kracht over doordat hij de overgebleven rauwe aardappelen had gegeten), stuurde ik Chris en Mike.

De tocht kostte ze een paar uur, maar ik kon het antwoord van Chris op zijn gezicht lezen toen hij door het struikgewas kwam dat om onze schuilplaats lag.

'Het is de rivier,' kondigde hij ademloos aan, 'en hij is echt schitterend.'

Dit was een enorme opsteker. Dat we bij de rivier waren, betekende twee dingen. Ten eerste dat de kaart die we op de eerste dag in de schuur hadden gemaakt nauwkeuriger was dan ik had durven hopen en ten tweede dat we nu eten en drinken zouden vinden.

Die ochtend bespraken we wat onze volgende stap moest zijn. We hadden het geluk dat we bij een stuk van de rivier zaten dat niet erg breed was. Ik herinnerde me van onze briefing dat sommige stukken van de Dnjepr meer dan tien kilometer breed waren en enkele van de meren waar hij door stroomde, waren nog breder.

Volgens Chris was het naar de andere oever ongeveer een kilometer. Wij moesten alleen een manier vinden om erover te komen.
'Is dat wel nodig?' vroeg Lobo. 'Ik bedoel, we kunnen de rivier ook volgen tot aan de zee. Dan hoeven we ons niet meer druk te maken over navigatie of de juiste kant van de rivier.'
Carl, Mike en Tony, die bij dit soort dingen het meestal met Lobo eens waren, knikten instemmend.
'Ik ben het daar niet mee eens,' zei ik. 'Als we de Dnjepr volgen, maken we onze tocht misschien wel honderd kilometer langer. We kunnen beter de rivier oversteken en hemelsbreed naar het zuiden lopen. De vraag is of we hier kunnen oversteken.'
'Daar heb ik heel misschien een oplossing voor,' zei Chris.
Ik keek hem aan.
'Aan de andere kant heb ik een roeiboot zien liggen. Het was moeilijk te zien door de verrekijker, maar hij leek groot genoeg voor ons allemaal. Wat denken jullie?'
Lobo lachte en tikte tegen zijn voorhoofd. 'Maar hij ligt aan de andere kant van de rivier, Parkeermetertje.'
Chris zette al zijn stekels op. 'Parkeermeter' was de naam die Walter in het begin voor hem had bedacht. Als je Chris op de kast wilde krijgen, moest je hem zo noemen. Hij mocht dan klein zijn, het was niet slim om hem uit te dagen. Hij had een zwarte band in karate en kon ons gemakkelijk allemaal aan.
'Wat ik wilde voorstellen,' zei Chris koeltjes, terwijl hij Lobo strak aankeek, 'is dat ik naar de overkant zwem, die teringboot pak en naar deze kant roei, waardoor jouw kapseltje keurig droog blijft.'
We lachten. In Amerika had Lobo zich een Mexicaans uiterlijk aangemeten: zijn haar was zo lang als was toegestaan en hij had een Viva Zapata-snor. Omdat hij ook al een donkere huid had, was zo zijn bijnaam ontstaan. *Lobo* was Spaans voor wolf, de verkorte versie van zijn echte naam, Wolfgang. Hij keek Chris woedend aan en bood vervolgens aan om zelf te zwemmen.
'Jullie gaan geen van beiden, want ik ga,' zei Angel.
'Dat verbied ik, Angel,' zei ik. 'Je hebt nauwelijks iets gegeten de laatste tijd.'
'Nou en? Hij ook niet.' Angel wees naar Lobo. 'Ik mankeer niets. Hou op met moederen, Jackson. Ik ben de beste zwemmer en ik durf er heel wat om te verwedden dat de stroming in die rivier niet kinderachtig is. Ik heb de beste kaarten om naar de andere kant te zwemmen. Zaak gesloten.'
Ik wilde tegen hem in gaan, maar het ontbrak me aan kracht. Eerder in

zijn militaire carrière had Angel bij de *Kampftaucher* gezeten, een speciale eenheid van de Bundesmarine.
'Goed dan,' zei ik vermoeid, 'we kijken wel zodra we daar vanavond aankomen.'
Zodra het donker was, leidde Chris ons terug naar de plek waar hij de boot had gezien. Ongeveer honderd meter van de oever werd het struikgewas dikker. Na vijftig meter moesten we ons met onze geweren een weg hakken door de begroeiing. Plotseling waren de struiken verdwenen en zag ik de zwarte vlakte van de Dnjepr voor ons liggen. Het was een wolkeloze nacht en bij het licht van de maan konden we de andere kant zien liggen. Door de verrekijker kon ik net onderscheiden wat Chris had gezien: een bootje dat met een touw vastlag aan een steiger die uitstak in de stroming, vrijwel direct tegenover ons.
Toen we onze bidons vulden, hoorde ik het geluid van een motor. Ik keek op en zag de donkere omtrekken van een schip, midden op de rivier. Het schip voer in noordelijke richting, naar Kiev.
Angel nam de situatie snel op. Ik kon zien dat hij naar het schip keek en de stroming inschatte. Daarna bespraken we wat we gingen doen.
Angel zou een paar kilometer stroomopwaarts lopen voor hij het water in ging. Dan zou hij met de stroom mee zwemmen, naar de andere kant, waardoor hij hopelijk precies op de juiste plaats zou uitkomen.
Ondertussen zouden wij een paar kilometer stroomafwaarts lopen, zodat we op de plek stonden waar Angel naartoe roeide. We zouden hem naar de overkant loodsen met korte flitsen van onze lantaarns. Dan zouden we naar de andere kant roeien. Het was belangrijk dat we voor zonsopgang aan de overkant waren.
Er was geen tijd te verliezen. Angel kleedde zich uit tot op zijn onderbroek en gaf me zijn kleren. Zelfs in het maanlicht kon ik zien hoe hij was vermagerd. Ik vroeg me af of dit wel zo'n goed idee was. Stel dat hij niet genoeg kracht had om naar de overkant te zwemmen of om terug te roeien.
Angel onderbrak mijn gedachten met een klap op mijn rug. 'Jullie kunnen maar beter gaan, Jackson,' zei hij en hij wees stroomafwaarts, 'of ik ben er nog eerder dan jullie.'
'Pas op,' zei ik zwakjes en ik keerde me om en liep achter de anderen aan.

We zochten een positie uit in een bocht van de rivier, ongeveer een halve kilometer voor de plek die we met Angel hadden besproken, omdat we dachten dat we bij een uitstekende plek in de rivier wel wat dichterbij konden gaan zitten.

Vlak nadat we afscheid hadden genomen van Angel zagen we het uitsteeksel. Het bleek echter lastig te bereiken aangezien de begroeiing hier dichter was dan elders langs de rivier. Eindelijk bereikten we de waterkant. Het was ongeveer een uur nadat we Angel voor het laatst hadden gezien en ik dacht dat hij nu wel bezig zou zijn met de overtocht. Ik keek op mijn horloge, het was bijna halftwaalf. Met enig geluk zou Angel rond middernacht bij de boot zijn. Hij zou dan nog zo'n dertig tot veertig minuten nodig hebben om bij ons te komen. We zouden dan hard roeien om in een uur aan de overkant te komen. Maar zelfs als we er twee uur over zouden doen, zouden we nog tijd over hebben, voordat de zon zou opkomen rond zes uur.
We vonden een plek waar de oever omlaag liep naar een sikkelvormig strandje. Een tijd lang hoorde ik terwijl ik het inktzwarte water van deze enorme en machtige rivier aftuurde niets anders dan de golfjes die tegen het strand klotsten.
Toen zag ik de navigatielichten van een stoomboot die langzaam onze kant op kwam. Bij het passeren trilde de grond door het gestamp van de motoren. Het was een monster. Ik telde twee lage sloepen in haar kielzog. Wat zat er aan boord? Kolen, ijzererts of groenten voor de Oekraïense hoofdstad, of verder. Aan de overkant van de rivier, ergens in de verte, schitterden wat lichtjes. Als ik mijn ogen half sloot, leek het net een strand aan de Middellandse Zee.
Langzaam keerde ik terug in de realiteit en daarmee kwam ook het gevoel van isolatie terug. Het was gevaarlijk om te dromen. Om te overleven, moesten we elk moment nemen zoals het kwam.
Tegen kwart over een waren er nog drie grote schepen gepasseerd, twee in noordelijke richting, een in zuidelijke, maar was er geen spoor van Angel. We hadden de zaklamp een paar keer gebruikt en er mee in de richting van de steiger geschenen. Maar zolang we de boot niet in het water zagen, durfden we niets te doen.
'Misschien is hij geraakt door een boot,' zei Lobo, op een vreemd afwezige toon.
'Dat kan niet,' zei Chris.
Maar niemand anders viel hem bij. In zijn verzwakte staat had hij gemakkelijk kramp kunnen krijgen en verdrinken. Misschien had Lobo gelijk. Misschien was hij wel meegesleurd in het kielzog van een van de stoomboten.
Plotseling floot Mike zacht en dringend. 'Er ligt iets in het water,' zei hij.
Ik keek op en zag het. Ergens in de verte bewoog iets in het maanlicht dat op het midden van de rivier scheen. Ik pakte mijn verrekijker, maar

tegen de tijd dat ik hem bij mijn ogen had gebracht, was het object verdwenen.
'Heeft iemand het gezien?' vroeg ik.
'Gebruik de lamp,' zei Lobo.
'En als hij het niet is?' vroeg Tony.
Ik was bereid dat risico te nemen. Ik scheen twee keer kort met de lamp.
Meteen daarna kwamen er twee flitsen terug.
Het duurde nog een kwartier voor hij bij ons was. Een paar meter voor de oever stond hij op, in zijn onderbroek, en salueerde.
Ik kon er niet om lachen. Mijn opluchting over het weerzien was omgeslagen in woede.
'Waar bleef je zo lang?' vroeg ik, terwijl de anderen hem binnenhaalden.
'Die klootzak had godverdomme de riemen verstopt,' zei Angel, die duidelijk geamuseerd was over mijn agitatie. 'Ik had het kunnen weten.'
Aangezien er geen huizen in de buurt van de steiger waren, had Angel beredeneerd dat de eigenaar de riemen ergens in de omgeving moest hebben verstopt. Uiteindelijk vond hij ze, ze lagen onder het struikgewas.

Er was geen tijd te verliezen. We gaven Angel zijn kleren terug en klommen in de boot. We pasten er maar net in.
Andy en ik namen ieder een riem en we duwden de boot af.
Ik wist dat als we in de buurt zouden komen van de rivierboten die we hadden gezien, we waarschijnlijk zouden omslaan in de golfslag.
'Het is een vissersboot, er ligt vislijn achterin,' zei Angel. 'Misschien kan ik morgen wat vis vangen.'
'En als de eigenaar dat nu ook van plan is?' gromde Andy tussen het roeien door. 'Misschien meldt hij wel dat zijn boot is verdwenen. Hebben ze rivierpolitie in dit achterlijke land?'
'We laten de boot uiteraard achter,' zei Angel. 'Maar we houden de vislijn.'
Gelukkig kwamen we geen boten tegen. Na een tocht van meer dan een uur bereikten we eindelijk de zuidelijke oever van de Dnjepr. Carl greep een laaghangende tak en trok ons richting de oever. Mijn armen en rug deden pijn van het roeien. Nu hoefden we alleen nog maar de boot in de struiken te verstoppen en zo ver mogelijk van de rivier zien te komen, voor het geval de eigenaar, of de politie, er naar op zoek ging.

We liepen in zuidelijke richting en lieten algauw de begroeiing op de oevers achter ons. We waren nu weer op bekend terrein: een uitgestrekt graanveld. We zouden nog een paar kilometer lopen en dan een rustplaats zoeken. Ik vond het een veiliger idee dat onze schuilplaats overdag op een afgelegen plek was, waar niemand ons kon verrassen.
Plotseling bleven we staan. Ik liep naar voren. Lobo stond op zijn kompas te kijken en ik hoorde hem binnensmonds vloeken.
'Wat is er?' vroeg ik. Een paar honderd meter verder zag ik alleen maar wat lage bomen en struiken.
'Ik heb hier een slecht gevoel over,' zei hij. 'Kijk eens naar voren.'
Ineens begreep ik het. De enige keer dat we dergelijke begroeiing waren tegengekomen, was toen we dicht bij water waren.
We versnelden ons tempo. Vijf minuten later, nadat we ons een weg hadden gebaand door een mini-jungle, stonden we weer op een oever.
'Het is godverdomme een eiland,' gromde Angel.
Ik keek om me heen. Weer een donkere watervlakte. Aan de overkant zagen we wat lichtjes branden. Ik was moe en hongerig. Omdat we geen eten hadden, wilde ik eigenlijk alleen maar slapen. Maar ik wist dat we hier niet konden blijven. Aangezien we de boot hadden gevonden op wat nu een eiland bleek te zijn, wisten we dat het eiland bewoond was. En als de eigenaar besloot om een klopjacht in te stellen, zaten we vast. We moesten van het eiland af. De nacht was echter bijna voorbij.
Chris en Angel gingen terug naar de boot. Na een uur wist ik dat we die nacht niet meer de rivier over zouden komen.
We zouden hier de dag moeten doorbrengen en hopen dat niemand op zoek ging naar de boot.
'Hoe breed is die rivier wel niet?' vroeg Lobo.
'Net als alles in dit land, groot,' zei ik.
Ik schatte dat we sinds de pijpleiding meer dan tweehonderd kilometer hadden afgelegd. Tweehonderd kilometer in twee weken, met nog vierhonderd te gaan. We moesten ons tempo opvoeren, anders zouden we de Zwarte Zee niet levend halen.

22

De volgende nacht staken we de rivier over, we lieten de boot achter en dekten hem af met takken. Daarna gingen we in zuidelijke richting verder. We zaten nu op de westelijke oever van de Dnjepr, de kant van de rivier waar we moesten zijn om rechtstreeks bij de Krim uit te komen.

Bij zonsopgang, toen de anderen sliepen, gingen Angel en ik vissen. Gewapend met een handvol wormen slopen we naar de waterkant. Er hing mist boven het wateroppervlak.

Angel deed de worm aan de haak, gooide het aas in de rivier en wachtte.

Het leek uren te duren voor er iets gebeurde, maar toen had hij beet. Ik kon mijn opwinding nauwelijks bedwingen terwijl hij aan de lijn trok en ik een glimp opving van het zonlicht dat weerkaatste van de buik van de vis toen deze boven water kwam.

Angel trok aan de lijn en de vis schoot het water uit en viel voor mijn voeten neer.

Ik staarde ernaar terwijl het beest lag te kronkelen op het gras. Het had een uur geduurd om hem te vangen. Ik wist niet wat voor vis het was, maar hij was nauwelijks groot genoeg om één man te voeden, laat staan acht.

Ik zei dit tegen Angel, maar die zei dat ik gewoon geduld moest hebben.

Angel haalde de haak uit de vis en sloeg hem door het lijf. Daarna gooide hij hem terug. Ik keek toe terwijl de lijn meedreef op de stroom.

Plotseling stond hij strak. Angel trok en ik zag hoe hij zich schrap zette.

Hij draaide zich om en glimlachte. 'Misschien eten we wel kaviaar vanavond, Jackson, het lijkt wel een steur.'
De steur bleek een baars te zijn van ongeveer twee, drie kilo.
Tegen de lunch hadden we nog twee flinke baarzen gevangen, plus nog wat andere vissen.
Die avond aten we er goed van. Toen we klaar waren, wasten we ons in de rivier en gingen we verder naar het zuiden.
De maaltijd was zo goed geweest dat hij een discussie uitlokte over wat we moesten doen. We waren het er over eens dat we 's nachts het snelst vorderden als we over de vlakke landbouwgrond naast de rivier liepen. Aan de andere kant hadden we geen zin om terug te gaan naar de velden, nu we wisten dat er voldoende voedsel in de rivier zat. Maar de rivier volgen, zelfs op een paar kilometer afstand, was onmogelijk vanwege de dichte begroeiing. Dat was ons dilemma.
Een paar nachten en dagen volgden we een compromis: 's nachts liepen we door de velden en gingen dan voor het licht werd terug naar de rivier om daar een geschikte schuilplaats te vinden, ergens waar we konden slapen en vissen.
Op de vierde dag begon de rivier af te buigen. Hoe verder hij naar het westen liep, hoe meer we afdwaalden. Op de zesde dag waren we helemaal uit koers en dus namen we met tegenzin de enige juiste beslissing. We verlieten onze voedselbron en gingen weer door het open terrein lopen.
Een week na het eiland, drie weken nadat we de pijpleiding hadden opgeblazen, leden we alweer honger.
Ik schatte dat we ongeveer halverwege waren. We hadden het goed gedaan, opmerkelijk goed, maar de wet van de kansberekening zei dat hoe verder we kwamen, hoe groter de kans was dat we iemand tegenkwamen. We konden alleen nog maar aan eten denken.
'Feit is dat als ik een kind met een appel zou zien, ik moordneigingen zou krijgen,' zei Chris.
'Misschien moeten we ons splitsen,' stelde Carl voor. 'Eten zoeken voor acht man blijkt een onmogelijkheid. Als we in groepjes van vier werken, zijn onze kansen groter.' Hij keek me aan en zocht steun.
Ik wist wat hij bedoelde, maar ik vond het niks. We hadden al drie weken weten te overleven in het hol van de leeuw door samen te blijven. Ik wilde niets veranderen. Ik schudde het hoofd en de anderen vielen me bij. We aten allemaal of niemand at.
'Terwijl jullie alleen maar over eten kunnen praten, ga ik er wel wat aan doen,' zei Angel die opstond.
'Wat ben je in vredesnaam van plan?' vroeg ik.

'Waar lijkt het op?' Hij zwaaide met zijn M16. 'Ik ga op jacht.'
'Angel, in godsnaam...'
Maar Angel legde zijn vinger op zijn lippen. 'Rustig, Jackson. Ik weet wat ik doe. Bovendien, als je zo opgewonden doet, jaag je alleen maar onze lunch weg.'
Hij liep het struikgewas in, ons verbijsterd achterlatend.
'Goed,' zei Andy, 'wat doen we?'
'Misschien heeft Angel wel geluk,' zei Lobo. 'Misschien eten we wel hert vanavond.'
'We kunnen hem niet elke dag op jacht laten gaan met een aanvalswapen. We kunnen zo niet verder. Als we doorgaan, half uitgehongerd en uitgeput, gaan we fouten maken. Toen Chris zei dat hij zou moorden voor een appel, was het niet echt een grapje. Dat weet ik, want ik dacht hetzelfde. We moeten dit zien te doorbreken. We moeten iets anders verzinnen, anders halen we het niet.'
Iedereen zweeg. Andy speelde wat met een takje: hij brak het doormidden, en nog een keer, tot hij alleen maar stukjes overhield.
'Oké,' zei Mike, 'we kunnen in een stad een winkel overvallen. Op blikvoer houden we het wel een paar weken vol.'
'Te gevaarlijk,' zei Tony. 'We hebben tot nu toe bewoonde gebieden vermeden en daarom leven we nog. Nee, we moeten op het land blijven.'
'En als we wat auto's of een truck stelen?'
Chris schudde het hoofd. 'Er staan overal controleposten. We zouden maar een paar honderd kilometer ver komen.'
Er werden nog een paar andere ideeën geopperd, maar die waren ook niets. Tijdens de discussie hield ik Andy in de gaten, die zwijgend en in gedachten met de stukjes tak zat te spelen.
'Wat is er?' vroeg ik hem.
Hij keek op. 'Wil je een radicaal idee horen?'
'Hangt er vanaf hoe radicaal,' zei ik.
Andy glimlachte, maar zijn ogen waren zo koud als op het moment dat hij voor mijn ogen een konijn de nek omdraaide bij zijn ouders thuis. 'We nemen een huis in, doden de bewoners en rusten er uit. We slapen, houden ons koest, eten, bouwen onze krachten op en gaan verder.'
Ik zag dat Chris, die naast hem zat, instemmend knikte.
'Zou jij in koelen bloede een boer kunnen doden?' vroeg ik hem.
'We zitten in de Sovjet-Unie, Jackson. Dit is de vijand, het is oorlog. Of ben je dat vergeten?'
'Ik heb in het begin al gezegd, geen doden, en dat meen ik. Mijn pro-

bleem is met de Ouwe en de eikels hogerop die ons hier zonder back-up naartoe hebben gestuurd. Als er iemand in koelen bloede doodgaat, is het die godvergeten teringlijder in Pullach die deze zaak geautoriseerd heeft.'
'Je bent een lul, Jackson. We overleven hier niet als we ons aan regeltjes houden. We moeten doen wat nodig is. Het is een radicaal idee, maar het deugt. En als jij je goedkeuring niet wilt geven, doe ik het.'
Ik schudde het hoofd van ongeloof. Hier sprak Andy, mijn beste vriend.
'Hé, dames, kom op, rustig maar, het komt goed,' zei Lobo en hij stapte tussen Andy en mij in. 'Het kan ook anders.'
Ik keek hem aan. 'Wat bedoel je?'
'Het is niet echt een slecht idee, dat moet je beseffen,' zei hij terwijl hij naar Andy keek.
'Zou jij die mensen in koelen bloede kunnen doden?' vroeg ik hem
'Wie heeft het hier over vermoorden?' zei Lobo.
Een briesje blies door de bomen, waardoor de muffige geur van de rivier onze kant opdreef.
'We nemen een afgelegen boerderij,' ging Lobo door, 'we observeren hem een tijdje en komen dan in actie. Niemand gaat weg en iedereen die langskomt mag voor zolang het duurt met ons meedoen. We blijven een paar dagen, laden onze batterijen weer op, binden ze vast en gaan verder. Tegen de tijd dat ze alarm slaan, zijn wij allang weg. Maar weet je wat? Ik durf te wedden dat we ze niet eens hoeven vast te binden. Ik denk dat ze niets doen. Het zijn boeren. Die houden niet van gedoe.'
'Je wilt dus gewoon binnenlopen en ze om eten vragen?' vroeg Andy spottend. 'O, en tussen twee haakjes, mogen ik en mijn zeven maats boven een uiltje knappen?'
Lobo bleef bloedserieus. 'Ja, zo ongeveer.'
De discussie kwam ten einde door het geluid van een geweerschot in de verte. Ik was Angel helemaal vergeten. We wachtten tot we meer schoten hoorden, maar we hoorden alleen de wind in de bomen.
Twintig minuten later dook Angel weer op in het struikgewas, met zijn M16 over zijn schouder. Hij hield iets achter zijn rug. Mijn maag knorde van verwachting. Als Angel een hond had neergeschoten, had ik hem graag opgepeuzeld.
'Wat denk je,' zei hij met een uitgestreken gezicht. 'Een M16 is waardeloos tegen konijnen.'
Hij hield wat er van het konijn over was bij de oren. Vanaf de kop omlaag was het beestje gewoon in lucht opgelost.

We lachten, al was het niet grappig.
Toen begon ik serieus na te denken over Lobo's woorden.
We zouden een boerderij overvallen – met geweld indien nodig – maar we zouden niemand doden.

23

Die nacht legden we zo'n twintig kilometer af, ondanks de honger, een afstand die we al in een week niet meer hadden gehaald. De adrenaline joeg ons voort. We hadden een plan. Het was niet perfect, maar we deden tenminste wat.

We kwamen langs een paar kleine boerderijtjes. De volgende nacht idem dito. We zochten een alleenstaand huis, ergens afgelegen. Bij zonsopgang na de tweede nacht sinds we bij de rivier waren weggegaan, zagen we iets wat ons hoop gaf: een dunne sliert rook in de verte. Discipline zei ons dat we een schuilplaats moesten zoeken, maar we konden niet langer meer wachten. Lobo en Carl wierpen zich op om te gaan kijken waar de rook vandaan kwam. De rest kroop in een maïsveld naast het pad waarover we hadden gelopen en wachtte. Vijftien minuten later waren ze terug. Twee eenzame figuren op het pad. Toen ze voorbijliepen, floot Angel en ze doken de maïs in. We gingen om hen heen zitten. Boven de maïsstengels kon ik de zon boven de horizon zien uitkomen, een vale, gele schijf achter een uitgestrekt grijs wolkendek.

'Dit is het,' zei Carl. 'Een alleenstaande boerderij, twee verdiepingen, met een paar bijgebouwen. Helemaal afgelegen, er is niets in de wijde omtrek.'

'Heb je iemand gezien?' vroeg ik.

'Een oud vrouwtje met een emmer,' zei Lobo. 'Ze ging de voordeur uit, liep naar achteren en kwam een paar minuten later terug. Verder niemand.'

Ik keek de kring rond. 'Is iedereen het ermee eens? Zijn er nog suggesties? Twijfels?'
Iedereen zweeg. Logica en voorzorg zeiden dat we hier moesten blijven tot het donker werd en dan pas verder konden. Dan zouden we de boerderij de hele volgende dag observeren om pas dan, zolang de omstandigheden gunstig waren, in actie te komen.
Op zijn vroegst zouden we pas de volgende dag 's avonds in het huis zijn, dus over 36 uur. Ik merkte aan de stemming in de groep dat we niet zo lang zouden kunnen wachten.
'Denk je dat we nu alvast kunnen observeren?' vroeg ik Lobo en Carl.
'Het is gevaarlijk, maar... ja, waarom niet?' zei Lobo.
Meer hoefden we niet te bepraten. Hoe langer we praatten, hoe lichter het zou zijn.
We renden gebukt achter elkaar over het pad, onze ogen gericht op de rookpluim in het zuiden. Na een paar minuten zag ik de schoorsteen boven de maïsstengels uitsteken. Toen we de bovenkant van de ramen in de bovenverdieping konden zien, verlieten we het pad en liepen we verder door de maïs.
Een kwartier later stond ik aan de rand van het gewas door mijn verrekijker naar de boerderij en de bijgebouwen te kijken.
Om beurten observeerden we het gebouw.
Vlak na onze komst ging de voordeur open en kwam een man naar buiten. Ik zette mijn verrekijker scherp. De man was gebogen, hij leek wel tachtig, wat in ons voordeel was.
Er verscheen nog een man, met een emmer in zijn hand. Hij leek ongeveer even oud.
Aan het eind van de middag hadden we vijf bewoners geteld: de twee oude mannen, een oude vrouw (die Carl en Lobo 's ochtends hadden gezien), een jongere vrouw en een meisje. De vrouw leek ongeveer vijftig, het meisje 25. Het leek niet onterecht om te denken dat de mannen broers waren, dat een van hen getrouwd was met de oudere vrouw en dat de vrouw en het meisje de dochter en kleindochter waren.
Veel leken ze niet te doen. Een van de oude mannen ging halverwege de ochtend de schuur in en we hoorden het geluid van metaal op metaal; hij was kennelijk aan iets bezig.
De oude vrouw en de dochter kwamen vlak daarop naar buiten met een grote wasmand. Ze liepen naar achteren en kwamen terug met een stapel droge kleren, die ze mee naar binnen namen.
De andere oude baas liep een paar keer met een emmer heen en weer tussen het huis en een watertrog. 's Middags zagen we het meisje groenten oogsten in de tuin.

Het leek verstandig om te wachten tot zonsondergang om meer over hun leven te weten te komen. De aanwezigheid van de vrouw en de dochter verontrustte me, aangezien het niet onwaarschijnlijk leek dat ze getrouwd waren. Waar waren in dat geval de echtgenoten? Misschien werkten ze in de stad, die waren we twee dagen geleden gepasseerd. Als dat zo was, kwamen ze misschien 's avonds thuis.
De uren gingen voorbij. Toen het donker werd, was er nog niemand bij gekomen, maar toch besloten we te wachten. Behalve de rook van het houtvuur kon ik nu ook eten ruiken.
'O, god, ik stel voor dat we er nu heen gaan en de deur intrappen,' zei Angel.
'Geduld,' zei ik vanachter mijn verrekijker. Ik kon door een kier in de gordijnen kijken. Het meisje stond bij het fornuis. 'Misschien zijn ze er nog niet.'
'Wie?'
'De mannen in hun leven.'
'Een blik op mij en ze vergeet dat ze ooit een man heeft gehad,' zei Angel.
'Hij had altijd al een zwak voor ouwe besjes,' zei Chris.
'Ik bedoelde die blom naar wie jij zit te kijken, Jackson,' zei Angel verontwaardigd.
'Ja, natuurlijk,' zei ik. Ik dacht aan de oude mannen en vroeg me af of ze een geweer in huis hadden. Het geklets was afleiding. 'Bij jou is niemand veilig, Angel.'
Ik keek op mijn horloge. Het was acht uur. Ik zou het nog drie uur geven. Als er dan nog niemand op was komen dagen, zouden we er voor gaan.

Chris en ik liepen zo resoluut mogelijk naar de voordeur. We hadden niet echt een plan. Chris was de enige die Russisch sprak, dus zijn plek in de voorhoede was al besproken. Ik vond het niet meer dan normaal dat ik met hem meeging.
Andy, Angel en Carl namen een positie in achter het huis, voor het geval iemand probeerde te ontsnappen.
Tony, Mike en Lobo keken vanaf het maïsveld toe.
Chris en ik liepen naar de deur. In het zilverachtige licht dat door het raam scheen, viel mijn blik op Chris en ik zag ons plotseling zoals de bewoners ons zouden zien: vies, ongeschoren, met slecht passende, stinkende kleren.
We hadden onze M16 bij de groep in het veld gelaten. Voor mijn eigen veiligheid hield ik mijn rechterhand op mijn Beretta, mijn Suzi. Geen

doden, had ik gezegd, maar alle beloften vervielen als een van hen naar een wapen greep.
Ik liep naar de deur. Binnen hoorde ik het geluid van stemmen en gelach, en het gerinkel van glazen.
Ik hief mijn hand op maar klopte niet aan. Plotseling werd ik overvallen door twijfels.
Ineens had ik geen honger meer. We konden nog altijd verder. Of we konden een boot zoeken en stroomafwaarts varen. Dit was gekkenwerk.
Naast me zei Chris iets, zo zachtjes dat ik de woorden niet hoorde. Maar de betekenis was duidelijk. Waar was ik in godsnaam mee bezig? De betovering werd verbroken. De zenuwen zouden wegtrekken en de honger zou terugkeren. We hadden alle mogelijkheden overwogen en ze een voor een verworpen. We waren hier niet voor niets.
Kom op, Jackson, doe het gewoon.
Ik klopte hard op de deur en deed een stap naar achteren. Chris mocht in de schijnwerpers staan.
Binnen hield het gelach op. Een stoel schoof over de vloer. Een grendel werd opengeschoven achter de deur, waarna deze openging. Even werden we verblind door het licht.
Ik zag de angst in de ogen van de vrouw terwijl ze ons opnam.
Ze zei iets. Ik wachtte op het antwoord van Chris, maar hij stond daar alleen maar. Ze sprak opnieuw en deze keer wist Chris wat woorden uit te brengen. De vrouw fronste haar wenkbrauwen. Chris schraapte zijn keel en begon opnieuw.
De vrouw luisterde en sloot toen de deur. Shit, dacht ik, dit was niet wat we hadden gepland. Ze konden nu best naar een wapen grijpen.
'Wat heb je in vredesnaam gezegd?' fluisterde ik.
'Ik zei dat we geen eten hebben, geen water en dat we verdwaald zijn.'
'Was dat alles?'
'Ik heb gevraagd of ze wat water en brood heeft, of misschien wat melk.'
Ik hoorde binnen mensen praten en bereidde me voor. Mijn greep op Suzi verstevigde. De deur ging opnieuw open en de vrouw begon rap tegen Chris te praten. Ik hoorde hem *spasiba* zeggen, Russisch voor 'dank u'. Hij keek me aan en gebaarde dat we naar binnen mochten.
We moesten een treetje af om in de kamer te komen. De vloer leek te bestaan uit aangestampte aarde. Hij was grof en ongelijkmatig. Ik moest bukken om mijn hoofd niet te stoten tegen de deurpost. Voor me stond het fornuis. Aan het plafond hing een enkel, kaal peertje. De kamer was gevuld met vettig, geel licht.

Ik sloot de deur achter me en zag in de hoek een grote tafel staan. De oude mannen zaten op een L-vormige bank aan de andere kant. Ik knikte naar ze en glimlachte, maar ze reageerden niet. Er stond geen eten op het vuur, maar de kamer rook nog altijd sterk naar gekookt vlees en groenten. De muren waren kaal en zaten vol gaten.
De oude vrouw wees naar de tafel. Chris en ik gingen zitten. De twee ouwe bazen bleven ons aanstaren terwijl Chris met de oude vrouw bleef kletsen. Ze was druk bezig bij het fornuis, ze pookte de sintels op en legde wat houtblokken op het vuur. Vervolgens stond ze op en ging de kamer uit.
Er was geen telefoon en geen ander transportmiddel dan de vervallen uitziende tractor. Maar het gedrag van de oude mannen verontrustte me. En dan waren er ook nog de twee andere vrouwen. Het feit dat ik ze nog niet had gezien, knaagde aan mijn concentratie. Ik probeerde mezelf gerust te stellen met de gedachte dat de tent omringd was, voor het geval iemand probeerde te ontsnappen.
De vrouw kwam terug met een dienblad en zette het op tafel. Op het dienblad stonden twee borden, met op elk een stuk vlees.
Chris en de oude vrouw kletsten tegen elkaar als een moeder en haar verloren zoon. Dat maakte het lastig voor mij, want ik moest net doen alsof ik begreep wat ze zeiden.
Chris liep naar de tafel en wreef in zijn handen, het leek een signaal om te eten. Hij sneed een stuk brood voor me af en schonk wat water uit een kan in mijn glas.
We vielen aan op de varkensbuik. Het vlees was koud en vettig, maar het smaakte alsof het was bereid door een driesterrenkok.
Ik keek Chris aan en hij keek terug. Hij dacht ongetwijfeld hetzelfde.
Ik vond het beroerd voor de anderen, maar ik suste mijn geweten door mezelf voor te houden dat Chris en ik dit risico hadden genomen en dat dit maal onze beloning was.
Ik hief mijn glas en nam een paar flinke slokken van wat ik dacht dat water was. Mijn ogen klapten uit hun kassen. De twee oudjes staarden me aan. De muren achter hen leken te bewegen. Het leek alsof iemand een lont in mijn mond had gestopt en hem had aangestoken. Ik stikte zowat en spuugde een waterval van vuurwater over de tafel in de gezichten van mijn gastheren.
Chris liet zijn mes op zijn bord vallen. De ouwe bazen verroerden geen vin. Ik kon niets zeggen, want ik kon alleen mijn verontschuldigingen aanbieden in het Duits. Ik staarde dus maar en zij staarden terug.
Geheel onverwacht begon een van hen te lachen en de ander volgde. Ze sloegen elkaar op de rug van plezier.

Een van hen vulde mijn glas en nodigde me uit nog een slok te nemen. Ik weet niet wat ze dachten, misschien dat het een spelletje was. Ze brachten een toast uit en sloegen hun glas achterover.
Alle ogen waren op mij gericht toen ik het glas voor de tweede keer hief en dronk.
Deze keer wist ik het binnen te houden. De muren bewogen nog wat meer. Ik keek op naar mijn nieuwe drankmaats. Ze stootten elkaar aan en lachten.
Voor ik het wist, stond er meer eten op tafel. Voor me stond een kom soep, die ik herkende als borsjtsj: gekookte kool, zure melk en stukjes varkensvlees. Ik viel aan, omdat ik wist dat dit de alcohol zou absorberen.
Ik was nog niet klaar of mijn kom werd bijgevuld. Vijf minuten later zat ik vol. Chris zat vrolijk te babbelen met de twee oude baasjes, die, als gevolg van mijn vuurwateract, ineens heel opgewekt waren.
Tot mijn grote onrust stond Chris plotseling op van de tafel en liep de kamer uit. De oude baasjes staarden me aan en ik staarde terug. Ik was als de dood dat ze een gesprek zouden beginnen, dus ik leunde over de tafel en sneed nog een stuk brood af, dat ik stukje voor stukje begon op te eten, tot Chris terugkwam.
Chris dook in zijn zak en legde zijn hand op tafel. Toen hij zijn hand weghaalde, viel het licht op een enkele gouden Krugerrand.
Heel even was het stil. De twee oude mannen staarden naar de munt. Toen begon Chris te praten. Hij gebaarde naar de munt. De oudste man pakte hem en bestudeerde hem. Goud is goud en behoefde verder geen uitleg. Hij legde de munt terug op tafel en grijnsde tandeloos naar Chris.
De oude dame kwam terug en zette een fles op tafel. Dit keer was het onmiskenbaar wodka. Ze vulde de glazen bij en we brachten een toast uit. Chris begon weer te praten. Ik wist dat hij vroeg of we in de schuur mochten slapen. Hij duwde de Krugerrand over tafel. De oudere man nam hem aan en stak de munt in zijn zak. Chris vroeg ze iets en dit keer ving ik het woord *problyem* op. De ogen van de oude man werden groter.
Chris nam de tijd, als een ervaren pokerspeler. Toen haalde hij nog een Krugerrand tevoorschijn en schoof deze over tafel.
Na een tweede toast stond ik op van tafel, na een gebaar van Chris. Iedereen gaf elkaar een hand. Een van de oude mannen sloeg me op de rug.
Enkele seconden later baanden Chris en ik ons een weg terug naar het maïsveld.

'Hoe vond je het gaan?' vroeg ik.
'Zo goed als we konden verwachten, vind ik. Jij niet dan?'
'Ik hoorde je zeggen dat er een probleem was.'
'Nadat ze hadden gezegd dat we in de schuur mochten slapen, zei ik dat we nog zes vrienden buiten hadden die honger hadden en dorst. Ze lijken me geschikte lui, Jackson. Ik denk dat we geluk met ze hebben gehad.'
Hij zweeg even en ik voelde aan dat er meer was.
'Wat is er?' vroeg ik.
'Ik denk dat ze weten wie we zijn.'
Ik bleef staan.
'Ik denk dat ze weten dat we Duitsers zijn,' ging Chris verder.
Hij vertelde dat toen hij terugkwam van het toilet hij de oude vrouw tegen de twee vrouwen boven had horen praten. Hij had het woord 'Duitser' horen vallen.
Het nieuws was ontnuchterend. 'We moeten ze goed in de gaten houden, oké?' zei ik.
'Minstens een van ons houdt de wacht en er gaat niemand weg.'
'En als ze het toch proberen?' vroeg Chris.
Ik liet de vraag onbeantwoord. Dat zouden we dan wel weer zien.

24

De volgende ochtend stonden we vroeg op en wasten ons in de trog. Ik keek op van het wassen en zag op de plaats naast het huis een tafel staan, die ik de vorige avond niet gezien had. Voor ik het wist, kwamen de ouwe baasjes met een lange bank aan lopen, die ze naast de tafel zetten. Angel en ik renden naar ze toe om ze te helpen. Daarna kwam de oude dame uit het huis, samen met haar dochter en kleindochter. Ze hadden een tafelkleed, een blad met kommen en bestek, en een met een kleed bedekte mand bij zich.

Zodra de tafel gedekt was, gaven de oudjes aan dat we konden gaan zitten en eten.

Ik voelde me geëerd door hun gastvrijheid. Vierentwintig uur eerder waren we aan het eind van ons Latijn geweest en nu had ik plotseling weer goede moed.

We aten brood, melk en honing. De zon scheen op onze gezichten en verwarmde onze ruggen. Ik had mijn pistool in mijn riem gestoken, onder mijn hemd, maar het leek een onnodige voorzorgsmaatregel.

Terwijl we zaten te eten, kwamen de oude mannen uit het huis. Zodra Chris ze zag, sprong hij op en liep op ze toe om ze te begroeten. Ik hield één oog op de drie mannen en één op de kleindochter, die bezig was de was op te hangen bij een van de bijgebouwen. Van dichtbij zag ik dat ze heel wat jonger was dan ze door de verrekijker had geleken en heel knap.

Ik hoorde iemand fluiten en toen ik opkeek zag ik dat Chris me wenkte.

Ik trok een gezicht om te zeggen: wat wil je? Hij stond nog altijd bij de twee ouwe baasjes.
Hij nam me apart en fluisterde: 'Ze willen weten wie we zijn. Ze weten dat we geen Russen zijn en ze zijn niet achterlijk. Wat moet ik zeggen?'
Ik keek de twee mannen aan en even kon ik plotseling aanvoelen hoe ik me zou voelen als ik oud en zwak was en acht volslagen vreemden voor mijn deur stonden, die een uur in de wind stonken en eten wilden. Ik mocht deze mensen, ze hadden alleen maar gastvrijheid getoond.
'Zeg ze de waarheid,' zei ik, plotseling vol vertrouwen. Ik praatte hardop. In het Duits. Met het volste vertrouwen. 'Zeg ze wie we zijn.'
Chris staarde me aan. 'Ben je gek geworden?' fluisterde hij.
Ik schudde mijn hoofd. Er kwamen plotseling allerlei dingen bij me boven waarvan ik vergeten was dat ik ze ooit had geweten over dit land: feitjes en weetjes van onze briefers, lezingen die ik had bijgewoond en boeken die ik had gelezen. Maar meer dan dat herinnerde ik me wat mijn opa had verteld over zijn tijd in de Sovjet-Unie. Dat er goede Ivans waren en hoe hij, ondanks alle ellende, onmenselijkheid en viezigheid van het Oostfront toch altijd met een zekere mate van respect, nostalgie haast, over zijn verblijf in de Oekraïne had gesproken.
'Zeg ze de waarheid,' zei ik wederom tegen Chris. 'Toe maar.'
Chris keek me nog een keer onzeker aan. Maar hij zag dat ik het meende. Hij draaide zich om en liep terug naar de oude mannen. Inmiddels had iedereen door dat er iets broeide. Ik keek achterom en zag dat niemand meer at. Zelfs het meisje had de stemming aangevoeld. Ik kon zien dat ze ons vanaf de waslijn aanstaarde.
Chris sprak met gedempte stem met de mannen. Zodra hij ophield, liep een van de mannen naar het huis, zo snel als zijn kromme benen hem konden dragen.
Ik keek naar Andy en Angel. Andy bracht zijn hand naar zijn keel en maakte een snelle snijbeweging. Aan zijn gezicht kon ik zien dat hij dit als vraag bedoelde. Ik schudde mijn hoofd. Maar als hij gelijk had en de ouwe ging een geweer halen, zouden we hem moeten doden.
De spanning was te snijden. Ik wist dat iedereen met een wapen dit nu in de aanslag had.
Ik draaide me om en zag dat de oude man het huis uit kwam. Hij had iets in zijn hand. Het was geen geweer, dat kon ik wel zien. Het zag eruit als een fles.
De ouwe man liep naar de tafel en plantte de fles precies in het midden. Van zijn gezicht was grote tevredenheid te lezen. Toen keek ik naar de fles. Het glas was zwart van het vet en het vuil en het label

was zo vervaagd dat ik nauwelijks kon lezen wat er op stond. Ik leunde naar voren, maar Mike was me voor.
'Het is Ballistol,' zei hij en hij keek me aan. 'Waar haalt zo'n ouwe vent een fles Ballistol vandaan?'
Ballistol was beroemd spul. Het bestond al eeuwen. Voor de oorlog had elk huis in Duitsland een fles staan. Er bestaat geen woord in het Duits om te beschrijven wat Ballistol doet. Je kunt het gebruiken om het zilver te poetsen, maar het kon ook heel goed gebruikt worden om wondjes uit te wassen. Ik keek opnieuw naar het label. Aan het opschrift kon ik zien dat de fles heel lang geleden de fabriek verlaten had. De ouwe man viste een lapje uit zijn zak en maakte een draaiende beweging met zijn hand. Daarna wees hij naar Mike.
Chris stapte naar voren. De oude man grijnsde tandeloos en brabbelde wat. Chris luisterde, met zijn hoofd naar een kant. Hij werd bleek.
'Wat is er?' vroeg ik.
'Gisteravond, toen we opstonden om naar de schuur te gaan, heeft hij gezien dat Mike een pistool had. Hij denkt dat we dat allemaal hebben. Maar, en nou moet je opletten, hij vindt het niet erg. Ik begrijp niet wat hij met die fles wil, maar ik snap wel dat het iets voor hem betekent. Misschien is mijn Russisch niet zo goed als ik denk, maar...'
'Ja?' vulde ik aan.
Chris fronste zijn wenkbrauwen. 'Het schijnt dat hij Mikes pistool wil schoonmaken.'
Ik knikte. 'Dat klopt. Kijk eens goed naar die fles.'
Chris keek opnieuw, maar het leek hem niets te zeggen. 'Volgens mij had mijn moeder een fles van dat spul staan.' Hij keek me aan. 'Ik snap het niet.'
'Mijn opa zwoer bij Ballistol. Hij nam het overal mee naartoe. Tijdens de oorlog ook, Chris. Snap je? Deze mensen stonden aan onze kant tijdens de oorlog. Een van onze jongens heeft vast een fles Ballistol achtergelaten toen ze zich terugtrokken. Misschien hebben ze het wel cadeau gedaan. Hoe dan ook, hij heeft hem sinds die tijd verstopt gehouden. Opa gebruikte Ballistol om zijn MP38 mee schoon te maken. Veel lui uit de Wehrmacht deden dat. Ik denk dat deze vent ons probeert te zeggen dat hij tijdens de oorlog Duitse wapens schoonmaakte en dat hij nu zijn loyaliteit wil tonen door voor ons hetzelfde te doen.'
'Weet je dat zeker?' vroeg Mike.
Mike haalde onder zijn jas zijn MP4 tevoorschijn. Hij haalde het magazijn eruit en verwijderde de kogels en legde het wapen toen vlak op tafel. 'Hier, kerel,' zei hij tegen de ouwe man en schoof het pistool naar hem toe. 'Kijk maar eens als je wilt.'

De oude man pakte het pistool op en bekeek het van alle kanten. Hij behandelde het heel voorzichtig, bijna eerbiedig. Zijn blik bleef rusten op het stempel van de fabrikant.
'Walther,' zei hij. Hij had moeite met de uitspraak. 'Walther... *gut.*'
Ik glimlachte en stak mijn hand uit. 'Ja,' zei ik en gaf hem een hand, '*Walther sehr gut.*'
Hij gaf het terug aan Mike die het vervolgens uit elkaar begon te halen. Twee minuten later lag de MP4 in onderdelen op tafel. Nu ik het zo zag, besefte ik dat het weinig anders was dan de PPK die onze troepen tijdens de oorlog hadden gebruikt. Het was hetzelfde basismodel.
De oude man draaide langzaam de dop van de fles Ballistol en goot een klein beetje op het lapje. Toen pakte hij de loop en begon deze schoon te maken.
Het was fascinerend om hem aan het werk te zien. We konden nauwelijks geloven hoeveel zorg en aandacht hij aan dat pistool gaf. Toen hij alle stukken had schoongemaakt, hielp Mike hem bij het in elkaar zetten. Inmiddels zaten zijn broer, diens vrouw, hun dochter en kleindochter ook om de tafel en keken toe. De oude dame haalde een fles wodka tevoorschijn, misschien vanwege de gedenkwaardige gebeurtenis, en het onvermijdelijke toasten vond plaats. Het was moeilijk voor te stellen waar we waren.
De oude man stond op. Zijn ogen waren vochtig. Hij stelde ons formeel voor aan zijn gezin. Ik weet nog dat de kleindochter Tatiana heette, dat zijn naam Nikita was en dat zijn broer Oleg heette. We gaven elkaar opnieuw een hand en vertelden hoe we heetten. We vertelden niet waarom we in hun land waren en ze vroegen niets. We zeiden dat we bezig waren met 'een tocht' naar het zuiden.
In een impuls stond ik op en liep naar de schuur. Ik liep naar de plek waar we onze M16's hadden verstopt. Eerst hadden ze bij de trog gelegen, maar daarna hadden we ze verplaatst naar een veiliger plek achter wat hooibalen. Ik stofte er een af. Toen ik terugkwam, legde ik het wapen naast de Walther. Ik wist nu dat de mannen veel van wapens wisten en dat ze bewondering hadden voor precisiewerk. Toen hij de M16 zag, begonnen Nikita's ogen te stralen. Hij gleed met zijn vinger over de loop en wees toen naar het merkje van Colt.
'Duits?' vroeg hij.
Ik schudde ontkennend. '*Amerikanski,*' zei ik.
Hij accepteerde het alsof het de gewoonste zaak van de wereld was.
Toen we later lagen te rusten in de schuur, kwam Nikita met ons praten.
Via Chris vroeg hij ons of we nog een paar dagen wilden blijven. Ik

keek de anderen aan. We konden zijn aanbod nu niet bespreken. Ik vond dat we meteen moesten beslissen en dat een weigering hem zou beledigen.
'Zeg hem dat ons antwoord "ja" is,' zei ik tegen Chris, 'en dat we dankbaar zijn.'

25

Hoewel we ons bij deze mensen op ons gemak voelden, lieten we onze waakzaamheid niet zakken. Zo onopvallend mogelijk bleven steeds twee van ons voortdurend de wacht houden. De gemakkelijkste manier om dit te doen was door, wanneer het jouw beurt was, te doen of je lag te slapen in de schuur. Vanaf de bovenverdieping had je een weids uitzicht over de toegangsweg, de enige manier van en naar de boerderij. Als er iemand aankwam, stonden er twee gewapende mannen klaar. De rest had geoefend wat we zouden doen en waar we moesten zijn als dat nodig bleek.
In de loop van de ochtend ontdekten we dat Nikita na de dood van zijn vrouw een paar jaar geleden bij zijn broer en schoonzus was komen wonen. Zijn zoon was twee jaar daarvoor gesneuveld in Afghanistan en zijn vrouw had dat niet kunnen verwerken.
Ik vroeg me af of de dienstplicht kon verklaren waarom er geen jongemannen waren op de boerderij, maar volgens Nikita waren Olegs zoons bijna tien jaar geleden al naar de stad getrokken om werk te zoeken. Een zoon woonde in Minsk, waar hij de leiding had over een fabriekje dat landbouwmachines maakte en de andere woonde in Kamtsjatka, in Siberië, zo'n beetje de meest afgelegen plek in de Sovjet-Unie, van de Oekraïne uit gezien. Hij deed iets in de olie-industrie en ze waren geen van beiden in jaren op de boerderij geweest.
Omdat we beseften wat voor last we moesten betekenen voor deze mensen, bespraken we onderling of we iets terug konden doen. Gewoon maar Krugerrands uitdelen was niet slim. Het aantal goudstuk-

ken dat deze mensen op de zwarte markt zou kunnen omwisselen, was beperkt, en bovendien vonden we het niet prettig. Hun gastvrijheid was onvoorwaardelijk.
'Als we hier een paar dagen blijven, is er misschien wel iets wat we kunnen teruggeven,' zei Angel terwijl we ons die avond stonden te wassen. Ons tot op ons ondergoed uitkleden en overdag wassen gaf geen pas aangezien dat aanstoot zou geven. We wasten ons daarom om beurten met zijn tweeën tegelijk in het donker.
'Hoe bedoel je?' vroeg ik.
'Kijk eens om je heen,' zei hij. 'Ik zag dat achter het huis het hek is omgevallen. Met een beetje mankracht staat dat zo weer overeind. Misschien kunnen we de schuur opruimen. Nu is het er een rommeltje. Oleg en Nikita zijn te oud om het zelf te doen, maar nu wij hier met acht man zijn, kunnen we het hier binnen de kortste keren netjes hebben. Ik mag deze mensen, Jackson. Je vindt het misschien bizar, maar ik stelde me altijd voor dat mijn ouders zo zouden zijn. Mijn echte ouders, bedoel ik.'
Angel was opgegroeid in een weeshuis, maar zijn liefde voor het land was genetisch.
'We kunnen iets uitmaken in het leven van deze mensen,' zei Angel. 'Ik bedoel, heb je de ratten hier gezien? Die zijn zo mager dat je ze bijna zou gaan voeren. Ik wil iets terugdoen, Jackson. Begrijp je wat ik bedoel?'
Die middag gingen we aan de slag. Angel en Chris hakten samen een boom om die de vorige winter was omgewaaid. De oude mannen waren te zwak om er iets aan te doen, maar de stam en de takken leverden genoeg hout op om de hele winter op te kunnen koken. Angel en Chris gingen de boom te lijf met een dubbelzijdige zaag en een bijl. Daarna legden ze de blokken in een kar en verplaatsten ze naar een afdakje naast het huis.
De rest maakte zich nuttig waar ze konden. Boven aan de lijst stond de schoonmaak van de schuur die in de loop der jaren, zoals Angel al had gezien, vol rommel was komen te staan. Lobo en Mike repareerden de scharnieren van de grote deuren, terwijl wij opruimden. Alles wat brandbaar was, verbrandden we en de rest, voornamelijk roestige oude landbouwmachines, haalden we uit elkaar en legden we in de kar. Deze spullen dumpten we op een schroothoop op een eindje van het huis.
Het was zwaar werk, maar het gaf voldoening. In korte tijd hadden we voor een grote verandering gezorgd.
We deden ook nog een ontdekking: in de hoek van de schuur was een

oude, dichtgetimmerde put. Deze kreeg meteen een bijzondere betekenis, aangezien hij de aanleiding vormde voor een discussie over wat we moesten doen met onze geweren. We hadden ons al een tijd lang afgevraagd wat we er mee moesten en de put, die diep was en gemakkelijk weer kon worden dichtgemaakt, was een perfecte plaats om ze te verstoppen.
Na drie weken reizen waren we gaan beseffen dat de M16's eerder een belemmering vormden dan een pluspunt. Ik wilde ze graag in de put gooien, maar uiteindelijk accepteerde ik een compromis: we zouden ze achterlaten, op twee na. Daarmee hadden we wat wapens voor als we in het nauw kwamen. Verder zouden we onze handwapens gebruiken.
Het wegdoen van de semi-automatische geweren wierp een volgende vraag op. Als we maar twee M16's hoefden te verbergen, konden we dan onze gouden stelregel niet laten varen en overdag gaan lopen? Over die vraag konden we het niet eens worden, dus we lieten de kwestie rusten.

Na het eten ontvouwde ik die avond onze provisorische kaart en spreidde deze uit op de eettafel. Oleg en Nikita tuurden ernaar over de rand van hun wodkaglazen.
'Waar zitten we?' vroeg Chris en hij wees op de kaart.
De oude mannen keken elkaar aan en vervolgens naar ons.
'Misschien hebben ze de vraag niet begrepen,' zei ik tegen Chris. 'Vraag het ze nog een keer.'
Chris begon opnieuw vlug te praten. Daarna keek hij mij aan. 'Ik geloof dat ze het niet weten,' zei hij zachtjes. 'Ik denk niet dat ze hier ooit vandaan zijn geweest.'
'Vraag ze wat de dichtstbijzijnde stad is,' zei ik. 'Dat zullen ze toch wel weten.'
Deze keer kwam er op de vraag van Chris meteen een antwoord en dat hoefde hij niet te vertalen.
Kirovograd. We zaten in de buurt van Kirovograd.
Mijn hart begon sneller te kloppen bij dit nieuws. Ik had Kirovograd niet aangegeven op onze kaart, maar ik wist van onze briefings dat het meer dan halverwege tussen Kiev en de zee lag.
De kamer vulde zich met geroezemoes toen de betekenis van dit nieuwtje doordrong tot de anderen.
Ik keek op. Nikita zat me aan te kijken. Hij schonk een glas wodka voor me in en tikte toen langzaam en nadrukkelijk met zijn glas tegen het mijne. Ik proostte terug.

'Zeg hem dat we morgenavond willen vertrekken,' zei ik tegen Chris. 'Vertel hem ook dat we zijn vriendelijkheid altijd zullen herinneren.'
Chris en de oude man begonnen opnieuw langdurig te praten.
'Hij zegt dat hij ons niet graag ziet gaan, maar dat als we weg moeten, hij ons een aanbod wil doen.'
Ik wachtte terwijl Chris luisterde naar wat Nikita te zeggen had.
'Kijk aan,' zei Chris toen de oude man klaar was, 'het leven zit vol verrassingen. Ze hebben familie hier dichtbij. Neven, denk ik, die een tractor hebben. De oude man denkt dat we ze gemakkelijk kunnen overhalen om ons een flink eind naar het zuiden te brengen.'
Hij had het niet over geld, maar ik wist dat hij dat bedoelde.
Die avond bespraken we het aanbod in de schuur.
'Straks is het een valstrik,' zei Tony, die schichtig was voor tien. 'Straks gaan we daar heen en staat de KGB ons op te wachten.'
'Ik ken deze mensen,' zei Angel, 'ze zullen ons niet verraden.'
'Ik zou daar niet zo zeker van zijn,' zei Lobo. 'Wie weet hoe ver de tentakels van die club reiken. Kijk maar naar de Stasi.'
Carl, die altijd zweeg, knikte. 'Door 's nachts te lopen zijn we al een heel eind gekomen, toch?'
'Dat is waar,' antwoordde ik, 'maar het handboek schrijft ook voor dat we geen gastvrijheid mogen aannemen van een stelletje boeren.'
'Volgens het handboek,' zei Lobo die lachend zijn hoofd schudde, 'zouden we hier zelfs helemaal niet moeten zijn.'
Ik keek naar onze provisorische kaart. We waren een flink eind opgeschoten, maar Carl had gelijk. Waarom zouden we iets veranderen? Een stemmetje achter in mijn hoofd zei me dat we het tweede deel van onze tocht sneller moesten afleggen dan het eerste. Na drie weken van het land te hebben geleefd waren we op geweest en ik wist niet zeker of we nog wel drie weken konden blijven doorlopen in open terrein. Alle hulp die we konden krijgen, was meegenomen. Net als Angel vertrouwde ik deze mensen. We waren zo open mogelijk tegen ze geweest. Ze moesten hebben beseft dat wij geen problemen met hen persoonlijk hadden.
Ik vond dat we hun aanbod moesten aannemen. We stemden erover. Chris zei dat hij het meteen de volgende dag aan de familie zou melden.

Bij het ontwaken was de stemming somber, want we wisten dat dit onze laatste rustdag zou zijn voor we verder gingen naar het zuiden. We gingen aan de slag op het dak van het huis, dat er slecht aan toe was. We verzonnen een manier om de gaten te dichten met het plaat-

ijzer dat we in de schuur hadden aangetroffen. Rond het middaguur keek ik omlaag en zag dat Tatiana onder aan de ladder stond met een dienblad met daarop acht bekers melk.
Toen ik de laatste treden afkwam, zei Tatiana iets tegen me. Ik keek hulpeloos om me heen naar Chris, maar die stond op wacht in de schuur.
Ik glimlachte en voelde me opgelaten omdat we niet konden communiceren.
Ze zette het dienblad neer, keek om zich heen en stelde de vraag opnieuw. Deze keer dacht ik dat ik haar begrepen had. Chris had ze gezegd dat we weggingen en Tatiana wilde weten waarheen.
Ik had geen moeite gedaan om het feit te verhullen dat we naar het zuiden gingen, maar toen ik in haar ogen keek, ogen die me deden denken aan een meisje in West-Duitsland, wees ik naar het westen.
Ze leek het te begrijpen, want ze knikte, glimlachte en zei: '*Heimat.*'
'Ja,' zei ik en ik zette glimlachend de lege beker terug op het dienblad, 'we gaan naar huis.'
We vertrokken die avond om elf uur, vlak na het eten. De hele familie kwam afscheid nemen. Het was een emotioneel moment. We hadden, met meer geluk dan wijsheid, een plek gevonden waar we een dak boven ons hoofd hadden, eten hadden gekregen en ons veilig hadden gevoeld, een plek die we als een toevluchtsoord waren gaan zien, in slechts drie korte dagen.
We hadden gemakkelijk kunnen blijven, maar we lieten ons leiden door ons gevoel en dat zei ons dat we verder moesten.
We waren weer op krachten. Veel beter zou het niet worden. We wisten dat we op koers zaten voor de Krim, nu ging het erom niet te denken aan de afstand die nog voor ons lag, maar elke dag een stukje van het totaal af te knabbelen, door elke dag te nemen zoals die kwam.
In de keuken gingen we iedereen af, van Tatiana tot haar moeder en als laatste de oude dame, de vrouw van Oleg. We omarmden ze allemaal. Zelfs Chris was sprakeloos. Maar veel viel er niet te zeggen. We wisten allemaal dat we elkaar nooit weer zouden zien.
Buiten, in het donker, liepen we achter elkaar achter Nikita en Oleg aan. Het tempo dat zij aanhielden lag een stuk lager dan we gewend waren. Met een nacht flink doorlopen haalden we meestal twintig kilometer. In dit tempo was het moeilijk te zeggen hoe ver we hadden gelopen en ik raakte al snel het overzicht kwijt. Het was een warme avond, al duidde een zacht briesje uit het noorden de komst van de herfst aan.
We liepen verder over een aantal karrensporen door de graanvelden

totdat, na ongeveer drie uur, Nikita bleef staan en een levendige discussie aanging met zijn broer.
'De boerderij ligt vlak achter de volgende helling,' legde Chris uit. 'Nikita gaat vooruit om contact te leggen met zijn neven. Wij blijven hier tot het veilig is om verder te gaan.'
We zagen de oude man verdwijnen in de duisternis. Ik kneep mijn ogen tot spleetjes om te zien of ik tekenen van bewoning kon zien, maar de leegte voor me was ondoordringbaar. Ik werd er onrustig van. Achter me hoorde ik hoe Angel zijn M16 van zijn rug haalde.
We hadden zes M16's eerder die dag in de put laten vallen en de overige twee in een paar jassen gewikkeld en ze samengebonden met touw. Angel hield een van de wapens en gaf de andere aan Carl.
Na een kwartier hoorden we een geluid op het pad. Oleg zei iets tegen Chris en ging vooruit. Ik verstijfde. Angel en Carl hielden hun wapen vast en ik had gezien dat Angel de zijne al van de veiligheidspal af had gehaald.
Plotseling hoorde ik een fluitje.
We liepen naar voren. Chris en ik voorop en Angel en Carl, onze twee M16 mannen, sloten de rangen. Ik wilde niet dat de twee oude mannen onze wapens zouden zien, maar ze waren wel klaar voor actie als de boel uit de hand liep.
Vertrouw, maar controleer. Een oud-Russisch spreekwoord. Hoe wrang, dacht ik.
Oleg en Nikita kwamen aangehobbeld. Chris rende naar voren en sprak met hen. Daarna gebaarde hij naar ons.
'Alles oké?' vroeg ik Chris.
De oude mannen begrepen dit en knikten enthousiast. 'Oké, oké,' zei Nikita.
Ik voelde een knoop in mijn maag.
'Laten we dan maar gaan,' zei ik.
We liepen de heuvel over en ik zag licht branden. Een paar honderd meter verder kon ik vaag de omtrekken van een huis zien.
Nikita en Oleg liepen vooruit. In de duisternis kon ik hen op een deur horen kloppen. We wachtten op een afstandje en keken vanuit de schaduwen toe hoe de deur opengig en een kale man van ongeveer veertig opendeed en Oleg omarmde.
Nikita draaide zich om en wenkte ons.
Terwijl we naar het huis liepen, fluisterde ik naar Carl en Angel dat ze buiten moesten blijven en op wacht moesten staan. De rest ging het huis binnen.
Binnen hing een totaal andere sfeer dan in het huis dat we zojuist had-

den verlaten. Het huis van de neef was nog redelijk nieuw. Waar er eerst een houtoven had gestaan, stond hier een elektrische oven, het enige apparaat in een kamer die verder vrijwel leeg was. De enige andere voorwerpen waren een grote houten tafel en een plankje dat heel wankel tegen de muur was gespijkerd. Op het plankje stonden wat oude borden en tinnen bekers.
Nikita en Oleg stelden ons voor. Hun neef heette Sasha. Van dichtbij deed hij me, met zijn hoge, zware voorhoofd en snorretje, een beetje aan Lenin denken. Sasha gaf me een hand. Zijn greep was zo stevig dat ik even bang was dat hij mijn hand zou breken.
Chris ging met de twee oude mannen en Sasha om de tafel zitten. Chris gebaarde me naderbij en vroeg om de kaart.
Ik vouwde onze zelfgemaakte gids voor de Oekraïne uit en legde hem op tafel. Sasha leunde enthousiast naar voren. Hij knikte toen hij het meest opvallende kenmerk herkende, de rivier.
Er werd hevig gediscussieerd. Nikita, Oleg, Sasha en Chris waren druk aan het praten. Chris luisterde het even aan, leunde toen naar voren en stelde, *sotto voce*, voor dat ik een paar Krugerrands tevoorschijn toverde.
Ik ging naar buiten, maakte mijn riem los en liet een paar gouden munten in mijn hand glijden. Toen liep ik de warmte weer in en legde ze op tafel.
Sasha pakte er een op en hield hem tegen het licht.
'Dit gaan we doen,' zei Chris tegen mij. 'Sasha zegt dat hij ons morgen per tractor naar zijn broer kan brengen. Die woont hier ergens naar het zuidoosten. Sasha zou deze week toch al naar hem toe gaan met wat gewassen, maar hij kan ook eerder gaan.'
'Is het veilig?' vroeg ik.
'Kennelijk wel. De weg gaat alleen over karrensporen, zonder een dorp of stad in zicht. We mogen in de aanhanger rijden. Wat zeg je ervan?'
Ik werd verscheurd door twijfels, maar ik kon geen enkele reden bedenken waarom we niet op het aanbod in zouden gaan.
'Wanneer vertrekken we?' vroeg ik.
'Meteen na het ontbijt. Buiten is een schuurtje waar we mogen slapen.'
De anderen stonden bij de deur. Ik keek ze aan. We zouden overdag reizen. Na al ons gepraat was deze beslissing in elk geval voor ons genomen.
Andy haalde zijn schouders op en knikte. De anderen knikten eveneens instemmend.
'Oké, we doen het,' zei ik.
Sasha haalde een fles wodka tevoorschijn en we dronken ten afscheid

op Nikita en Oleg. Het was bijna drie uur 's morgens, maar dat had de broers nooit weerhouden en zelfs met een lange tocht voor zich, lieten ze zich het ook nu niet ontzeggen.
Toen we in onze provisorische bedjes van stro lagen en Mike en Andy de wacht hielden met de M16's, probeerde ik te slapen, maar de wodka hield me wakker en ik lag door de spleten in het dak naar de sterren te kijken en dacht aan het gezin dat we hadden verlaten.
De teerling was geworpen, ten goede of ten kwade. We maakten nu deel uit van een netwerk.
Waren we beter af? Het antwoord zou komen als we de Zwarte Zee bereikten, of als we in een hinderlaag liepen van troepen van het sovjetministerie voor Binnenlandse Zaken.

26

De aanhanger hobbelde over de karrensporen tussen de velden en wierp een wolk stof op achter ons. Ik keek toe hoe het opstoof door een barst in de achterklep.

De wanden van de aanhanger waren zo hoog dat het bijna onmogelijk was om een indruk te krijgen van het landschap dat achter mijn smalle blikveld lag, maar af en toe zag ik wat maïs of graan staan, zoals dat al vanaf het begin zo was geweest. Het was net alsof je op zee zat, het uitzicht veranderde nauwelijks.

We zaten te midden van zakken aardappelen en kool die Sasha naar zijn broer bracht. De zon brandde meedogenloos. In elk geval kon ik aan de stand van de zon ongeveer afleiden dat we enigszins de goede kant opgingen.

Elke keer dat ik mijn ogen sloot, fopte de deinende, rollende beweging van de aanhanger mijn maag dat we werkelijk op zee waren. Dat zou misschien een prettige afleiding zijn geweest, maar het werd verstoord door de giftige uitlaatgassen die uit de tractor kwamen.

De enige manier om te voorkomen dat ik misselijk werd, was naar de lucht kijken.

Naarmate de kwelling voortduurde, kon ik mezelf troosten met de gedachte dat we vorderingen maakten. Na tweeënhalf uur hadden we het equivalent afgelegd van twee of drie nachten lopen.

Ik vroeg me af wanneer we zouden stoppen. Voor Oekraïners betekende het woord 'buurman' kennelijk iets anders dan voor ons.

Drie uur nadat we waren vertrokken, kwam de truck eindelijk tot stilstand.

Angel en Carl sprongen op, de M16's in de aanslag, en keken over de wand van de aanhanger.
'Verderop staat een huis,' fluisterde Angel.
Ik ging bij hem staan en keek voorzichtig over de rand.
Sasha liep kalmpjes in de richting van het huis, een gebouwtje van één verdieping met wanden van groene golfplaat. De deur ging open en een broodmager mannetje kwam naar buiten. Hij en Sasha omarmden elkaar, waarna Sasha onze kant uit keek en ons wenkte.
'Is dat zijn broer?' zei Angel. 'Jezus. Ze zien eruit als Laurel en Hardy.'
Hij had gelijk. Ze waren totaal verschillend.
Andy klom over de achterkant van de aanhanger naar buiten. Even later viel de klep op de grond toen hij de grendels losmaakte.
Het uitzicht overweldigde me. In plaats van eindeloze gewassen, werd de horizon gevormd door een rafelige rand van blauwgroene voetheuvels.
Ik voelde opwinding en afwachting tegelijk. Een ander landschap was tastbaar bewijs dat we vooruit gingen, maar ik wilde dolgraag op een echte kaart kijken om te zien of we nog op koers lagen.
Chris en ik liepen naar de broers op de drempel en gaven hen een hand. Stan Laurel heette eigenlijk Ilya. Hij nam me argwanend op.
Binnen kon ik zien dat een vrouw in de keuken bezig was. Af en toe keek ze op, staarde me aan en sloeg haar ogen weer neer. Door haar onrustige gedrag en de allesbehalve hartelijke ontvangst, werd ik zenuwachtig. Ik hoopte dat Angel en Carl de weg in de gaten hielden.
Chris, Sasha en Ilya begonnen te praten. Deze keer stond ik klaar met de Krugerrands. Op het signaal van Chris tastte ik in mijn zak en gaf twee munten aan Ilya. Voor ik het wist, duwde hij me naar binnen. We liepen door de keuken, door een gang naar de trap. Daar wees hij naar een plank. Op de plank stonden twee stoffige boeken. Verbaasd pakte ik er een. Het bleek een bijbel te zijn. Ik glimlachte beleefd en stak mijn duim op. Ik had geen idee wat hij en Chris besproken hadden, maar ik stelde me voor dat hij me door dit verboden bezit te tonen, liet weten dat hij bonafide was.
Ilya mompelde afkeurend en pakte de bijbel uit mijn hand en zette hem terug op de plank. Hij pakte het andere boek en gaf het aan mij. Ik sloeg het voorzichtig open. De omslag was zo oud en versleten dat ik bang was dat hij kapot zou gaan. Ilya bestudeerde me nauwkeurig.
Het boek was oud, waarschijnlijk nog van voor de revolutie, maar dat deed er niet toe. De waarde van de atlas die hij me had gegeven, was onschatbaar.
We zaten in een heuvelgebied ten zuiden van Kirovograd. Ongeveer

honderd kilometer naar het westen lag Moldavië, de laatste sovjetrepubliek voor de landen van het Warschaupact. Een paar honderd kilometer naar het oosten lag de Dnjepr. In het zuiden lag een probleem. Tot nu toe hadden we ons gevoel gebruikt bij het navigeren en dat was goed gegaan. Maar nu kon ik zien dat we wat zorgvuldiger te werk moesten gaan. Als we aldoor maar in zuidelijke richting zouden blijven gaan, kwamen we in de havenstad Odessa terecht, waar de Zwarte-Zeevloot lag. Vanaf het begin hadden we gezegd dat we Odessa wilden vermijden.

Iets verder naar het noordoosten lag Nikolaev, een andere naam die ik herkende uit onze briefings. Nikolaev was een scheepswerf waar veel van de grootste en beste schepen van de sovjetmarine werden gebouwd. Ook dit was een militaire veiligheidszone. Maar om zo dicht bij de smalle landengte te komen die ons op de Krim zou brengen, moesten we er zo dicht mogelijk langs. Aan de loop van de rivier kon ik zien dat we de Dnjepr nog een keer zouden moeten oversteken, een vooruitzicht dat me met angst vervulde. Te ver naar het oosten en we kwamen bij een heel breed stuk, veel breder zo te zien dan het stuk waar we bijna in waren gestrand bij Kiev. Te ver naar het westen en we kwamen terecht in de beveiliging rond Nikolaev en Odessa.

De kaart was zo oud dat het er niet op stond, maar ik wist dat de velden binnenkort plaats zouden maken voor een netwerk van wegen, wanneer we in de buurt kwamen van de geïndustrialiseerde steden ten zuiden van ons. Op de kaart zag ik ook dat tussen ons en de rivier een moerasgebied lag. De tekenen waren duidelijk. Bijna vier weken lang hadden we weten te overleven door ons een weg te banen door het uitgestrekte boerenland van de Oekraïne, een landschap dat paste bij onze training. Vanaf hier zouden we echter anders te werk moeten gaan. Om bij de Krim te komen, onze springplank naar het Westen, moesten we terugkeren in de beschaving, waar de vijand op de loer lag.

27

Ilya was zenuwachtig en zijn vrouw helemaal. Ze wilden ons niet over de vloer hebben en ik ontdekte al snel waarom. Ze hadden twee kinderen. Over een paar uur, legde Sasha uit, zouden de twee jongens, van tien en acht, uit school komen. Zodra ik dat hoorde, werd ik ook nerveus. Het was van levensbelang dat ze ons niet zagen. Kinderen blijven kinderen. Ze praten. Ze zouden zeker aan hun vriendjes vertellen dat er ineens acht vreemdelingen waren gearriveerd die eruitzagen als criminelen en die rondhingen in de schaduwen.

We deelden nog wat gouden munten uit en maakten een plan.

Sasha moest terug naar huis, maar Ilya zou ons helpen. Het bleek dat hij wat spullen moest halen in de stad, op drie uur rijden naar het zuidoosten per tractor. Op een geschikte, onopvallende plek zouden we van de aanhanger springen en verder gaan.

Hoewel we vanaf hier steeds vaker wegen zouden oversteken, hoopten we dat dit in ons voordeel zou werken. Vanaf nu zouden we niet langer alleen op onze navigatiekunsten kunnen vertrouwen om in de Krim te komen. We zouden alleen Odessa en Nikolaev kunnen vermijden en op een gunstige plek bij de Dnjepr komen als we deden wat gewone reizigers ook deden: de wegwijzers volgen.

Voor we vertrokken, wasten we en scheerden we ons. Daarna zette Ilya's vrouw ons een maaltijd voor: borsjt met melk.

Toen we in de aanhanger klommen, drukte Ilya Chris wat roebels in de hand. Ze hadden het hier eerder over gehad. Omdat we naar bevolkte gebieden gingen, hadden we geld nodig. In ruil voor nog wat Kruger-

rands kregen we vijftig roebel, meer dan genoeg om te overleven. We gingen op wat stro in de aanhanger liggen en de tractor vertrok. Na twintig minuten kwamen we op een smalle weg, de eerste verharde weg die we hadden gezien sinds Kiev.
'Shit,' zei Carl, 'we hebben gezelschap.'
Ik gluurde over de achterkant van de aanhanger en inderdaad kon ik in de verte een stofwolk zien aankomen. Het was een vrachtauto.
'Rustig maar,' zei ik, in een wanhopige poging ook mezelf gerust te stellen. 'Dit zal wel vaker voorkomen. Doe zo gewoon mogelijk. Wuif naar ze of zo.'
De vrachtauto was dofgroen. Misschien was het wel een militair voertuig, bedacht ik. Stel dat ze ons aanhielden?
Chris kon kennelijk gedachtelezen. Met een half oog op de vrachtauto begon hij een alibi voor ons te verzinnen: we waren migranten uit Litouwen, een flink eind van de Oekraïne. Als ze ons ondervroegen, moesten we ons dom houden. Als ze bleven doorvragen, moesten we wel vechten.
De vrachtauto naderde tot op vijftig meter. Hij zat zo onder de modder en de voorruit was zo smerig, dat het niet te zeggen was of het een militair voertuig was of niet.
'Lach even naar die eikel,' zei Angel en hij wuifde naar de bestuurder.
De vrachtauto wachtte tot de weg wat breder was en haalde ons toen in. Terwijl hij ons voorbij snorde, zag ik dat het gewoon een boer was die zijn oogst naar de stad bracht.
Dat was een van de problemen van dit godvergeten land: de gebouwen, voertuigen en mensen waren zo grijs, zo kleurloos, dat alles eruitzag of het van het leger was.
We bleven op smalle weggetjes rijden en werden vaker ingehaald door vrachtauto's. Steeds weer probeerde ik me te concentreren door te denken aan ons geluk tot nu toe. In een paar dagen tijd hadden we meer dan tachtig kilometer afgelegd, het equivalent van vier tot vijf dagen ploeteren te voet.
Voor we vertrokken had ik onze provisorische kaart vervangen door een kaart die ik had overgetrokken uit Ilya's atlas. Nu zocht ik alleen nog een wegwijzer die ons naar Sebastopol zou wijzen.
Laat in de middag zette Ilya de tractor aan de kant op een stil stukje weg. Hij en Chris overlegden kort en gehaast. De stad lag een paar kilometer verderop. We moesten een plek vinden om te schuilen tot het donker was, daarna konden we weer op pad.
Er was geen tijd om afscheid te nemen. Zodra we uit de aanhanger sprongen, vertrok Ilya in een stofwolk. We renden een maïsveld in en

bleven doorlopen, aangezien we zo ver mogelijk van de plek wilden komen waar we waren afgezet, voor het geval Ilya, die ik nooit helemaal vertrouwd had, van gedachten veranderde en ons aan de KGB verraadde.
Na het maïsveld liepen we door een weiland naar een bosje, waar we verzamelden. Ik nam een slok water. Door de bomen was in de verte een weg zichtbaar.
Terwijl we daar tussen de bomen zaten, hoorden we plotseling stemmen en zagen we mensen. Ik kneep mijn ogen dicht tegen het zonlicht dat door de takken viel. Een groep mannen liep over de weg in onze richting. Iemand vertelde kennelijk een verhaal of een grap, want af en toe weerklonk hartelijk gelach.
Een seconde lang viel ik ten prooi aan hoogst irrationele en paranoïde gedachten. Stel dat deze mensen ineens door het bos wilden lopen en ons zagen?
De realiteit was anders. Mensen, gewone mensen, liepen niet ineens door bossen en weilanden als ze een weg konden gebruiken.
Ik bekeek de groep terwijl ze aan ons voorbij liepen. Ze waren niet meer dan tien meter van ons verwijderd. Mijn hart klopte in mijn keel. Ze zagen er niet anders uit dan wij.
Toen ze weg waren, vertelde ik fluisterend mijn plan aan de anderen. We zouden helemaal anders moeten gaan denken, maar het was veel logischer om over de weg te lopen dan door de weilanden.
'Wil je zeggen dat we de rest van de afstand overdag moeten afleggen?' vroeg Lobo.
'Inderdaad. We verdelen ons in drie groepen en lopen, vijftig, honderd meter van elkaar. En we blijven lopen. In deze tijd van het jaar is het twee keer zo lang licht als donker. We kunnen twaalf uur of meer lopen en 's nachts slapen.'
'Door over de weg te lopen?' zei Mike twijfelend.
'Ja, over de weg. Als we dit willen volhouden, moeten we eruitzien alsof we hier horen. We gebruiken de wegen, net als die lui van daarnet over de weg liepen.'
'En als we worden aangehouden?' vroeg Tony.
'Chris voert het woord. We zijn Litouwers of Letten, elke willekeurige nationaliteit, zolang we maar geen Oekraïners of Russen zijn. Je moet vertrouwen hebben, Mike. Dit is de realiteit: ik heb de kaart. Ik weet wat er voor ons ligt. In het zuiden ligt een militaire zone en daarnaast ligt een moerasgebied dat zo drassig is dat onze trainingsgrond in Amerika ermee vergeleken op de Sahara lijkt.'
We stemden erover. Zodra het idee eenmaal had postgevat, ging het

niet meer weg. Uiteindelijk was iedereen het ermee eens dat we overdag naar de Krim zouden lopen.
De volgende ochtend kwamen we voorzichtig uit onze schuilplaats. Het was vreemd en onnatuurlijk om in het daglicht de weg op te gaan. Maar toch deden we het. We waren verdeeld in drie groepjes: Angel, Chris en Mike liepen vooraan, Lobo, Carl en Tony in het midden, en Andy en ik sloten de rangen. We hielden een zekere afstand tussen de groepjes, want één grote groep zou te veel aandacht trekken. Maar we liepen dicht genoeg bij elkaar om als groep te opereren wanneer het fout zou lopen.
We liepen en bleven lopen. Aan het eind van de eerste dag schatten we dat we zo'n dertig kilometer hadden afgelegd. Niemand leek ons enige aandacht te schenken. We waren gewoon wat landarbeiders onderweg. We zagen geen militie en kwamen geen blokkades tegen. We bleven alert, maar naarmate de tijd verstreek, ontspanden we ons meer. Op de tweede dag kwamen we op een grotere weg en sjokten we verder achter een konvooi van karren met paarden ervoor. Het waren boeren die hun producten naar de markt brachten. Chris vulde onze karige rantsoenen aan door wat brood en eieren van ze te kopen. De altijd vindingrijke Angel maakte er roerei van in een wieldop die hij langs de weg had gevonden.
Na acht dagen kwamen we bij een grote T-splitsing en, eindelijk, een wegwijzer die naar Sebastopol wees, 300 kilometer verder. Sebastopol lag ongeveer op tweederde van het schiereiland van de Krim. Zo ver hoefden we niet te gaan. Een eenvoudige rekensom leerde me dat de Krim nog ongeveer 100 kilometer verder lag. Drie dagen lopen, als we dit tempo konden volhouden.
We leden allemaal weer onder de tocht. Vermoeidheid en slechte voeding begonnen hun tol te eisen, maar het grootste probleem was de staat van onze voeten. Sommige dingen veranderden nooit. Veertig jaar na de Tweede Wereldoorlog en meerdere generaties legerkisten later waren blaren nog altijd blaren.
Het weer was ook anders. In plaats van de warme, zoele dagen die onze tocht door de enorme graanvlakten ten zuiden van Kiev hadden gekenmerkt, werden we nu geteisterd door striemende regen en een felle noordenwind.
's Nachts zochten we schuilplaatsen waar dat kon, maar als we te ver van de weg afdwaalden, kwamen we in het moerasgebied terecht.
Ondanks dit bleef het moreel hoog. We wisten dat dit het laatste stuk van de reis was. We waren opgewonden, maar ook angstig over wat voor ons lag.

De beslissing om naar de Krim te gaan was puur gevoelsmatig geweest. De Zwarte Zee was een enorme binnenzee. Tweederde van de kustlijn viel onder de Sovjet-Unie of haar vazalstaten. De Oekraïense kust in het noorden, Georgië in het oosten, Moldavië, Roemenië en Bulgarije in het westen. Maar in het zuiden lag Turkije, de eerste verdedigingslinie van de NAVO tegen de Sovjet-Unie, aan de oostgrens van Europa.
De Krim stak een heel eind uit in de Zwarte Zee, de zuidelijke punt lag nog geen 300 kilometer van de noordkust van Turkije.
Tot nu toe hadden we al onze energie gestoken in onze tocht naar het zuiden, in het voorkomen dat we gezien werden en in leven blijven. Nu was het tijd voor de volgende stap. Ik had geen idee wat die inhield, behalve dan dat er in de havens van de Krim boten zouden zijn waarmee we naar Turkije konden komen. Of dat betekende dat we aan boord zouden gaan van een ferry, ons zouden verstoppen op een neutraal schip of een boot zouden stelen om zelf naar het zuiden te varen, wist ik nog niet, maar ik had het idee dat onze beste kansen bij een overval lagen.
Lobo, onze communicatie-expert, had de gecodeerde frequenties van de Duitse ambassades in een aantal buurlanden, waaronder Turkije. Als we konden laten weten dat we nog leefden, kon de Ouwe misschien van zijn invloed gebruikmaken en ervoor zorgen dat de Turkse marine ons halverwege oppikte.
Gedachten aan de Ouwe en zijn rol in deze kwestie kwamen weer boven en ik deed weinig moeite ze te onderdrukken. Het vooruitzicht met de Ouwe te kunnen afrekenen, hield me op de been, en datzelfde gold voor de anderen. We hadden allemaal een reden nodig om naar huis te komen. Sommigen dachten aan de vrouwen die al dan niet op ze zouden wachten. Maar het was veel gemakkelijker om je te concentreren op de Ouwe.
Vijf weken nadat we in de Sovjet-Unie waren geland, zagen we de Dnjepr opnieuw. Maar deze keer hing er, terwijl we naast de rivier liepen, een zilte geur in de lucht.
We waren er bijna.
Na de opluchting kwam de realiteit. De dag nadat we bij de Dnjepr waren aangekomen, zagen we de brug die we over moesten om in de Krim te komen.

We observeerden de brug vanuit een bos in de buurt van de noordelijke toegangsweg. Andy en ik bekeken de brug om beurten door mijn verrekijker.

Het was even na twee uur. Het was bewolkt en het regende. De temperatuur was merkbaar lager. Water druppelde van de takken op mijn hoofd en in mijn hals. De anderen zaten dicht bij elkaar om zo veel mogelijk uit de regen te blijven.
De stemming deed me denken aan een ander moment, een andere observatie, vier jaar geleden, toen we twee weken lang een stuk van de grens in het Harzgebergte hadden geobserveerd. We hadden de opdracht gekregen om een overloper en zijn gezin uit het oosten te halen. De lange nachten waarin we de handelingen van de grenswachten bestudeerden, werden eindelijk beloond. We drongen door de verdediging, ontmoetten de overloper, zijn vrouw en drie kinderen en, na een race tegen de tijd, brachten we ze met succes naar het Westen. De prijs die we hadden betaald, was Ginger.
Deze oversteek had zijn eigen gevaren, net als die in de Harz.
De brug was lang, ongeveer een halve kilometer. Hij hing boven een ravijn. Het was een betonnen hangbrug en in beide richtingen reden er auto's en trucks overheen.
Van waar wij zaten, kon ik twee bewakers zien, aan weerskanten van de brug. Misschien waren er nog meer, maar doordat de brug zo breed was, konden we niet zien wat er aan de andere kant was. Aan beide kanten stonden lantaarnpalen, op honderd meter van elkaar.
De brug lag zo'n 600 meter van waar wij lagen. Door de regen was het moeilijk om details te onderscheiden, maar ik kon zien dat de bewaker een geweer over zijn schouder had. Misschien was het een soldaat, maar ik vermoedde dat hij bij de militie zat. Af en toe hield hij een voertuig tegen dat richting de Krim reed. Hij leek papieren te controleren.
Door mijn verrekijker had ik gezien dat er ook voetgangers heen en weer liepen over de brug. Ze liepen met hun hoofd gebukt tegen de regen, maar werden niet gecontroleerd.
Uit het feit dat de bewakers alleen de papieren controleerden van automobilisten en geen belangstelling hadden voor voetgangers concludeerden we dat dit gewoon een formaliteit was. Ze waren niet naar ons op zoek. Ze waren naar niemand op zoek. Ze stonden daar alleen maar. In dit deel van de Sovjet-Unie werden bruggen gewoon bewaakt, waarschijnlijk vanwege de aanwezigheid van de vele militaire installaties in de buurt. De bewakers handelden gewoon uit automatisme.
Na drie uur en met de invallende schemering, had ik genoeg vertrouwen dat het kon lukken. We zouden wachten tot het helemaal donker was en dan de oversteek wagen.

We besloten om in vier groepjes van twee te gaan. Chris en Angel zouden als eerste gaan, dan Andy en ik, gevolgd door Tony en Carl, en Mike en Lobo.
Angel zou de ene M16 nemen, Carl de andere. Wanneer je ze over je schouder hing en er een jas over droeg, waren ze vrijwel onzichtbaar, tenzij je gefouilleerd werd.
Om negen uur vond ik het donker genoeg. Ik was zenuwachtig, maar hield mezelf voor dat vergeleken met andere situaties waarin we gezeten hadden, dit een eitje was.
Ik keek toe hoe Chris en Angel de weg af liepen, hun kraag opgeslagen tegen de regen.
'Tot aan de andere kant,' zei ik tegen de anderen. Niemand sprak een woord.
Andy en ik vertrokken.
Chris en Angel liepen vijftig meter voor ons uit. Het was inmiddels echt beestenweer.
Toen we links afsloegen naar de brug, kwam er een windvlaag uit het ravijn die ons in het gezicht blies. Ik keek op en zag de brug recht voor me liggen. De regen glinsterde in het schijnsel van de lantaarns, waarvan er twee, midden op de brug, het niet deden. Van dichtbij kon ik zien dat de vierbaans snelweg scheuren vertoonde.
Chris en Angel waren al op de brug. De wachtpost stampvoette, met zijn rug naar hen toe. Hij droeg een grijze overjas en een grijze bontmuts. Ik realiseerde me dat er niemand anders op de brug was. De hele dag was er geen moment geweest dat er geen voertuig op de brug was, maar nu was er niets. Niets of niemand waar de bewaker zich mee bezig kon houden, alleen wij.
De bewaker zei iets toen Angel en Chris voorbijkwamen.
Ik keek toe, half verwachtend dat hij hen zou tegenhouden, maar Chris zei iets en liep door.
Ik pijnigde mijn hersenen om me de zinnetjes te herinneren die Chris ons had geleerd voor dit soort situaties, maar ik wist niets meer.
De paniek begon toe te slaan. De bewaker liep heen en weer, met zijn rug naar ons toe. Ik wilde omkeren en wegrennen, maar ik hield mijn blik gericht op Chris en Angel en liep door.
Andy versnelde het tempo. Ik deed hetzelfde. De bewaker was nu vlakbij, nog altijd met zijn rug naar ons toe.
Boem, boem, boem. Mijn hart ging wild tekeer terwijl ik probeerde te bedenken wat het Russisch was voor 'goedenavond' of 'hallo'. Maar het enige wat in me opkwam was *spasiba* – 'bedankt' – wat onder deze omstandigheden nutteloos was.

Ik keek over de muur naast me, maar kon de rivier niet zien. Onder de brug was alles zwart. Ik overwoog de ontsnappingsmogelijkheden, maar het was te diep. Ik zou te pletter vallen.
De bewaker keerde om en keek ons aan. Hij had een sigaret in zijn mond.
Ik keek op en recht in zijn gezicht. Hij haalde de sigaret uit zijn mond en zwaaide ermee onder mijn neus.
Ineens drong in alle helderheid tot me door waar het gesprekje met Chris over was gegaan: hij had godbetert een vuurtje nodig.
Niemand van ons had een vuurtje. We hadden al weken geen sigaretten meer.
Ik haalde mijn schouders op en liep verder. Andy deed hetzelfde. Hoofd omlaag en doorlopen, dacht ik.
De bewaker riep ons na, maar ik bleef doorlopen. Even voelde ik de verleiding om me om te keren, maar ik deed het niet. Ik bleef voor me uit kijken. Ik kon Angel en Chris niet langer zien. Ze liepen ergens voor me, voorbij het middelpunt van de brug.
Ik wachtte op een bevel om te stoppen.
In de verte doemde een donker gebied op onder een van de kapotte straatlantaarns. Als we dat konden bereiken, dacht ik, waren we veilig. De bewaker zou dan zijn aandacht op de anderen vestigen.
De anderen.
Ineens zag ik het probleem. Deze knaap zou niet opgeven voor iemand hem een vuurtje gaf. We waren met acht man, maar zonder één lucifer. En maar een van ons sprak Russisch.
Ik draaide me om op het moment dat de bewaker Mike en Lobo aansprak en keek toen Andy aan. Hij moest hetzelfde gedacht hebben. We stonden allebei te staren. De bewaker sprak tegen Mike, wees naar zijn zakken en zwaaide met de sigaret, waardoor hij even niet naar Lobo keek, die achterlangs probeerde te glippen.
Even stond ik als aan de grond genageld terwijl de crisissituatie zich voor onze ogen afspeelde. Toen stootte ik Andy aan en begonnen we te rennen.
De bewaker kreeg in de gaten wat Lobo probeerde te doen en deed een stap opzij om hem tegen te houden. Hij haalde zijn geweer tevoorschijn. Lobo keek op en zag dat Andy en ik in hoog tempo op hem af kwamen. Als de bewaker omkeerde en ons zag, zou hij ons allebei te pakken kunnen nemen.
Een windvlaag kwam onder de brug vandaan en de regen striemde in mijn gezicht. We hadden nog twintig meter te gaan en ik hoorde de stem van de bewaker: boos, vragend, hoogst achterdochtig.

Mike stond de bewaker aan te staren met een verbijsterde blik in zijn ogen. Hij moet even zijn afgeleid, want toen we nog tien meter verwijderd waren, begon de bewaker zich om te draaien, om te zien wat Mikes aandacht had getrokken.
De riem van het geweer van de bewaker was al van zijn schouder en de loop zwaaide in onze richting toen Andy en ik op hem sprongen. We sloegen hem hard, waardoor we hem tegen de grond duwden. Hij viel op de grond, met doodsangst in zijn ogen en probeerde zijn wapen te richten, maar Andy sloeg het uit zijn handen. Het schoof met veel kabaal over de grond.
Andy en ik drukten de bewaker tegen de grond. Hij was half bewusteloos en kreunde.
Plotseling riep Mike: 'Er komt verdomme een auto aan!'
Ik keek op. Licht van koplampen scheen door het gordijn van regen dat over de brug hing. Nog even en de bestuurder van het voertuig zou ons zien. Er viel niets te overleggen. Er was trouwens ook geen tijd. We pakten de bewaker met z'n vieren op en gooiden hem over de zijkant. Mike smeet het geweer achter hem aan.
Even later verschenen Tony en Carl.
'Wat is hier in godsnaam gebeurd?' vroeg Carl.
Er was geen tijd om het uit te leggen. We slaagden erin om onszelf te fatsoeneren en verder te lopen, net voordat het voertuig, een zware vrachtauto, langzaam in beeld kwam.
We hielden het hoofd gebogen en liepen verder. Terwijl we liepen, dacht ik aan de bewaker. We hadden niet anders gekund. Hij had de val niet overleefd.
We liepen zonder op te kijken langs de tweede bewaker aan de andere kant van de rivier. We waren gewoon acht arbeiders op weg naar het zuiden, die warm probeerden te blijven in de wind en regen.
Eenmaal aan de andere kant verlieten we de weg en gingen het veld in. Zouden ze ons in verband brengen met de verdwijning van de bewaker, met zijn dood, als het lijk aanspoelde, ergens tussen de brug en de zee?
Ik wist het niet. We waren nu op weg naar de Krim en dat was voorlopig het enige wat ertoe deed. Als we daar eenmaal waren, konden we niet terug. Als ze ons zochten, zaten we als ratten in de val.
Er waren allerlei redenen waarom we maar beter zo snel mogelijk weg konden komen.

28

Geschrokken door de gebeurtenissen bij de brug, vielen we terug op onze gewoonte om 's nachts te lopen. Vijf dagen na de Dnjepr bereikten we de Krim en vier dagen daarna kwamen we aan op de zuidwestelijke kust en keken we uit over de roerige wateren van de Zwarte Zee. Een reeks depressies uit het westen had de afgelopen week niets dan regen gebracht. We hadden het koud, waren uitgeput en hongerig.
We konden maar het beste een vissersboot zoeken en de bemanning dwingen om ons naar Turkije te brengen, of het zelf doen.
We hadden al diverse bootjes zien drijven, maar na twee nachten zwerven langs de kust, hadden we nog altijd geen haven gezien.
De kustlijn hier was rotsachtig en dunbevolkt. Tijdens de derde nacht kregen we even hoop toen we lichten zagen branden verderop langs de kust. Maar overdag, toen we het vissersdorpje beter konden bekijken, werd al snel duidelijk dat de boten veel te klein waren om ons naar Turkije te brengen.
Om acht man en voldoende brandstof voor de tocht van 300 kilometer te kunnen vervoeren, moesten we een boot van minstens dertien meter hebben. Wat we tot nu toe hadden gezien, was nog niet half zo groot. Het waren vissersbootjes, niet geschikt om verder dan een paar kilometer uit de kust te varen.
Pas op de derde dag hadden we geluk.
Die nacht hadden we de lichten gezien van een flink dorp, verderop langs de kust. We hadden ook lichtjes op zee gezien. Even voor zonsopgang stoomde een groot schip langs onze observatiepost op weg naar

de haven onder ons. Het enige wat wij konden zien, waren vage omtrekken achter de waarschuwingslichten.
Hoog op een heuvel met uitzicht op de haven stond een vervallen huis, dat 's winters kennelijk door boeren werd gebruikt als onderdak voor hun dieren. Er lag droge mest op de grond, geitenmest, volgens Angel, en veel los stro. We installeerden ons op de bovenste verdieping en wachtten tot het licht werd.
In het fletse licht van alweer een koude, grijze zonsopgang zagen we meerdere grote trawlers aangemeerd liggen. Twee of drie waren ruim twintig meter lang. We kregen goede hoop.
Die nacht gingen Chris en Lobo de stad in om voedsel te zoeken en de zaak te verkennen. Ze vertrokken vlak voor middernacht en bleven vier uur weg.
'Het ziet er veelbelovend uit, Jackson,' zei Chris buiten adem bij terugkomst. 'Het is geen groot dorp, maar zo'n paar duizend inwoners. De haven is helemaal onbeschermd. Je kunt zomaar naar de waterkant lopen.'
'Hoe zit het met de boten?' vroeg ik.
'Er lagen vier flinke jongens toen wij daar waren en ook nog een aantal kleinere. Twee van de grotere trawlers voeren tussen twee en drie af. Ik ben geen expert, maar volgens mij zijn de brandstoftanks groot genoeg om ons naar Turkije te brengen. De enige vraag is hoeveel brandstof erin zit. Het zou kunnen dat de sovjets beperkingen opleggen aan de hoeveelheid brandstof die ze mogen hebben.'
'Dat komt later wel,' zei ik. Ik keek naar Lobo. 'Hoe zit het met radioapparatuur?'
'Ze hebben allemaal een radio aan boord,' zei Lobo, 'maar een van de boten, een roestige ouwe schuit, leek beter uitgerust dan de andere. Er staat een heel oerwoud aan antennes op de brug, en een radar.'
'Bemanning?' vroeg ik.
'Niet gezien,' zei Chris.
Ik leunde achterover en dacht na. In de haven lagen schepen die groot genoeg waren om ons naar Turkije te brengen. De schepen voeren op elk tijdstip van de dag uit. Ten minste een van de boten die Chris en Lobo hadden gezien, had radio en navigatieapparatuur. Er bleven echter nog een aantal onvoorspelbare factoren over. We wisten niet hoeveel brandstof ze aan boord hadden of hoeveel bemanning.
'Waar denk je aan?' vroeg Chris.
Ik ging op mijn zij liggen en probeerde een gemakkelijke houding te vinden in mijn 'bed': wat stro dat ik beneden van de vloer had geraapt. 'Ik denk dat ik morgenochtend die boot maar eens moet bekijken,' antwoordde ik.

Ik werd vroeg wakker en keek vervolgens nog een paar uur naar de haven met mijn verrekijker. Van de benedenverdieping kwam de geur van eten. Tijdens zijn strooptocht van de vorige nacht had Lobo op de kade een krat vol vis in zout en ijs zien staan. Hij had een half dozijn flinke exemplaren in een oude krant gewikkeld en was nu bezig ze voor ons te bereiden.
Terwijl ik zat te staren naar de trawler die Lobo en Chris hadden aangeduid als het best uitziende vaartuig voor de overtocht, werd ik gek bij de gedachte aan eten.
Ik vond het niet echt een prettige gedachte om overdag een verkenningstocht te maken, maar iemand moest het doen en ik was de enige die iets afwist van zeewaardige schepen.
Even na tienen slopen Chris en ik weg uit het huis en door een veld vol rotsblokken tot we bij de weg kwamen die naar het dorp leidde. We waren ongewapend en als we tegen problemen aanliepen, moest ik erop vertrouwen dat Chris ons er uit zou kletsen.
De weg slingerde en was halfverhard. Het was de enige weg van en naar het dorp. We slenterden wat en deden alsof we hier thuishoorden. Een paar trucks kwamen voorbij, de ruitenwissers hevig zwiepend om de dikke mist tegen te gaan die vanaf de zee kwam.
Het dorp had maar één werkgever en dat was de trawlervloot. Door mijn verrekijker had ik ook bewijzen gezien voor een behoorlijke ondersteunende infrastructuur: werkplaatsen voor motoren en lieren; een scheepshelling om zware reparaties en onderhoud uit te voeren.
We liepen het dorp zelf in en wat door de verrekijker eruit had gezien als een tamelijk idyllisch plaatsje naar sovjetbegrippen werd nu in alle duidelijkheid zichtbaar.
De huizen waren vervallen en uitgewoond. De zilte lucht had alle verf weggebeten en de ijzeren daken laten verroesten. De gordijnen waren grauw van de dieseldampen. De geur van vis en olierook was overweldigend.
Misschien, dacht ik, was het toch niet zo'n goed idee geweest om in het volle daglicht hier naartoe te komen. Ineens realiseerde ik me dat vissersdorpen vaak heel hecht zijn. Mensen zoals Chris en ik vielen op.
'Laten we hier gauw wegwezen,' fluisterde ik tegen Chris.
'Hé,' zei hij. 'Ik ben hier alleen omdat jij er bent. Je zegt het maar.'
We kwamen bij de haven en gingen naar links. Door de mist kon ik een woud van masten zien die op en neer deinden op de golven. Op de kade was het druk: mensen die schepen in en uit laadden.
Het leek erop dat de hele vloot in de haven lag. Nergens was een aanlegplaats vrij.

Links van me ging een deur open en ik botste zowat tegen de man op die naar buiten kwam strompelen. De stank van de kroeg kwam op me af: een mengeling van verschraald zweet en tabaksrook. Binnen hoorde ik mannen lachen en stoelen schuiven alsof er mensen opstonden.
Chris leidde me bij de arm naar de waterkant. Daar lag een grote blauwe trawler aangemeerd, de witte bovenbouw doorspekt met oranje roestvlekken.
Ik bekeek het schip goed terwijl we er langs liepen, onze handen in onze zakken. Hij was ongeveer 35 meter lang. Op het dak van de stuurhut stonden antennes, een teken, zoals Lobo al had opgemerkt, dat het schip lange reizen kon maken.
Een man met een ijsmuts op stond het dek te schrobben. Een andere man leunde over de boeg en werkte afgebladderde verf los met een draadborstel.
Ik keek omhoog en zag twee silhouetten op de brug lopen. Toen kwam er een vrachtauto voorbij en toen ik weer keek, waren ze weg.
Er waren dus minstens vier bemanningsleden. Chris en ik liepen verder. Toen we aan het eind van de kade waren, vertelde ik hem wat ik dacht. Mijn grootste zorg was de brandstof. De bemanning konden we wel aan en het deed er niet zoveel toe of er vier of tien man aan boord waren. Wij waren bewapend en zij niet. Maar hoe kwamen we erachter hoeveel brandstof er aan boord was van dit schip of enig ander?
'Eenvoudig,' zei Chris. 'Wacht even. En niet met vreemde mannen praten.'
Voor ik hem kon tegenhouden, verdween hij in de mist.
Ik stond hem nog in stilte te vervloeken toen hij een paar minuten later terugkwam.
'Dit kan goed nieuws zijn of slecht, afhankelijk van hoe je het bekijkt,' zei hij. 'Ons schip staat op het punt te vertrekken.'
'Hoe weet je dat nou weer?' vroeg ik.
'Omdat ik met een bemanningslid heb gesproken. Die vent op de boeg. Maak je geen zorgen, Jackson, ik was voorzichtig.'
'Wat heb je gezegd?'
'Ik vroeg of er nog werk was aan boord.'
'En?'
'Die vent zei dat ik te laat was. Ze vertrekken morgenochtend vroeg.'
We zouden een andere boot moeten zoeken of eerder vertrekken dan ik had gedacht. Er werd voor ons besloten: nooit een goed uitgangspunt in de wereld van de bijzondere eenheden.
'Je had het ook over goed nieuws,' zei ik. 'Daar heb ik nog weinig van gemerkt.'

Chris keek me strak aan. 'Waar het om gaat is dat ze een tijdje weg zullen zijn, Jackson. Minstens een week. Wat zeg je daarvan?'
Ik kon een glimlach niet onderdrukken. 'Dat je goddomme terzake moet komen. Minstens een week. Weet je dat zeker?'
Chris knikte. 'Dat is wat hij zei.' Met brandstof voor een week zouden we een eind kunnen komen. We hoefden maar 180 zeemijlen af te leggen, oftewel 350 kilometer, naar Turkije.
Ik voelde de adrenaline door mijn aderen stromen. Kon het zo zijn dat we vanavond, na bijna zeven weken in de Sovjet-Unie, eindelijk naar huis gingen?
Chris en ik stonden samen naar de zee te kijken. Zeemeeuwen dobberden in de stroming voor ons.
'Weet je wat, Christian,' zei ik glimlachend, 'je bent een echte eikel.'
'Bedankt,' zei hij, 'waaraan heb ik dat verdiend?'
'Toen je toch bezig was, had je moeten vragen hoeveel man er aan boord waren.'
'Eigenlijk wilde ik het beste tot het laatst bewaren,' zei Chris. 'Mijn nieuwe vriend vertelde me dat als ik een baan zocht, ik met de schipper moest praten.'
Hij knikte in de richting van de kade. 'Die kroeg van daarnet? Daar geeft de kapitein vanavond een afscheidsfeestje.'
Ik schudde bewonderend met mijn hoofd.
'Vraag me alleen niet dat schip te besturen,' zei hij. 'Ik haat de zee. Dat laat ik aan jou over.'

We liepen terug naar het vervallen huis en riepen de anderen bijeen.
'Zo staan de zaken ervoor, jongens,' zei ik. 'Er ligt een boot in die haven die vanavond gaat vertrekken, waarschijnlijk voor zonsopgang. We weten dat er genoeg brandstof aan boord is voor een tocht van een week en dat er minstens vier man bemanning zijn. Ik sta open voor suggesties. We kunnen wachten of er een ander schip komt en ons beter voorbereiden en meer observeren. Of we kunnen het er op wagen en vanavond vertrekken.'
Het antwoord was een lange stilte.
Uiteindelijk schraapte Lobo zijn keel en voerde het woord. 'We hebben er al over gesproken. We willen geen van allen een seconde langer in deze puinzooi blijven.'
'Het kan nog wel dagen of weken duren voor we weer zo'n kans krijgen,' zei Andy. 'Ik vind dat we moeten gaan zolang we nog de kracht hebben om te vechten. Is de bemanning bewapend?'
Ik schudde het hoofd. 'Niet waarschijnlijk. Er is hooguit een sein-

pistool aan boord. Geweld moet echter onze laatste strohalm zijn.' Ik keek Chris aan. 'Hoeveel geld hebben we?'
'Bijna 60.000 mark,' zei Chris.
'Dan doen we het volgende,' zei ik. 'Zodra we aan boord zijn, isoleren we de bemanning en onderhandel ik met de kapitein. Bij de onderhandelingen zullen we ons laten bijstaan door de heren Colt en Walther, maar om de pil te verzachten kunnen we hem en de bemanning 30.000 mark aanbieden als we het halen.'
'Da's een hoop geld,' zei Lobo.
Ik glimlachte. 'Het zal me een genoegen zijn de Ouwe daarover in te lichten.'
'Wat doen we zodra we aan boord zijn?' vroeg Tony.
Ik gebaarde naar Chris om hem bij te praten.
'De schipper geeft vanavond een afscheidsfeestje in de kroeg voor ze vertrekken,' zei hij. 'Afgaand op de drankgewoonten van de Russen, kan het wel even gaan duren. Zodra het donker is, ga ik naar de kade en hou de boot in de gaten. Misschien houden ze wat bemanning aan boord, maar ik betwijfel het. Ik hoop dat ik, door de boot te observeren en te zien wie er vertrekt en terugkomt, precies weet met hoeveel man we te maken hebben zodra we aan boord gaan.'
'En als praten niet werkt?' vroeg Lobo.
'Dan weet ik genoeg van boten om ons in Turkije te krijgen,' zei ik.
We bleven over het plan discussiëren, maar er viel niet zoveel meer te bepraten.
De rest van de groep zou zich, zodra het volledig donker was, even na negenen, bij Chris op de kade voegen. Chris en ik hadden een doodlopend steegje ontdekt een eindje voorbij het café, waar we veilig konden wachten en toekijken. Chris zou op het gehoor surveilleren en over de kade lopen, al kijkend en luisterend, tot het tijd was.
Het zou een lange nacht worden, dus ik zei tegen de mannen dat ze moesten rusten.

29

Ik lag helemaal achter in het steegje tegen een muur te luisteren naar de geluiden van het vissersdorpje dat zich opmaakte voor de nacht.
Een licht zeebriesje woei door de tuigage van de schepen in de haven en mistflarden dreven langs de ingang van het steegje. Als ik heel goed luisterde, kon ik de golven tegen de havenmuren horen slaan.
Ik keek op mijn horloge. Om me heen zaten de anderen verstopt tussen de rommel in het steegje: kapotte kratten, een afgedankte lier van een schip en drie grote vaten vol met afval. Er hing een doordringende urinelucht.
Ik had mijn Beretta bij me en streek af en toe met mijn hand over het koude metaal als geruststelling.
Het was halftwaalf. In het afgelopen kwartier had het café een eindeloze stroom mannen uitgespuugd op de kade, die zwaar in de wodkaolie waren. We keken toe hoe ze voorbij de toegang tot het steegje strompelden, hielden onze adem in als ze langer dan een paar seconden bleven staan en ontspanden ons pas weer als ze verder liepen en de rust terugkeerde.
Er waren nu nog maar een paar drinkers over. Het geroezemoes dat weerklonk als de deur openging, werd telkens minder.
Chris hield de zaak in de gaten vanaf een plekje verderop langs de kade. Als de tijd rijp was, zou hij ons waarschuwen.
Ik voelde de zenuwen door me heen gieren toen ik me realiseerde dat hét moment was aangebroken: voor de nacht voorbij was, zouden onze handelingen ergens toe geleid hebben, ten goede of ten kwade.

Rond kwart voor een verscheen er een figuur bij de ingang van de steeg. Het was Chris. Hij floot zachtjes en wenkte ons om te komen. Ik sprong op en rende naar hem toe.
'Het is zover,' zei hij. 'Het café is veertig minuten geleden dichtgegaan en ze zijn allemaal terug op het schip. Ik heb er vijf geteld. Dat wil niet zeggen dat er niet meer zijn, maar degenen die in het café waren, hebben daar zeker twee uur zitten drinken.'
'Hoe zijn ze er aan toe?' vroeg ik.
'Zijn ze dronken, bedoel je?' Chris schudde het hoofd. 'Moeilijk te zeggen. Ik ben een paar keer langs de kroeg gelopen, maar de ramen waren beslagen. Ik kon geen pest zien daarbinnen en ik wilde niet te lang rondhangen. Afgaand op het geluid, zou het me hogelijk verbazen als ze daar met z'n allen melk hebben zitten drinken.'
'Hoe staat het op het schip?' vroeg Andy.
'Stil,' zei Chris. 'De meeste lichten benedendeks zijn uit. Ik denk dat als we nog vijftien, twintig minuten wachten, ze allemaal wel zullen slapen.'
Het wachten duurde eindeloos. Iedereen bleef in de schaduwen achter in het steegje, behalve Chris, Andy en ik. We gluurden om de hoek om te zien of we iets zagen bewegen.
'Denk je dat we weg kunnen als deze mist niet optrekt?' vroeg Andy.
Ik knikte. 'Als we het rustig aan doen, moet het geen punt zijn.' Als de mist bleef hangen, wist ik dat het gevaarlijk zou zijn om de haven te verlaten. Maar ik was de aanwezigheid van de sovjetvloot in de Zwarte Zee niet vergeten. Mist kon ook ten dele in ons voordeel werken.
Ik keek opnieuw op mijn horloge. Twintig minuten waren verstreken, we moesten vertrekken.
Ik riep Angel en Carl uit de schaduwen. Zij hadden de twee M16's en zouden dus de aanval leiden. De anderen kwamen om hen staan.
'Goed,' fluisterde ik, 'iedereen weet wat hij moet doen. Angel, jij blijft op de brug. Als er iemand zonder toestemming binnen probeert te komen, weet je wat je moet doen.'
Angel knikte en maakte voor de verandering geen grappige opmerkingen.
'Carl,' ging ik verder, 'jij blijft op het dek. Ook voor jou geldt: als iemand van boord probeert te gaan, moet je ze hoe dan ook tegenhouden. De rest gaat benedendeks om de bemanning bijeen te drijven. Laat de kapitein maar aan mij over. Laten we dit snel en rustig afhandelen. We willen allemaal naar huis.'
Ik keek nog een keer naar de kade. De kust was veilig, dus ik glipte het

steegje uit en sloop met Chris naar de boot. We slopen van krat naar krat, met onze wapens getrokken, tot we bij de loopplank waren.
Ik speurde het dek af naar mensen. Achter de ramen van het stuurhuis scheen licht, maar verder was het precies zoals Chris had gezegd: donker en akelig stil.
Ik liep de loopplank op en hoopte ondertussen dat deze niet zou gaan kraken als ik erop zou staan. Dat gebeurde niet. Ik wachtte tot Angel, Chris en Andy aan boord waren en gebaarde toen dat ze me moesten volgen naar het stuurhuis. Toen ik het voordek op stapte, voelde ik de vibraties van de ketels van het schip. Aan de andere kant van het dek zat de ladder naar de brug.
Ik klom de sporten op en keek voorzichtig door het raam. De brug zag er ongeveer zo uit als ik had verwacht: voor het stuurwiel zat een paneel met wat simpele instrumenten, erachter stond een metalen tafel voor de scheepskaarten. Het licht was afkomstig van achter een deur die naar het binnenste van het schip leidde. De deur bewoog zachtjes heen en weer op de deining van het schip.
Ik sloeg mijn vingers om het handvat en duwde dit voorzichtig omlaag. Ik werd begroet door een muffe, warme lucht, vermengd met de schrale geur van een bedompte ruimte waarin mannen verbleven. Ik sloot de deur en ging de ladder af. Ik verzamelde de mannen om me heen. Iedereen was er, behalve Carl, die de achterkant van het schip bewaakte met zijn M16. Ik hurkte en de anderen volgden mijn voorbeeld.
Ik had drie ingangen ontdekt: de deur op de brug en twee andere, aan bak- en stuurboord, een eindje verderop.
'Lobo, Tony,' fluisterde ik, terwijl ik naar de deur aan bakboord wees. 'Angel, Chris en ik gaan via de brug naar binnen en van daaruit omlaag. Als die deuren op slot zitten, ga dan ook naar de brug. Benedendeks brandt een licht, waarschijnlijk in de gang die van de brug naar de hutten leidt. Niemand verroert een vin tot we in positie zijn.'
Ik stond op en beklom opnieuw de ladder. Bovenaan opende ik de deur en ging ik de brug op. Angel en Chris volgden me op de voet.
Ik gebaarde naar Angel dat hij op de brug moest blijven en naar Chris dat hij met me mee moest gaan. Ik duwde voorzichtig de deur open en richtte Suzi in de gang die naar de achtersteven leidde.
Halverwege de gang hing een enkel peertje in een fitting.
Aan weerszijden van de gang zaten elk twee deuren, vier in totaal. De gang kwam uit op wat een woonruimte annex kombuis leek te zijn. Ik kon de rand zien van een tafel en wat stoelen. Achter de tafel stond een smerig fornuis en wat pannen.

Andy, Mike, Lobo en Tony waren al binnen. Ik keek Tony aan en wees naar de kombuis. Hij knikte en gebaarde dat Mike de wacht moest houden in de gang.
Tony liep naar voren en ging de kombuis in. Hij verdween even uit zicht en kwam toen weer tevoorschijn. Hij maakte een gebaar dat alles oké was.
Ik legde mijn oor tegen de eerst deur links, maar hoorde niets en ging verder. Chris tikte me op mijn schouder. Hij wees naar een handgeschreven bordje op de tweede deur aan zijn kant van de gang. Ik keek op en zag dat hij het woord 'kapitein' zei zonder te praten. Ik knikte terug en gaf aan dat we van plaats moesten verwisselen.
Ik keek de gang in. Het plaatje was compleet. Iedereen was in positie. Ik zou de hut van de kapitein in gaan, Lobo, Andy en Chris stonden bij de andere deuren, klaar om in actie te komen zodra ik dat deed. Mike zou de vluchtenden opvangen en Tony stond in de kombuis achter me.
Ik pakte de klink van de hut van de kapitein en duwde deze omlaag. De deur stond op een kiertje, waardoor een streep licht uit de gang op de slapende figuur in de kooi viel. Het licht viel op zijn gezicht en hij gromde. Ik stapte de hut binnen, terwijl ik ondertussen gestommel uit de andere hutten hoorde waar de andere bemanningsleden werden gewekt. De kapitein sliep verder. Zijn enorme lichaam vulde vrijwel de hele kooi. Ik leunde voorover, legde mijn linkerhand over zijn mond en wekte hem door drie keer met de loop van mijn Beretta tegen zijn slaap te tikken.
'Wakker worden, vriend,' zei ik in het Duits.
De kapitein rolde op zijn linkerzij en opende een oog. Even staarde hij me aan, te bang om te bewegen. Toen tikte ik opnieuw tegen zijn hoofd en toonde hem het pistool.
Daarna maakte ik een plotselinge beweging met het pistool, deed een stap achteruit en gebaarde dat hij moest opstaan. Ik ging de gang weer in.
De kapitein gooide de deken van zich af. Hij was helemaal aangekleed. Toen hij opstond, was ik blij dat ik mijn pistool had, want hij stak zeker een kop boven me uit.
Ik hield het pistool op hem gericht en keek even de gang in. Mike liep door de gang en controleerde alle hutten.
'Alles goed?' vroeg ik hem.
Mike, die nooit veel zei, stak zijn duim op.
'Zeg Chris dat ik hem nodig heb en neem dan zijn plaats in,' zei ik. Even later kwam Chris tevoorschijn.

'Gaat het?' vroeg ik. Ik bleef de kapitein in de gaten houden, die tegen het licht met zijn ogen stond te knipperen. Ik wilde met hem gaan onderhandelen nu hij nog in shock was.
'Met mij gaat het goed,' zei Chris op een toon die me zei dat hij er stiekem van genoot.
'Ik wil op de brug met de kapitein spreken. Zeg hem wat er met hem en zijn bemanning gaat gebeuren als hij lastig doet.'
Chris sprak zachtjes. Ik zag de ogen van de man groter worden toen tot hem doordrong wat er allemaal gebeurde. Om de woorden kracht bij te zetten, wuifde ik met Suzi onder zijn neus.
'Ik zie je op de brug,' zei ik tegen Chris.
De kapitein liep langs me heen en de gang door.
Terwijl ik achter hem liep, mijn pistool in zijn nek houdend, keek ik steels in de andere hutten. Andy, Lobo en Mike hadden alles geregeld. Het schip was van ons.

Angel hield zijn M16 strak op de kapitein gericht terwijl Chris en ik aan het werk gingen.
Als de schipper al verbaasd was over de aanwezigheid van acht Duitsers, dan liet hij dat niet merken. Shock had plaatsgemaakt voor angst toen de wodkanevel was opgetrokken. Ik ging op de rand van de kaartentafel zitten. De kapitein stond tegenover me, met zijn rug naar het raam. Ik kon zien dat de mist een beetje was opgetrokken.
Achter me was alles rustig. We hadden de vier andere bemanningsleden naar de kombuis gebracht, waar Mike en Tony ze in de gaten hielden. Andy zocht ondertussen de rest van de boot af om zeker te zijn dat we iedereen hadden. Lobo stond op de brug de radioapparatuur te bekijken. Ik had het brandstofniveau al gecontroleerd en had ontdekt dat we nokvol diesel zaten. Carl bleef ondertussen op het dek om ervoor te zorgen dat we geen onverwachts bezoek kregen voor we vertrokken.
Ik keek de kapitein strak aan en sprak met hem via Chris.
'We zijn geen gangsters,' zei ik en ik wachtte tot Chris het vertaald had voor ik verder ging. 'We zijn weliswaar gewapend, maar we zijn er niet op uit om u of uw schip schade toe te brengen. Als u doet wat we willen, zult u ongedeerd blijven en veilig terugkeren bij uw gezin. Begrijpt u dit?'
Toen Chris klaar was, knikte de kapitein.
'Mooi,' zei ik. 'Is uw hele bemanning aanwezig?'
De kapitein aarzelde even, maar lang genoeg om mij te laten beseffen dat er iets niet klopte.

'Denk voor u antwoord geeft aan wat ik zojuist heb gezegd,' zei ik kalmpjes.
De kapitein keek naar Angel, die daar onbewogen stond, en daarna naar Chris. Ten slotte keek hij mij aan en antwoordde.
Njet, begreep ik, en Chris vulde de rest aan.
'Er is nog een zesde bemanningslid dat niet terug is.'
'Waar is hij?' vroeg ik.
De kapitein haalde zijn schouders op.
'Hij is net getrouwd. De rest mag je zelf bedenken.'
Ik keek op mijn horloge en voelde even paniek opkomen. 'Hoe laat wilt u vertrekken?'
De kapitein antwoordde fluisterend.
'Om halfvijf,' zei Chris. Hij keek op zijn horloge. 'Over ongeveer drie uur dus.'
'Lobo,' zei ik, terwijl ik de kapitein in de gaten hield, 'ga de situatie uitleggen aan Carl. Zeg hem dat we misschien nog gezelschap krijgen. Ga hem helpen voor het geval die vent komt opdagen. Werkt die radio?'
Lobo gromde. 'Typische Russische rotzooi met stoomaandrijving, maar hij doet het wel.' Hij gleed de ladder af en ging naar Carl.
Ik vroeg Chris of hij de kapitein kon vragen wanneer hij op zijn vroegst kon vertrekken en kreeg het antwoord dat ik wilde: behalve het ontbrekende bemanningslid was het schip klaar om uit te varen. Toen zei de kapitein nog wat.
'Hij wil weten waar we heen gaan,' zei Chris.
Ik dacht even na over het antwoord. 'Zeg hem dat we naar het westen willen,' zei ik, 'en laat het daarbij.'
De kapitein snoof minachtend als antwoord. Ineens bedacht ik dat we iets waren vergeten.
'Zeg hem dat we willen betalen,' zei ik tegen Chris.
De kapitein luisterde terwijl Chris ons aanbod deed: 30.000 Duitse marken voor hem en zijn bemanning, ongeveer 10.000 roebel. Even zweeg de kapitein, waarna hij mij aankeek en bedragen begon te noemen, zoveel begreep ik wel.
Chris lachte en schudde het hoofd. 'De klootzak probeert waarachtig een deal te sluiten,' zei hij tegen mij. 'Hij wil 40.000 hebben.'
Chris spande zijn PPK en richtte deze op het hoofd van de kapitein. 'Ik weet dat ik hiermee buiten mijn boekje ga,' zei hij tegen mij, 'maar ik vind dat we hier nu meteen een eind aan moeten maken.'
'Zeg hem dat de prijs zojuist gezakt is,' zei ik. 'Het is nu nog 25.000 mark en als hij of zijn bemanning rare streken uithaalt, is de deal van

de baan en vallen we terug op meer traditionele overredingsmethoden.'
De kapitein was zichtbaar bleker geworden door de aanblik van de Walther van Chris. Ik wist dat we hem en zijn collega's de hele reis in de gaten moesten houden, maar in elk geval reageerde hij op de aanblik van hard staal.
Onder de tafel lagen wat kaarten die ik tevoorschijn haalde, openvouwde en even bestudeerde. Ze waren grof, maar bruikbaar. We waren klaar.

Veertig minuten nadat we de trawler hadden overgenomen, gaf ik via de kapitein het bevel om af te varen.
Voor alle zekerheid deden we dit zelf. Ik wilde niet het risico nemen om de bemanning op dek te laten komen zolang we nog in de haven lagen. We namen toch al een risico doordat we niet op het ontbrekende bemanningslid wachtten, aangezien hij geheid zijn beklag zou doen bij iemand wanneer hij merkte dat zijn schip zonder hem was vertrokken. Maar blijven was nog gevaarlijker. Ik wist wel iets van de sovjetambtenarij en had het volste vertrouwen dat we de Turkse wateren zouden bereiken voor men alarm had geslagen en ze naar ons op zoek gingen.
Toen de trawler wegdreef van haar aanlegplaats, liet Angel de kapitein duidelijk merken dat hij de loop van een M16 stevig tussen zijn schouderbladen had gericht. Ik zette Tony en Mike op de boeg op de uitkijk en instrueerde ze te schreeuwen als we in de buurt kwamen van de havenmuur. Als we eenmaal de haven uit waren, lag er niets meer tussen ons en de Turkse vloot dan wat flarden zeemist en de sovjetmarine.
Ik hield een halfuur lang het kompas in de gaten, lang genoeg om te weten dat we niet langer het gevaar liepen tegen een rots te lopen. Daarna zette ik een koers uit naar het dichtstbijzijnde punt in Turkije, een uitstulping op de kustlijn ten noorden van Ankara, en gaf deze aan de kapitein.
De kapitein keek even naar de koers en zei toen wat tegen Chris.
'Wat zei hij?' vroeg ik.
'Dat we recht tegen slecht weer aanlopen als we deze koers aanhouden.'
'Geloof jij hem?' vroeg ik.
'Geen idee,' zei Chris. 'Jij wel?'
Ik ging weer aan de tafel zitten en keek nog eens goed naar de kaart. Had hij er iets bij te winnen door ons voor te liegen? We hadden de

haven verlaten in een mist die landinwaarts werd geblazen door wind die nauwelijks krachtiger was dan een briesje.
Aan de andere kant kon ik me voorstellen dat het weer boven de Zwarte Zee anders was. Maar hoe slecht het ook was, ik kon me niet voorstellen dat het meer dan een klein obstakel zou vormen voor een grote, zeewaardige trawler.
'Bedank hem voor zijn advies,' zei ik, 'maar we nemen de directe route en het weer kan barsten.'

30

Toen het licht werd, zag ik dat ik de juiste beslissing had genomen. Het weer was vrijwel perfect. Toen de mist was opgetrokken en er alleen nog een heldere lucht en een bleek zonnetje zichtbaar waren, tuurde ik met mijn verrekijker de horizon af, maar ik zag niets. Geen land en geen schepen.

Heel langzaam voelde ik het vertrouwen terugkomen. Ons plan was gelukt, we hadden een schip met voldoende brandstof om bij een NAVO-land te komen en we waren omringd door verkwikkende zeelucht. Uit de kombuis kwamen de geuren van een warm ontbijt.

Zodra we hadden gegeten, stuurde ik de kapitein benedendeks en vroeg Lobo om de radio te bemannen. Hij keek naar zijn codes, zette de koptelefoon op en dook in het hoekje waar hij aan de knoppen draaide. Hij sprak zo zachtjes dat ik hem nauwelijks kon verstaan.

We hadden contact met de Duitse ambassade in Ankara.

Ik keek op mijn horloge in de wetenschap dat dit het gevaarlijkste deel van de operatie was. Iedereen die onze berichten opving, wist waar we waren. Maar we moesten iemand laten weten dat we eraan kwamen, want anders zouden we door onze eigen kant uit het water worden geschoten.

Lobo sprak in een oude handmicrofoon. 'Hier heb je een telefoonnummer. Bel dat en zeg tegen degene die opneemt dat de "verloren jongens" terug zijn. Roep me dan op deze frequentie op en vertel me wat ze zeiden.'

Hij wachtte even en zei toen: 'Pardon?'
Hij vroeg nog tweemaal of ze hun boodschap wilden herhalen, waarna hij de koptelefoon afdeed en achterover leunde. Een lok sluik haar hing over zijn gezicht. Hij zag er doodvermoeid uit.
'Wat zeiden ze?' vroeg ik.
Lobo wreef in zijn ogen. 'Het signaal was heel zwak. Er was veel ruis.'
'Denk je dat ze de Ouwe zullen bellen?'
'Dat we hun frequentie hadden, trok wel de aandacht,' zei Lobo. 'Het probleem is alleen dat ik ze nauwelijks kon verstaan. Het stoort verschrikkelijk.'
Een uur later begreep ik waarom. Wat ik had aangezien voor een nevel boven de horizon, bleek een stormfront te zijn. De kapitein had de waarheid gesproken. De storm lag direct tussen ons en de Turkse kust en kwam uit het zuidwesten.
Ik maakte snel een rekensommetje. We waren flink gevorderd in de vijf uur sinds ons vertrek en we waren ruim op de helft. Maar de storm betekende slecht nieuws. We zouden tegen de wind in moeten varen en hem uit moeten zitten, en het was onmogelijk om te zeggen hoelang dat zou duren.
Een kwartier later gaf Lobo het op. De radio had volgens hem niet genoeg vermogen om boven de storm uit te komen. We konden alleen maar wachten tot hij voorbij was.
Ik riep de kapitein op de brug en zei hem dat het schip weer van hem was. Ik was moe maar te opgewonden om te slapen. Een uur geleden had alles er nog zo goed uitgezien. Nu, terwijl ik naar de kombuis ging voor een kop zoete, hete thee om me alert te houden, besefte ik dat de storm alles kon verpesten. We konden de radio niet gebruiken en nu dreigden we ook niet sneller dan een paar knopen per uur te kunnen varen. Wat bij vertrek een tocht van tien, twaalf uur had geleken, zag er nu uit als ruim het dubbele.
Ik kwam Andy tegen die een van de bemanningsleden bedreigde met een pistool omdat hij zijn kooi wilde verlaten om naar de plee te gaan, voor de tweede keer in een uur. De knul, die nauwelijks ouder leek dan zeventien, zag er beroerd uit, waarschijnlijk het gevolg van de drank, in combinatie met de angst en onzekerheid over zijn situatie.
Angel was op de brug, Lobo zat bij de radio en Mike was in de machinekamer waar hij de machinist in de gaten hield. De bemanning kon niets doen, behalve overboord springen en in het naderende onweer zouden ze niet ver komen. Ik zei tegen Andy dat hij de jongen moest laten gaan.
Iedereen kreeg het op zijn heupen, leek het.

Ik ging aan dek en keek naar de naderende storm. Het was één grote zwarte donderwolk, zo breed als de horizon. De koppen hingen recht boven ons.
De wind was bijna gaan liggen. Ik tuurde de horizon af maar er was geen schip te zien. Kleinere boten zouden al lang geleden naar de haven zijn teruggekeerd.
Toen ik weer naar binnen ging en de deur achter me vergrendelde ging het regenen.
Direct daarna stak de wind op en begon de trawler te deinen en stampen op de golven. Toen brak de storm in alle hevigheid los.
Golven zo hoog als flatgebouwen denderden op ons neer. De kapitein had moeite om het schip recht op de golven te houden. Het leek alsof de trawler dwars op de golven wilde varen. Ik wist dat als dat gebeurde, we meteen zouden omslaan.
Ik schreeuwde naar Angel en met z'n drieën wisten we de trawler op koers te houden. Maar het was indrukwekkend werk en onze vorderingen werden erdoor geteisterd. Soms leek het alsof we helemaal niet vooruit gingen.

Aan het eind van de middag was de storm gaan liggen, maar was de zee nog altijd onrustig. Ik schatte dat we niet meer dan een paar kilometer hadden afgelegd, wat betekende dat we nog altijd een paar honderd kilometer te gaan hadden.
We begonnen aan onze tweede nacht op zee, iets waar we niet op hadden gerekend. De naweeën van de storm vergrootten 's nachts het gevaar op botsingen aangezien de radar niet werkte, zo informeerde de kapitein ons. Het was een ongemakkelijke wapenstilstand, waarbij kapers en bemanning samen uitkeken naar gevaar.
Even voor zonsopgang ging de storm eindelijk liggen en toen het licht werd, was alles weer rustig. Ik had mezelf wakker gehouden met sterke thee en een pakje sigaretten van de kapitein.
Nu de storm achter ons lag, begon Lobo weer aan de radio te draaien. Ik schatte dat we niet meer dan 75 kilometer van de Turkse kust zaten. Als het weer goed bleef, zouden we over nog geen twee uur de Turkse territoriale wateren binnenvaren. We moesten snel contact zien te leggen.
De radio kwam krakend tot leven. '*Verlorene Kinder, verlorene Kinder...*'
'*Lost boys, lost boys. Come in please...*'
Lobo zette een schakelaar om en drukte de koptelefoon tegen zijn oren. Hij vroeg me om onze positie en ik gaf hem die. Vervolgens zei

hij iets in de microfoon en schreef het op. Ten slotte zette hij de koptelefoon af en gaf me het stukje papier.
'Ze willen dat we van koers veranderen. We moeten deze peiling aanhouden en uitkijken naar een schip dat in een omtrekkende beweging naar ons vaart. Dan zullen ze contact opnemen.'
'Ze?' vroeg ik. 'Wie zijn ze?'
'Een Turks schip,' zei Lobo, 'verder weet ik het ook niet.'
Ik deed een raampje open en keek hoopvol naar buiten of ik de kust zag, maar er hing te veel nevel om ver te kunnen kijken. Rustig aan, Jackson, zei ik tot mezelf. We zijn er nog niet.
Ik draaide me om en zag dat de kapitein door zijn verrekijker tuurde. Aan bakboord hing een grote mistbank en ik kon zien dat er iets bewoog. Wat het ook was, het had zijn aandacht getrokken. Ik hoorde hem zachtjes vloeken.
Ik keek door mijn verrekijker en zag het silhouet van een schip. Een Russisch oorlogsschip.
Hoewel het twee of drie kilometer van ons af lag, leek het door de verrekijker enorm.
'Jezus christus,' zei ik, toen de situatie tot me doordrong, 'de sovjetmarine ligt aan bakboord. Chris, kom hierheen. Angel, ga naar beneden en informeer de anderen. Verlies die klerebemanning geen moment uit het oog. Als een van hen ook maar iets fout doet, schiet je hem neer, zonder pardon. Begrepen?'
Chris wist veel meer van de uitrusting van het sovjetleger dan ik. Hij nam de verrekijker van me over. Het oorlogsschip verdween in en uit de mist. Door de schuine, strakke lijnen leek het wel een wolf op strooftocht.
'Een fregat van de Krivakklasse,' zei Chris en bleef kijken. 'Ik zie een paar kanonnen, 76 millimeter zo te zien, torpedolanceerbuizen en iets wat eruitziet als antischeepsraketten.' Hij liet de verrekijker zakken en keek me aan. 'Die kunnen we nooit voor blijven, Jackson. Hij heeft een topsnelheid van meer dan dertig knopen.'
'Denk je dat ze ons gezien hebben?'
'Lastig te zeggen, maar tenzij hun radar ook niet werkt, vermoed ik van wel.'
'Dan hebben we niet veel tijd,' zei ik. 'Haal de bemanning aan dek en laat ze de netten overboord gooien, maar pas als ik het zeg. En zeg tegen de kapitein dat hij moet doen wat hij normaal ook doet als hij op visvangst is.'
Chris staarde me een seconde langer aan dan normaal was.
'Dit is nog altijd een vissersboot, weet je nog?' zei ik tegen hem.
Ineens drong het tot Chris door. Hij sprak met de kapitein en daarna

liep hij via de gang naar de kombuis, waar ik hem tegen de bemanning hoorde praten.
Ik stond nog altijd naar de Krivak te kijken toen hij terugkwam.
'Weet iedereen wat hij moet doen?' vroeg ik.
'Drie bemanningsleden staan aan dek. Andy en Tony houden ze in de gaten. Als iemand het fregat probeert te waarschuwen, krijgt die de kogel. Dat weten ze.'
'Oké,' zei ik, 'jij en Lobo blijven hier om de kapitein in de gaten te houden. Ik ga aan dek.'
Ik gleed de ladder af en toen ik op het achtersteven kwam, stonden Andy, Tony en drie angstig kijkende bemanningsleden achter het stuurhuis op me te wachten.
Ik gebaarde naar de bemanning wat ik van ze wilde.
'Wacht,' zei ik en ik stak mijn hand op.
Ik keek nog een keer naar de Krivak. De trawler deinde op de golven en ik kon het schip duidelijk zien. Het hield een parallelle koers aan en lag nog altijd op twee, drie kilometer. De trawler dook omlaag in de golven en ik verloor het schip uit het oog. Toen we weer omhoog kwamen, was het in een mistbank verdwenen.
Ik draaide me om en zei tegen de vissers dat ze hun netten over de stuurboordkant moesten gooien, de kant die de Krivak niet kon zien. Om te benadrukken dat er haast bij geboden was, zwaaide ik met Suzi. In nog geen dertig seconden hing het sleepnet overboord.
'Hou ze in de gaten,' zei ik tegen Andy en Tony voor ik terugging naar de brug.
Toen ik daar aankwam, had de Krivak net een draai gemaakt in onze richting. Ik keek even door mijn verrekijker en ving een glimp op van de torpedobuizen.
Mijn mond was droog. 'Zij komt eraan,' wist ik uit te brengen.
Na zes minuten was de Krivak zo dichtbij dat ik geen verrekijker meer nodig had om haar te kunnen zien. Ik kon torpedo's zien, twee grote kanonnen op de achterplecht, meerdere radarschotels en zag de bemanning heen en weer lopen. Hij kwam van achteren op ons af, haalde ons met hoge snelheid in en draaide toen zonder waarschuwing ongeveer een kilometer verder plotseling naar stuurboord.
'Hij komt terug langs de andere kant,' zei Chris.
De Krivak stormde op ons af en wijzigde haar koers zodat zij ons aan stuurboord kon passeren.
Ik voelde me als een prooi die bekeken wordt door een roofdier, niet in staat me te bewegen. Zou het zo eindigen? Zouden sovjetmariniers aan boord komen, zowat in het zicht van de Turkse kust?

'Christus,' zei Chris binnensmonds, 'we moeten iets doen.'
Maar wat konden we doen tegen zo'n overmacht?
Ineens drong het tot me door. Iets doen. Hij had volkomen gelijk. We moesten iets doen.
Ik rende naar de deur, gooide hem open en zwaaide.
Honderd meter verderop zagen een paar matrozen op het voordek me staan. Even gebeurde er niets en toen zwaaiden ze terug. Ik zwaaide opnieuw.
De Krivak gleed voorbij.
Ik gleed de ladder af en liep naar de achterkant van de boot. Het kielzog van de Krivak schuimde en hij stoomde door.
Ik bleef kijken tot het oorlogsschip verdween in een mistbank. Ik hield mijn adem in. Een minuut verstreek en nog een minuut. Ik wachtte alles bij elkaar vijf minuten – elke minuut leek eindeloos te duren – tot ik met zekerheid durfde te zeggen dat hij niet terugkwam.
Ik zei tegen Chris dat de netten in gebruik moesten blijven en ging toen terug naar de brug.

Anderhalf uur na onze ontmoeting met de Krivak, maakte Lobo contact met de Turkse trawler. Hij wendde zich tot de kapitein en zei hem dat hij vaart moest minderen.
'Ze hebben ons op de radar,' zei Lobo. 'We kunnen beter aan dek gaan en kijken, Jackson. In deze mist zit hij boven op ons voor we het in de gaten hebben.'
Het was een zenuwslopende toestand. We voeren dwars door mistflarden, in de wetenschap dat er een schip recht op ons afvoer dat minstens zo groot was als het onze. Een kwartier lang gebeurde er niets, toen begon Angel te schreeuwen. In de mist doemden ineens twee lichtjes op, een groen en een rood.
Vlak daarna werden de omtrekken van een schip zichtbaar. Het was groter dan ik had verwacht en dichtbij, zo'n vijfhonderd meter van ons verwijderd.
Ik voelde dat onze motoren langzamer gingen. Dit konden nog best Russen zijn die zich voordeden als Turken. Ik ging niet op het eerste gezicht af. Voor alle zekerheid stak ik mijn rechterhand onder mijn jasje en liet deze op Suzi rusten.
Het vaartuig gaf een signaal met een lamp. In mijn halfwakkere toestand had ik moeite de morsecode te ontcijferen. Ik moest elke letter hardop uitspreken.
'Verloren jongens,' zei ik. Ons herkenningsteken.
'Chris,' zei ik, met mijn ogen op het schip gericht, 'stuur de beman-

ning naar beneden. Sluit ze op in hun hut. Iedereen, behalve de kapitein. Zodra we langszij varen, wil ik met hem praten.'
Het dek begon te trillen doordat de schipper de propellers in hun achteruit zette. Een minuut later lagen we stil in het water. Het andere schip kwam langzaam dichterbij. Vergeleken met onze roestige bak was dit schip gestroomlijnd en modern. Op het dek stonden lieren en lagen netten, maar ik vroeg me af of die ooit een vis hadden gezien. Het zag eruit als een informatievergaringsschip, de klassieke spionagetrawler.
Op het dek liepen mannen heen en weer terwijl het schip langszij draaide. Ik verstevigde mijn greep op Suzi nog wat.
Even voelde ik een schok toen de twee schepen tegen elkaar kwamen. Angel en Andy hielden de boel in de gaten terwijl Mike en Tony de touwen vastmaakten.
Ik hield een nauwlettend oogje op het andere schip en klom de ladder op naar de brug. De kapitein hing over het stuurwiel en nam zenuwachtig trekjes van een sigaret. Van zijn kalme houding van gisteren was niets over. Lobo was met de radio bezig.
Door de deur die naar het inwendige van het schip leidde, zag ik dat Chris op ons af kwam. Carl stond achter hem en hield de deuren naar de hutten in de gaten.
'Wat doen we met hen?' vroeg Chris toen hij aan dek stapte.
'Heb je een voorstel?' vroeg ik.
'Denk je dat ze zullen zwijgen?' vroeg Chris.
'Maakt het iets uit?' vroeg ik hem. Over een paar minuten zouden we in de Turkse territoriale wateren zijn.
Chris trok een gezicht. 'Nee, dat denk ik niet.'
Achter me weerklonk lawaai. Ik draaide me om en zag dat Lobo iets vertrapte met zijn hak.
'Radiobuizen,' zei hij. 'Nu kunnen ze niemand meer bereiken.'
Toen ik naar de schipper keek, kon ik de opluchting op zijn gezicht zien. Hij moet gedacht hebben dat we hen allemaal zouden neerschieten.
Ik maakte mijn riem los en gooide hem op tafel, waar hij met veel kabaal neerviel.
'Zeg onze vriend dat dit het geld is volgens afspraak,' zei ik tegen Chris. 'Zeg ook dat ik er nog vijfduizend dollar bij doe voor de radio.'
Chris sprak in het Russisch met de schipper, die me daarop aankeek.
'Dank u,' zei ik en ik keek terug. 'Ik hoop dat dit geld voldoende is om de puinzooi te vergoeden waar jullie bij terugkomst in terecht zullen komen.'
Terwijl Chris vertaalde, ritste de kapitein de geldriem open en staarde naar de munten die we voor hem achterlieten.

Hij stak zijn hand uit en ik deed hetzelfde.
Even later maakte ik de touwen los die de twee schepen met elkaar verbonden en sprong over de dolboord op het dek van het Turkse schip. Ik ging bij de anderen staan en keek toe hoe de roestbak in de mist verdween. De Turkse kapitein gooide de kleppen helemaal open en we schoten naar voren, met volle kracht richting de Turkse kust.

Benedendeks werden we naar de kombuis gebracht waar we aan een lange tafel moesten zitten. De kok bracht ons wat brood en kaas. We aten in stilte en trokken ons niets aan van de blikken van de bemanning die zich bij de deur had verzameld.
In de schone, moderne omgeving van het Turkse schip begon ik me langzaam bewust te worden van ons uiterlijk. Een aantal van ons had zich in weken niet geschoren en we stonken allemaal. Onze kleren zagen eruit alsof ze van de vuilnisbelt kwamen.
Plotseling werd ik overmand door vermoeidheid.
Ik ging achterover zitten, te moe om iets anders te doen dan te kauwen en afwezig naar mijn collega's te kijken.
Ik dacht terug aan de dag dat we uit het vliegtuig waren gesprongen. Allerlei beelden kwamen bij me op. De pijpleiding. Het vliegveld. Het moment dat Lobo ons vertelde dat het vliegtuig ons niet kwam halen. Ik zag de eindeloze graanvelden waar we doorheen waren gelopen en de brede stukken van de Dnjepr. Ik herinnerde me de honger die we hadden geleden en de vrijgevigheid van de boeren die ons hadden verwelkomd, te eten hadden gegeven en onderdak hadden geboden.
Langzaam keerden mijn gedachten terug naar het hier en nu in het warme schip, en tegelijkertijd kwam ook een gevoel boven dat ik heel lang bewust had onderdrukt. Ik kon het voelen borrelen in mijn ingewanden. Bijna zeven weken lang hadden we ons gericht op overleven. Nu we veilig waren, kon ik alleen maar een golf van woede voelen opkomen.
Op dat moment kwam de kapitein binnen en een fles arak, of iets wat er op leek, werd op tafel gezet. De kapitein had een militair uiterlijk. Hij zei niet veel, maar had de genoegzame blik van iemand die zijn taak goed volbracht heeft.
We werden weer wakker van wat sterke Turkse koffie en werden toen naar de hut van de kapitein gebracht, een dek lager. Daar mochten we douchen en ons wassen. De kapitein gebaarde naar de ruime hut om ons heen om te laten zien dat we hier mochten blijven tot we over een paar uur aan land gingen.

Zodra de kapitein de deur achter zich had dichtgedaan, begon Angel te lachen. We vroegen wat er zo grappig was, maar hij kon geen woord uitbrengen. De tranen stroomden over zijn wangen.
'Douchen,' bracht hij ten slotte uit, en hij hield zijn buik vast, 'da's een goeie. We mogen ons helemaal schoon en fris wassen en daarna deze kleren weer aantrekken, die een uur in de wind stinken.' De anderen begonnen ook te lachen.
'Weten jullie wat?' zei Andy. 'Ik wil dat de Ouwe ons zo ziet, zoals we nu zijn.' Hij rook aan de revers van zijn smerige boerenjasje en trok een gezicht. Ik kon zien hoe kwaad en verbitterd hij was. 'Voor mij is het een godvergeten eremedaille.'
Iedereen was stil. Alleen het kloppende geluid van de motoren weerklonk.
Ik vroeg me af waar de Ouwe nu was en waar hij aan dacht.
Ik stelde me voor dat hij in zijn kantoor zat, achter zijn grote eikenhouten bureau. Wat was er door dat machiavellistische brein gegaan toen hij had gehoord dat de verloren jongens veilig terug waren?
Andy had gelijk. We zouden deze kleren als eretekens dragen. In een wereld die zo bedorven was, zo vol dubbelspel en verraad, zou de stank waarschijnlijk niemand opvallen.
Waar was de Ouwe? Zou hij op ons staan wachten op de kade? Of zou hij voor het weerzien de voorkeur geven aan de koele omgeving van onze ambassade in Ankara?
Ze konden maar beter onze wapens afnemen voor we van boord gingen, dacht ik, want anders zou iemand hem nog omleggen.

31

Toen de mist was opgetrokken, gingen we op de boeg van de trawler staan en keken hoe de kust dichterbij kwam. Het leek erop dat we aan land zouden gaan op een afgelegen stukje kust, maar een paar kilometer voor de kust zagen we tekenen van leven. Wat ik had aangezien voor rotsen bleken dorpjes te zijn en toen we om een landtong voeren, zag ik de haven liggen.

Het zag er allemaal nogal Spartaans uit. Achter de havenmond lag een betonnen aanlegsteiger met daarachter een langgerekt, laag gebouw. Er waren geen huizen en een paar boten, trawlers zoals de onze, lagen aangemeerd.

Het gebouw zag eruit alsof daar de vangst werd uitgeladen en opgeslagen in kratten voordat deze verder werd vervoerd. Maar het kon ook zijn, dacht ik, dat wij, of een Russische analist die foto's van een spionagesatelliet zat te bestuderen, dat moesten denken.

Op de aanlegsteiger stonden drie zwarte Mercedessen. Toen we langszij kwamen liggen om aan te meren, ging de deuren van de eerste auto open en drie mensen, twee mannen en een vrouw, stapten uit.

'Denk je dat de Ouwe erbij zit?' vroeg Angel die me in de ribben porde.

'Als dat zo is, wat ga je dan doen?' vroeg ik.

'Hem vermoorden, denk ik,' zei hij.

'Dan denk ik dat hij er niet bij zit,' antwoordde ik. De Ouwe had een neus voor problemen en ik kreeg steeds sterker het vermoeden dat hij veilig in zijn warme kantoortje zat op de kazerne.

Toen we van boord stapten, kwam er een Turkse ambtenaar op ons af, een klein mannetje in een slecht zittend pak die om de paar seconden zijn voorhoofd afveegde met een zakdoek.
Heel even stonden we elkaar aan te kijken als vijandige katten. Niemand op het schip had hem kennelijk verteld over ons uiterlijk.
Ik stapte naar voren en hij stelde zich in het Duits voor. Hij zei hoe hij heette en vertelde dat hij voor het ministerie van Buitenlandse Zaken werkte.
'Dank u voor wat u gedaan hebt,' zei ik. Ik herkende nauwelijks mijn eigen stem. Hij was vlak, gevoelloos.
De Turk haalde zijn schouders op – een gebaar waarmee hij me ongetwijfeld wilde laten geloven dat ze dit soort dingen dagelijks deden – en wendde zich toen tot de drie ambtenaren die ik eerder had gezien.
'Voor ik u overdraag aan uw eigen mensen,' zei hij, 'moet ik u verzoeken om eventuele wapens te overhandigen.'
Ik keek naar de anderen. Angel en Carl hadden hun M16 op de boot achtergelaten. Ik maakte mijn riem los en liet Suzi op de grond vallen. Om me heen klonk gekletter toen de anderen hetzelfde deden.
Een van de drie Duitsers stapte naar voren. Hij begon zich heel stijfjes en formeel voor te stellen, maar hij kwam niet veel verder dan zijn naam. Angel duwde hem opzij en liep naar de voorste Mercedes.
'We zijn moe,' zei ik. 'We praten later wel.'
'Natuurlijk,' stamelde de man. Hij klopte zijn pak af waar Angel hem had aangeraakt en keek naar zijn collega's.
'We praten wel in Ankara,' bevestigde de ambtenaar.
De vrouw zag eruit alsof ze wilde gaan overgeven.
We doken de auto's in en vertrokken. Ik zat achterin, samen met Tony en Mike. De vrouw zat voorin op de passagiersstoel.
Boven de stank van mijn kleren en huid kon ik haar parfum ruiken. Ik sloot mijn ogen en liet de vermoeidheid over me komen. Het parfum deed me aan Uschi denken. Ik was de afgelopen zeven weken zo bezig geweest met overleven dat ik nu pas besefte hoe ontzettend weinig ik aan haar had gedacht.
Wat moest ik haar vertellen als ik terugkwam? Wat kón ik haar vertellen?
Ik had dit al een keer meegemaakt, tijdens mijn huwelijk, en ik was er half gek van geworden. Ik probeerde niet aan Uschi te denken, maar de geur van het parfum stond dat niet toe.
Ik voelde de woede weer opkomen. Ik concentreerde me op het beeld van de Ouwe en hield dit vast tot de slaap me overmande, ergens in de bergen in de buurt van de Turkse hoofdstad.

Op de ambassade werden we voorgesteld aan een andere secretaris met de naam Engel, die ons meteen vertelde dat er de volgende dag vanuit Frankfurt een vliegtuig zou worden gestuurd om ons naar West-Duitsland te brengen.
We waren het gebouw binnengeloodst via een achterdeur en zaten nu aan een tafel in een kleurloos kamertje in de kelder. We kregen koffie, sigaretten en eten en er werd ons verteld dat we die middag schone kleren zouden krijgen.
Engel, die volgens mij de contactpersoon van de BND was in Ankara, was een lange, pezige en zenuwachtige man. Hij keek voortdurend op zijn horloge, een tic waardoor het akelig duidelijk werd dat hij het liefst ergens anders was, maar niet hier.
'We willen nu meteen terug naar West-Duitsland,' zei ik.
'Ik begrijp hoe u zich voelt,' zei Engel. 'Helaas is het niet mogelijk om eerder dan morgen een speciale vlucht te regelen.'
Engel zat tegenover me. Naast hem zat Angel, die bedachtzaam op een stukje Turkse cake zat te kauwen en aan de andere kant zat Andy, die eruitzag alsof hij bloed zag.
'Twee dingen,' zei ik en ik deed mijn best rustig te blijven. 'Ten eerste weet u niet hoe wij ons voelen, Herr Engel, en ten tweede hebben we geen speciale vlucht nodig om thuis te komen.'
'Hoe bedoelt u?' stamelde Engel.
'Voorzover ik weet, vliegen er meerdere maatschappijen tussen West-Duitsland en Turkije.'
Engel keek op zijn horloge. 'Een commerciële vlucht? Niemand in Bonn heeft iets gezegd over een commerciële vlucht.'
'Niemand in Bonn heeft ons iets verteld,' zei Andy. 'En daarom hebben we al die tijd ons best gedaan om uit deze shitzooi te komen. We vertrekken vandaag.'
'Maar jullie hebben geen papieren.'
'Jullie zijn toch een ambassade,' zei ik. 'Zorg er maar voor.'
Engel keek op zijn horloge en vervolgens naar ons. Niemand zei iets. Hij schoof zijn stoel naar achteren en stond langzaam op. Toen verliet hij de kamer.
Enkele uren later, na een aantal telefoontjes tussen de ambassade en Bonn, checkten we in bij Lufthansa voor een vlucht naar Frankfurt. De ambassade had ervoor gezorgd dat we tijdelijke documenten hadden om het land te verlaten en een Turkse verbindingsofficier hielp ons om langs de controleposten te komen, het vliegtuig in. Engel gaf ons ook wat dollars en marken waarmee we op onze bestemming konden komen.

Waar niemand iets aan had kunnen doen, omdat we dat niet toestonden, was ons uiterlijk. We stonden erop om de kleren te dragen die we tijdens onze tocht hadden aangehad. Uiteraard was het cabinepersoneel hier niet van onder de indruk, evenmin als onze medepassagiers in de businessclass, maar het zorgde er wel voor dat we elkaar gemakkelijk konden herkennen.
In Duitsland werden we opgewacht door een immigratieambtenaar die te horen had gekregen dat we vips waren, een omschrijving die me deed lachen, gezien onze toestand.
Zodra we door de West-Duitse immigratie en douane waren, gingen we drie taxi's in. Het was 's ochtends vroeg en nog donker. Ik had aan boord enkele glazen champagne gedronken, maar ik was te gespannen om te slapen.
Ik legde mijn hoofd tegen het raam en keek toe hoe de hemel in het oosten lichter werd naarmate de kilometers voorbij raasden en de kazerne dichterbij kwam.
Toen we bij de hoofdingang kwamen, was het Andy in de voorste taxi die de dienstdoende bewakers te woord stond. De bewakers kenden ons niet en weigerden ons de toegang. Ik was hier op voorbereid en stapte uit de auto. Andy zag eruit alsof hij moordneigingen had.
'Wat is er aan de hand?' vroeg ik.
De korporaal die voor Andy stond, keek mijn kant op.
Ik gaf hem mijn naam en rang en zag hoe hij hierdoor in verwarring werd gebracht. Achter me hoorde ik portieren dichtslaan; de anderen kwamen bij ons staan.
'Het is heel eenvoudig,' zei ik, terwijl ik wapperde met een stukje papier in het gezicht van de blozende wachtpost, 'je hoeft alleen maar dit nummer te bellen en met deze man te praten.' Ik wees op Curly's naam. 'Dan kunnen we deze hele zaak oplossen en kunnen we verder.'
De bewaker pakte het papiertje en ging het wachthokje in om te telefoneren. We stonden langs de kant van de weg te wachten. Auto's reden de kazerne in en uit en mensen staarden. Ik voelde me als een bezienswaardigheid in de dierentuin.
Even later kwam de bewaker terug. 'Ik moet u naar gebouw 1012 brengen.' Bij nader inzien liet hij dit volgen door 'mijnheer'.
'Dank u, korporaal,' zei ik. 'Laten we dan maar gaan.'
We gingen te voet. We hadden kunnen rijden, maar ik genoot. Ik maalde niet om de blikken die we kregen of de opmerkingen die werden gemaakt. Ik was er zelfs op uit. Ik wilde zien of de Ouwe zich hieruit kon lullen.
Een paar honderd meter voor de weg splitste naar ons gebouw, gaf

ik de korporaal een tikje en zei hem dat we naar de kantine gingen.
'Helaas kan dat niet, mijnheer,' zei de korporaal. 'Ik moest u direct naar gebouw 1012 brengen.'
Ik stond stil en legde mijn hand op zijn schouder. 'Hoe heet je?' vroeg ik.
'Roth,' zei hij, 'korporaal eerste klasse.'
'Heeft je moeder je geen voornaam gegeven?'
'Jawel, mijnheer.'
'En hoe luidt die dan?'
'Aloysius, mijnheer.'
Angel begon te lachen en de korporaal bloosde.
'Nou moet je eens goed luisteren, Aloysius,' zei ik heel oprecht. 'Aangezien ik een hogere rang heb, hoef je je geen zorgen te maken over verantwoordelijkheid. We zijn moe, we hebben honger en willen eten.' Ik wees met mijn duim naar Angel, die vlak achter hem stond. 'Niets komt tussen hem en zijn voedsel.'
In de kantine viel een doodse stilte toen we achteraan aansloten in de rij. Mannen die net uit bed kwamen, staarden ons aan, hun monden open van verbazing. We letten niet op ze en gingen verder, alsof dit een gewone dag was. Ik gaf korporaal Roth een dienblad, maar hij schudde het hoofd en gaf het aan Angel.
Rechts van me, aan de voorste tafeltjes, hoorde ik mannen lachen. We stonden erom bekend dat we ons niet aan de regels hielden, met onze gewoonte om burgerkleren te dragen op ongeschikte momenten en met onze lange haren, en ons gevoel voor humor. Maar zoals we er deze keer uitzagen, was zelfs voor ons doen ongekend.
We waren nog maar een paar plaatsen opgeschoven toen een kapitein uit de foeragedienst, een persoon van wie ik wist dat het een zelfingenomen eikel was, aan kwam rennen. Hij was op onze aanwezigheid geattendeerd door het aanstekelijke gelach dat weerklonk van de tafels om ons heen.
De kapitein beging de fout door Chris aan te pakken. Hij greep hem bij de schouder en draaide hem naar zich toe, net toen Chris wat roerei op zijn bord schepte. Het ei viel op de grond en kwam op de kisten van de kapitein terecht.
Chris keek op naar de kapitein en glimlachte.
De kapitein prikte Chris in zijn schouder met zijn wijsvinger. 'Wat is hier in 's hemelsnaam aan de hand?'
'Wat denk je?' zei Chris. 'Ik probeer te ontbijten.'
Angel deed een stap naar voren. 'We willen allemaal graag ontbijten,' zei hij. 'Dus als u het niet erg vindt.' Hij leunde naar voren en haalde

de vinger van de kapitein van Chris' borst. Daarna liep hij aan hem voorbij en pakte wat koud vlees.
De kapitein stond naar woorden te happen. Zijn gezicht was paars aangelopen. 'Ik zal er voor zorgen dat jullie hiervoor boeten,' stamelde hij tegen Angels rug.
Ik had genoeg gehoord. Ik kuchte en vroeg hem, beleefd maar dringend, om ons met rust te laten.
De kapitein stond op het punt te ontploffen. 'Ik heb gehoord dat ze jullie de Jackson Family noemen,' zei hij, met een lage, dreigende stem, 'en jij bent dan zeker Jackson.'
'Dat klopt,' zei ik kalm.
'Jij hebt de leiding over dit zootje, nietwaar?'
'Ja,' zei ik. 'Dat klopt. En u hebt de leiding over deze kantine. We willen geen toestanden. We willen alleen maar eten.'
Aan een van de tafeltjes achter hem, begon iemand te grinniken. Op dat moment verloor de kapitein zijn geduld en duwde tegen mijn borst en riep dat we moesten oprotten.
Ik was niet van plan hem te slaan. Als ik wat langer geslapen had, zou ik mezelf misschien hebben kunnen beheersen. Ik duwde met mijn vlakke hand in zijn gezicht, maar hij werd er door verrast en viel om. Hij leek in slowmotion te vallen. Terwijl ik toekeek hoe hij achterover viel en in de lucht naar steun greep, werd het stil in de zaal. Ik kon haast voelen dat de Feldjagers op me afkwamen. Ik keek naar de kapitein en hij keek naar mij. Toen hoorde ik een stem. Ik draaide me om en zag de Ouwe.
'Ik neem het wel over, kapitein,' zei hij. 'Deze mannen horen bij mij.'

De Ouwe liep voorop met Curly naast hem. We liepen naar buiten, het zonnetje in. Vijftig meter verderop werd een peloton rekruten gedrild. Ik keek toe hoe ze heen en weer marcheerden onder de korte bevelen van de drilsergeant. Niet zo lang geleden hadden we in hun schoenen gestaan en was onze wereld veilig en knus geweest; alle aspecten van ons leven werden verzorgd door de beschermende Bundeswehr.
Ik was pas 27, maar ik had dingen gezien en gedaan die de ervaringen van de huidige Duitse soldaten ver te boven gingen.
Plotseling bleef de Ouwe staan en draaide hij zich naar ons om. 'Wat kan mij het schelen,' zei hij. 'Wat denken jullie ervan om de stad in te gaan en verder te praten bij een biertje?'
Het was godverdomme acht uur 's ochtends.
Pas nu zag ik wat er in de afgelopen zeven weken met hem was ge-

beurd. De Ouwe was een lange man met brede, vierkante schouders. Toen ik hem voor het eerst zag, had hij indrukwekkend geleken en respect afgedwongen. In twee maanden tijd was dit allemaal veranderd. Zijn uniform paste niet meer. Hij was zeker tien tot vijftien kilo afgevallen in onze afwezigheid. Zijn wangen waren ingevallen en zijn peper-en zoutkleurige haar was helemaal grijs geworden. Zijn kraag zat los om zijn hals, waardoor de pezen in zijn nek benadrukt werden. Hij zag er gespannen uit.

De blik in zijn ogen was echter nog erger. Ik herinnerde me hoe die glommen als hij ons briefte voor onze missies. Nu fonkelden ze niet langer. Het blauw had plaatsgemaakt voor een dof grijs dat me deed denken aan de golven van de Noordzee.

Andy doorbrak de stilte. 'Een biertje?' zei hij. 'Doe me een lol man, en val dood.'

Curly deed een stap naar voren. Hij opende zijn mond om Andreas de les te lezen, maar de Ouwe bracht hem kalmpjes tot bedaren.

'Goed dan,' zei hij, terwijl hij ons strak aankeek. 'Dan zie ik jullie morgenochtend op de gebruikelijke tijd in mijn kantoor.'

Hij draaide zich om en liep weg. We lieten hem voorgaan en liepen toen achter hem aan het gebouw in. Niemand zei een woord. We sjokten de trap op naar onze kamers. Het eerste wat ik deed was me scheren. Daarna nam ik een douche.

Ik was voor het eerst in twee maanden weer schoon. Ik dook tussen de schone, frisse lakens van mijn bed en viel snel in een droomloze slaap.

32

Vanaf het moment dat het Elitekommando Ost was gevormd, had ik het kantoor van de Ouwe beschouwd als het thuis van de eenheid. Met de houten panelen muren, open haard en oude Perzische kleedjes leek het in niets op de stijve formele Bundeswehr waar we aan gewend waren. Ik wist nog hoeveel indruk het op me had gemaakt toen ik het de eerste keer zag, hoe ik de sfeer had opgezogen als een spons en hoe ik was verleid door de verhalen van de Ouwe over 'familie' en vertrouwen. We waren allemaal jonger dan 21 toen we ons hadden aangemeld voor een speciaal team dat operaties zou gaan uitvoeren achter het IJzeren Gordijn. Onze jeugd was een belangrijk aspect geweest. Omdat ik niet beter wist, had ik het gevaar en de opwinding absoluut verslavend gevonden. Onder deze benevelende omstandigheden hadden onze bijeenkomsten met de Ouwe, meestal bij een open haardvuur met een glas cognac en een sigaar erbij, een bijzondere betekenis gekregen.
We waren allemaal in zekere zin verloren jongens. Mijn vader was de hort op gegaan voor ik oud genoeg was om me hem te herinneren, Angel was opgegroeid in een weeshuis en Andy, de zoon van een rijke industrieel uit Stuttgart, had altijd gerebelleerd tegen het leven dat zijn ouders voor hem hadden uitgestippeld. Het was onvermijdelijk dat de Ouwe voor ons een soort vaderfiguur was geworden.
De Ouwe was zo volstrekt tegengesteld aan de autoritaire legercommandant. Hij had ons nooit gedwongen om op een missie te gaan. In zekere zin waren we vrijwilligers. We hadden ons aangemeld omdat hij had beloofd voor ons te zorgen en wij voor hem zouden zorgen.

Maar in de Oekraïne was dat fundamentele principe van ons bestaan verwoest.
Toen ik zijn kantoor binnen liep, was er veel veranderd. Hoewel er een koude noordwestenwind waaide, brandde er geen vuur. Er stond geen koffie klaar en de kamer was koud en donker.
De Ouwe stond bij het raam met zijn rug naar ons toe. Zodra hij de deur hoorde dichtvallen, draaide hij zich naar ons om. We stonden naast elkaar voor zijn bureau.
'En,' zei hij, 'wat is er gebeurd? Ik wil dat jullie me alles vertellen.'
Geen vriendelijkheden. Geen uitnodiging om op de plaats rust te staan of te gaan zitten. Dus zo zou het gaan.
'Dit is niet het moment om vragen te stellen,' zei ik zo rustig mogelijk.
De kolonel keek me aan. 'Misschien,' zei hij, 'heeft je langdurige afwezigheid ervoor gezorgd dat je bent vergeten hoe we de dingen hier doen.'
Ik wilde iets zeggen, maar de Ouwe onderbrak me.
'Ik geloof dat het de gewoonte is dat je me rapport uitbrengt als je terugkeert van een missie. Je bent terug. Ik ben hier en wacht. Ga je gang.'
Andy deed een stap naar voren. Tussen hem en de Ouwe zat nog geen meter. Even dacht ik dat hij hem zou gaan slaan.
'Weet je wat we hadden moeten doen, man?' zei Andy, zo zacht dat ik hem haast niet kon verstaan. 'We hadden een Gary Powers moeten doen. Kent u die naam nog, kolonel? De Russen schoten Powers neer op de dag van de arbeid. Ik was zes jaar oud, maar ik weet het nog alsof het de dag van gisteren was. Ik weet nog dat mijn ouwe heer erover sprak, dat hij ervan overtuigd was dat het neerschieten van Powers' vliegtuig tijdens een spionagemissie zou leiden tot de derde wereldoorlog. Het is me altijd bijgebleven dat hij dat zei, net als de uitdrukking op het gezicht van mijn moeder.'
'Wat wil je daarmee zeggen, Andreas?' zei de Ouwe.
Andy probeerde te praten maar de woorden bleven steken in zijn keel. Hij zuchtte diep en begon opnieuw. Ik had hem nog nooit zo gezien.
'Dit is wat ik wil zeggen,' zei Andy kalmweg. 'De CIA was teleurgesteld in Powers. De Russen hadden hem gevangengenomen en hem berecht. Het was een showproces. Ze hadden ons, het Westen, te pakken en iedereen wist het. Powers werd veroordeeld tot een lange gevangenisstraf in een goelag in Siberië, maar uiteindelijk werd hij uitgewisseld. Zijn vrijheid voor het leven van een Russische spion. Weet je wat ze tegen hem zeiden toen hij terugkwam? Hij kreeg geen lof voor het feit dat hij zijn leven op het spel had gezet al die keren dat hij met

zijn U2 over de Sovjet-Unie had gevlogen. De klootzakken zeiden dat hij de hand aan zichzelf had moeten slaan. Dat hij Amerika de schande van het proces had moeten besparen door zijn cyanidepil te slikken voor de Russen hem te pakken kregen.'

Ik bestudeerde het gezicht van de Ouwe. Hij zag eruit alsof hij zichzelf nauwelijks nog meester was.

'Zo doen wij het niet,' zei de Ouwe, 'en dat weet je.'

'Waar was dan onze back-up?' vroeg Andy.

De Ouwe zweeg en wij wachtten. Het duurde een tijd voor hij sprak. 'Wij zijn geen spionnen,' zei hij zachtjes, 'wij zijn soldaten. Ik hoef jullie niet te vertellen wat dat betekent. Als we een bevel krijgen, wordt er verwacht dat we het opvolgen. Dat geldt voor mij net zo goed als voor jullie. We kregen een missie en we stemden ermee in om hem uit te voeren. Ik beschouwde het, net als jullie, als een militair probleem met een militaire oplossing.'

De Ouwe keek Andy strak aan en ging door. 'Ons doel was een pijpleiding. Onze taak was die op te blazen. En in die opdracht zijn jullie honderd procent geslaagd.' Ik zag dat zijn onderlip heel licht trilde voor hij zich weer hervond. 'Daarom ben ik heel trots op jullie.'

Hij keerde zich weer van ons af en staarde uit het raam. Het was gaan regenen.

'Ik had mezelf beloofd dat als jullie terugkwamen uit de Oekraïne, ik mijn ontslag zou indienen. Dan zouden jullie terug mogen naar jullie eenheden of het leger helemaal verlaten. Toen de Amerikanen me kwamen vertellen dat jullie niet zouden worden opgehaald, wist ik dat jullie nooit zelfmoord zouden plegen; dat jullie alles zouden doen om terug te komen. Maar ik geloof wel dat jouw inschatting correct is, Andreas: onze vrienden in Amerika dachten daar heel anders over.'

Toen de Ouwe zich naar ons omkeerde, met het licht achter zich, kon ik zijn gezicht niet zien. Maar ik had zijn stem heel even horen trillen. Stond de Ouwe op de rand van de afgrond? We waren daar allemaal wel een keer dichtbij geweest sinds de eenheid was gevormd, maar de Ouwe had altijd standgehouden. Ik had nooit gedacht dat de druk hem te veel zou worden. Inwendig vocht woede met allerlei andere emoties. Ik had medelijden met hem.

Het werd opnieuw stil. Deze keer doorbrak Angel de stilte.

'Waarom hebben ze geen vliegtuig gestuurd?' vroeg hij.

'Dat weet ik niet,' zei de Ouwe. 'Ik heb allerlei mensen gebeld, maar ik weet alleen dat er een probleem was. Misschien was het vliegtuig neergehaald, misschien hebben de Russen het gedwongen te landen.' Hij wendde zich tot Andy. 'Je hebt gelijk, Andreas. Toen Powers betrapt werd bij zijn spionagemissie, was de derde wereldoorlog bijna een feit. Dat ik een soldaat ben, wil niet zeggen dat ik zo blind ben voor de handelingen van politici dat ik de waarheid niet kan zien. We zijn nu net zo dicht bij een oorlog als we waren ten tijde van de Cubacrisis. Brezjnev was een koppige intrigant, maar Joeri Andropov is een heel ander beestje. Ik geloof dat de Amerikanen hem met jullie missie een boodschap wilden sturen.'

Joeri Andropov, het voormalige hoofd van de KGB, was Brezjnev een paar maanden daarvoor opgevolgd als staatshoofd. Brezjnev werd dan misschien algemeen gezien als de man die de invasie van Afghanistan had goedgekeurd, maar Andropov, voorstander van de harde lijn en degene die de Hongaarse revolutie van 1956 had neergeslagen, stond erom bekend dat hij graag direct actie ondernam waar mogelijk, waarmee hij de Koude Oorlog flink opstookte.

Misschien hadden de Amerikanen hem voor willen zijn. Misschien was het allemaal wel doorgestoken kaart geweest. Ik had het idee dat het opblazen van een pijpleiding een duidelijk signaal was voor mijnheer Andropov. Maar ik kon de machiavellistische gedachteprocessen niet doorgronden die de gedachtewereld beheersten van de mensen met de touwtjes in handen. Jezus, waar waren we aan begonnen?

'Als jullie eruit willen, kan ik jullie niet tegenhouden. Ik neem het jullie ook niet kwalijk,' zei de Ouwe. 'Ik zal jullie zelfs waar mogelijk steunen.'

'En u?' vroeg ik, met een zijdelingse blik op het fotolijstje op zijn bureau, het fotolijstje met de foto van zijn vrouw en kinderen, het gezin dat was omgekomen bij een auto-ongeluk voorafgaand aan de oprichting van het Elitekommando Ost. 'Wat gaat u doen?'

'Wat ik ga doen, doet er niet toe,' zei hij. 'Ik wil alleen dat jullie weten dat ik er alles aan gedaan heb om jullie eruit te krijgen.'

Een halfuur later kwam Curly ons vertellen dat we een paar weken verlof hadden gekregen. Na die tijd zou de Ouwe ons helpen met de papieren waarmee we zouden kunnen terugkeren naar onze oude eenheden of de Bundeswehr konden verlaten. We waren allemaal vrij om onze eigen besluiten te nemen.

Er zouden geen naverslagen zijn, geen formele debriefings, geen getypte rapporten van wat er in de afgelopen zeven weken was gebeurd, niets.

We verzamelden onze spullen en gingen ieder ons eigen weg. Pas toen de taxichauffeur me vroeg waar ik heen wilde, besefte ik dat ik geen idee had.

Normaal deden we alles samen, zelfs in onze vrije tijd. Maar nu we zo'n lange tijd met elkaar hadden doorgebracht, gevochten en hadden overleefd, onder zulke heftige omstandigheden, had niemand van ons zin om nog langer bij elkaar te zijn.
In de afgelopen zeven weken was veel gebeurd en op de een of andere manier moesten we weer deel gaan nemen aan het gewone leven. Voor mij was het gemakkelijker. Ik had geen flauw idee wat ik tegen Uschi moest zeggen en had me in Turkije al verzoend met de enige handelwijze die ik kon bedenken: haar helemaal vermijden. Wat zou Andy tegen Brigitte zeggen? Wat zou Lobo tegen zijn vriendin zeggen? 'Sorry, ik ben zeven weken op oefening geweest en ik was het vergeten je te zeggen'?
De week daarop bracht ik door in mijn appartement dat ik alleen verliet om naar de kroeg te gaan en een hapje te eten.
Ik keek tv, probeerde te lezen of naar muziek te luisteren, alles om maar niet aan de eenheid te hoeven denken. Maar niets bood me een ontsnapping.
Ik bleef de gebeurtenissen van de afgelopen zesenhalf jaar in mijn gedachten herhalen. Elk dodelijk detail bij het Elitekommando Ost stond me glashelder voor de geest.
Ik dacht aan de dag toen mijn bevelvoerend officier me had verteld dat ik naar Amerika zou gaan voor 'verdere training'. Ik zag de villa in de woestijn waar we elkaar voor het eerst hadden ontmoet: negen jongens, zo jong dat we nauwelijks droog achter de oren waren.
Ik dacht aan onze training, hoe die erin geslaagd was om een band tussen ons te smeden waardoor het al snel wij tegen de wereld was. Wij hadden de yanks niet nodig, wij hadden de Ouwe niet nodig, of onze vrouwen of vriendinnen. Hadden de psychologen die hadden meegewerkt aan onze rekrutering dit zo nauwkeurig kunnen voorspellen?
En dan was er mijn eerste 'missie', de taak die de Ouwe me gesteld had en die ertoe had geleid dat ik tot leider werd gekozen. Ik was 'legaal' over de muur gegaan, als bezorger voor een bedrijf dat zakendeed in het Oosten en had een natuurkundige en zijn gezin naar het Westen gesmokkeld. Ik was aan deze missie begonnen omdat de Ouwe dat wilde en omdat ik een goed gevoel had over de man.
Had ik het mis gehad? Was het mogelijk dat de band die was ontstaan tussen ons en Krause gebaseerd was op een leugen?
Als ik het mis had gehad, dan gold dat ook voor de acht anderen. Die ochtend dat we voor het eerst als team voor hem hadden gestaan, toen hij ons had verteld waarom we in de Verenigde Staten hadden getraind en wat de hogere machten voor ons in petto hadden, waren de anderen

net zo onder de indruk van hem geweest als ik. Hij had beloofd op ons te letten en wij hadden beloofd hetzelfde voor hem te doen.
Ik wist dat er momenten waren geweest dat wij zijn geduld tot het uiterste op de proef hadden gesteld.
Zoals die keer dat we wraak hadden genomen voor de manier waarop hij ons had gestraft toen Ginger zijn parachute uit het vliegtuig had gegooid en wij hetzelfde hadden gedaan.
De kiem van het plan werd gelegd vlak nadat de Feldjagers ons hadden ontslagen uit de 'bajes' van de kazerne.
Het belangrijkste was dat we het vertrouwen van de Ouwe terug kregen. Dit bereikten we door hem een week later uit te nodigen voor een drankje buiten de kazerne.
Dat was twee weken voor Kerstmis. Iedereen was in een feestelijke stemming en we zaten in de bar toen Krause binnenkwam.
We hadden geen van allen echt berouw, maar we wilden graag toegeven dat we ons als sukkels hadden gedragen en als goede soldaten hadden we onze straf in ontvangst genomen. In deze sfeer van vrolijkheid en vergevingsgezindheid kon de Ouwe ons vertellen dat we in het nieuwe jaar onze oude rang terug zouden krijgen, met de bijbehorende wedde. Hij smeekte ons om ons vanaf nu te gedragen.
We hieven het glas en dronken op elkaars gezondheid.
Ik hield heel discreet de alcoholinname van Krause in de gaten. Hij was zo opgelucht dat we weer terug waren in de kudde, dat hij meerdere vaasjes achterover sloeg, die hij liet volgen door cognacjes.
Aan het eind van de avond had hij ons gevraagd of we nog een slaapmutsje wilden nemen in de kazerne. Het ging allemaal beter dan we hadden gehoopt.
Tegen de tijd dat we weggingen, was de Ouwe goed in de olie. Hij liep met ons mee naar de lobby om gedag te zeggen. Hij wankelde lichtjes en gaf ons ieder een hand om ons een prettige nacht te wensen. Op dat moment wilde ik bijna terugkrabbelen, maar de anderen haalden me over. Nu konden we niet meer terug.
Om vier uur ging mijn wekker. Ik voelde me beroerd, maar troostte me met de gedachte dat ik maar half zoveel had gedronken als Krause en kleedde me snel aan, waarna ik naar ons oude blok rende.
Angel, Chris, Ginger en Andy stonden achter het gebouw in de schaduwen te wachten. Een paar minuten later arriveerden de anderen.
Ik vroeg Chris hoe het gegaan was. Hij glimlachte en stak zijn duim op.
Vanaf dat moment was het gewoon een kwestie van op de klok kijken en wachten.

Chris had een 'apparaat' gemaakt van een kartonnen doos, vol met Blu-Tack, een zwaar uitziende accu en een kluwen draad.
Even na vieren was hij langs een regenpijp aan de achterkant van het pand omhoog geklommen, had het raam van de kamer van de Ouwe opengemaakt en was naar binnen geklauterd. Hij was door de gang geslopen, had het slot opengemaakt van de kamer van de Ouwe en had de doos op het nachtkastje van Krause neergezet. Hij had het deksel verwijderd zodat Krause het inwendige kon zien.
We wisten allemaal dat de Ouwe vroeg opstond en dat zijn wekker op vijf uur stond.
Het mooie aan onze 'bom' was een digitaal klokje dat begon terug te tellen zodra de wekker van de Ouwe afging. Chris had de 'bom' zo ingesteld dat hij om één over vijf 'afging'.
Om een minuut voor vijf waren alle ogen gericht op het raam van de Ouwe op de vierde verdieping. Het stond op een kiertje. Negen paar oren waren gespitst op elk geluid.
Een minuut verstreek en toen hoorden we het: een dof elektronisch gezoem dat uit het duister van de kamer kwam. Het licht bleef uit.
'Jezus, misschien heeft die ouwe lul wel zoveel gedronken dat hij er dwars doorheen slaapt,' zei Lobo.
Ik schudde het hoofd. Ik kende Krause, hij was een gewoontedier.
Even later floepte het licht aan en brak de hel los.
Er weerklonk een gil, gevolgd door een klap. Toen ging het licht uit. We vielen om van het lachen. De Ouwe had zijn lamp omgestoten.
'Verdammt, Scheisse!' bulderde hij.
Er klonk wat gestommel en gerommel, meer gevloek en toen vlogen de gordijnen open. Krause, in niet meer dan een T-shirt, stond voor het raam te worstelen om het met één hand open te krijgen. In zijn andere hand hield hij de doos, op een armslengte.
Net toen we dachten dat het niet fraaier kon, ging het grote licht aan. De Ouwe draaide zich om en riep iets, waarna Curly verscheen. Curly's slaapkamer lag twee deuren van die van de Ouwe verwijderd.
Kennelijk dacht Curly dat de Ouwe een nachtmerrie had, want hij greep hem bij de schouders en probeerde hem weg te trekken van het raam.
De Ouwe brulde woedend en worstelde zich los. Hij deed het raam open en wilde de doos naar buiten slingeren.
Op dat moment kwamen wij tevoorschijn.
De Ouwe zag ons en verstijfde. Ik salueerde en we renden ervandoor.
Daarna werd er, in de ware kerstsfeer, een wapenstilstand gesloten. Wij negenen gingen naar huis, met nog net zoveel zekerheid over de toe-

komst als hiervoor. Maar toen waren de Russen Afghanistan binnengevallen en was er een einde gekomen aan dit spel. Het leek wel alsof daarna onze grootste successen en tragedies elkaar in hoog tempo opvolgden: het ophalen van een belangrijke overloper en zijn gezin bij een missie in de Harz, Gingers dood bij diezelfde missie, onze excursie naar Rummelsburg, mijn instorting en gevangenneming, mijn ondervraging door de Stasi, vrijlating en geleidelijke rehabilitatie, gevolgd door de rekrutering van Peter en alle verdere ellende.
Ik pakte mijn jasje en ging naar buiten, naar een plek waar ik onder de mensen kon zijn zonder te hoeven praten. Een bar aan de rand van de stad, waar ik ooit eerder geweest was, leek hiervoor perfect.

Binnen was het warm en gezellig; een plek om te schuilen voor de snijdende oostenwind. Ik nam mijn bier mee naar een stoel bij de haard en ging zitten, mijn hoofd nog vol met beelden uit het verleden. Hoe kon ik, na de enerverende afgelopen jaren, ooit terug naar mijn oude eenheid? En als ik de Bundeswehr helemaal verliet, wat moest ik dan in godsnaam?
Voor de eerste keer sinds mijn terugkeer uit Turkije kreeg ik een gevoel van macht terug. Kennis en voorbereiding waren belangrijk bij alles wat we deden. In de Oekraïne hadden we de kardinale fout begaan om te vertrouwen op de voorbereidingen van anderen. We hadden niet genoeg tijd gehad, dus we hadden ermee ingestemd. De truc was, wist ik nu, om je nooit aan te melden voor een klus waarbij we niet genoeg tijd hadden om onze eigen inschatting te maken van de risico's.
Terwijl ik dit overdacht, realiseerde ik me dat ik een besluit had genomen.
Ik was bereid door te gaan als die regel ongeschonden bleef.
Toen ik opkeek, werd mijn aandacht getrokken door een paartje dat aan de bar zat. Een man van mijn leeftijd die zijn arm om het middel van een slanke vrouw met lang haar had geslagen, die op de kruk naast hem zat. De man stak de sigaret van de vrouw aan en ze keerde zich van hem af om uit te blazen. Op dat moment zag ik dat het Uschi was. Ik vloekte binnensmonds en ze keek me aan. Even staarden we naar elkaar, een moment waarin de tijd stil leek te staan. Toen wendde ze zich weer tot de man naast haar en ging verder met hun gesprek. Ik pakte mijn glas bier.
Vlak daarna tornde ik tegen de wind op terug naar mijn appartement. Ik vocht tegen de oude, bekende gevoelens.
Als ik met Uschi had gepraat, wat had ik haar dan moeten zeggen? Ik

had die weg al een keer bewandeld met Sabine, mijn ex-vrouw. Jaren lang had ik tegen haar gelogen om de eenheid te beschermen.
Wees blij, zei ik tot mezelf, dat je dit niet meer hoeft te doen.
Ik belde Andy. Brigitte had hem verlaten. Het was onvermijdelijk geweest en hij klonk verbazingwekkend monter.
'Ik heb nog eens nagedacht, over de eenheid,' zei ik.
'Ik ook, maar jij eerst.'
Ik vertelde hem dat ik best wilde blijven en de eenheid nog een kans wilde geven. Ik lichtte mijn besluit niet verder toe, want dat was niet nodig. Andy had met de anderen gesproken en het bleek dat ik niet alleen stond.

33

Het politieke klimaat op aarde was op alle fronten aan het veranderen, met uitzondering van de impasse tussen de NAVO en het Warschaupact. Nergens bleek dit duidelijker dan op Duitse bodem, waar Oost en West elkaar met argusogen bleven bekijken van weerszijden van de muur.

In Oost-Duitsland was de SED net begonnen met het neerslaan van de prille vredesbeweging, die voornamelijk georganiseerd werd door een federatie van kerkleiders die er bij de regering van Honecker op aandrongen om alle nucleaire wapens van Oost-Duitse grond te verwijderen en, door onderhandelingen met Bonn, een 'nucleair vrije zone' in te stellen in West-Duitsland. Ondanks dit nobele streven werd de beweging keihard onderdrukt door de Stasi, die het alleen maar kon zien als een mogelijke bron van onlusten.

We konden het toen nog niet vermoeden, maar dit waren de eerste golfjes van onrust onder de Oost-Duitse bevolking. Later zouden die golfjes uitgroeien tot een vloedgolf. Maar op dat moment zagen we alleen dat de Stasi en het overkoepelend orgaan, het ministerie van Staatsveiligheid, weer bezig waren.

In december 1981 bracht kanselier Schmidt een bezoek aan het stadje Gustow in de DDR. Onder uiterste geheimhouding voerde de Stasi voorafgaand aan het bezoek een zorgvuldige zuiveringsactie uit. Ze identificeerde alle 'potentiële lastposten', luisterde hun telefoon af en waarschuwde hen dat ze op de dag van het bezoek niet op straat mochten komen. Deze 'ongewensten' kregen nooit te horen waarom ze die

dag niet de straat op mochten, maar de Stasi liet er geen twijfel over bestaan dat de gevolgen voor hen en hun gezin ernstig zouden zijn als ze niet gehoorzaamden.
In hun plaats liet de Stasi loyale partijleden uit het hele land overkomen die zich onder de bevolking moesten begeven en goede dingen moesten zeggen over de partij tegen de mensen uit de entourage van Schmidt. Bovendien moesten ze rapport uitbrengen over iedereen die zich 'antisociaal' gedroeg. Vlak voordat Schmidt arriveerde gingen de agenten van de Stasi naar het stadje en gaven iedereen de opdracht om gezellig mee te doen aan de kerstsfeer. Niet iedereen werd echter om de tuin geleid, want diverse leden van het team van Schmidt viel het op dat er opvallend veel mensen van buiten de stad waren, mensen die met een accent spraken dat duidelijk niet uit de buurt van Gustow kwam. Deze observaties werden uiteraard doorgegeven aan onze geheime dienst en na verloop van tijd kregen ook wij het te horen.
De Ouwe had ooit gezegd dat directe handelingen door het Elitekommando Ost in Oost-Duitsland, sabotage van infrastructuur – zoals raffinaderijen en elektriciteitscentrales – die op een ongeluk kon lijken, zou helpen om het gevoel te versterken dat niet alles over rozen ging in het utopische Oosten, dat er iets goed mis was, wat bleek uit het feit dat de regering niet altijd iedereen te eten kon geven of warm kon houden.
Maar terwijl ik briefing na briefing bijwoonde over de situatie in Oost-Duitsland, wist ik dat er niets veranderd was.
Het contrast met wat er in het Midden-Oosten gebeurde, kon haast niet groter zijn.
In februari 1979, na de val van de sjah, was er een islamitische republiek gesticht in Iran, een land dat sterke economische banden had met West-Duitsland.
Het regime van ayatollah Khomeiny liet meteen al merken dat het zich identificeerde met het internationaal terrorisme door het personeel van de Amerikaanse ambassade in Teheran te gijzelen. Maar dat was nog maar het begin. Binnen enkele maanden verspreidde de terreur zich over Iran en werd iedereen die het regime in de weg stond weggezuiverd. Gedurende de eerste twee jaar van haar bestaan, liet het regime meer dan 8000 mensen ombrengen, die allemaal in de religieuze rechtbanken waren veroordeeld als 'vijanden van Allah'. Nadat de tegenstanders binnen de regering en het leger uit de weg waren geruimd, ging het regime van de ayatollah over op etnische en religieuze minderheden. Hoewel men in het Westen wist wat er gebeurde, was men machteloos om iets te doen.

Maar toen de 'revolutionaire garde' van Khomeiny zich tegen de soennitische moslimminderheid van het land keerde, leidde dit tot een woedende reactie van het buurland Irak, waar de leidende Ba'ath-partij, de partij van president Saddam Hoessein, voornamelijk uit soennieten bestond. In de zomer van 1980 gebruikte Saddam onder andere de aanvallen op de Iranese soennieten als een excuus om Iran binnen te vallen. De eerste aanval werd afgeweerd en de oorlog raakte algauw in een impasse, waarbij beide partijen elkaar met granaten bestookten langs een breed front dat veel weg had van de loopgraven uit de Eerste Wereldoorlog, met de bijbehorende slachtofferaantallen.
In deze heksenketel van geweld pompten Oost en West wapens en munitie op een schaal die sinds Vietnam niet meer was voorgekomen. En omdat de West-Duitse regering zowel in Iran als Irak belangen had, wilde ze graag op de hoogte blijven van de situatie aan beide zijden.
In de drieënhalf jaar die volgden, gingen leden van het team op bevel van de Ouwe naar Iran en Irak om daar zo veel mogelijk informatie te verzamelen over de stand van de oorlog: wie won er, waar kwamen de wapenleveranties vandaan en welke kant leek de meeste kansen te maken?
De Ouwe liet me aan het Midden-Oosten wennen door me eerst naar Libië te sturen, waar kolonel Kaddafi hard met wapens kletterde tegen het Westen. De West-Duitse regering hield de Libische dictator in de gaten omdat hij diverse terroristische organisaties steunde, waarvan er een aantal, zoals de Rote Armee Fraktion, in Europa actief was. West-Duitsland had ook zakelijke belangen in Libië en de Ouwe wilde zo veel mogelijk informatie als hij maar kon verzamelen.
Ik kreeg een baantje als chauffeur op een truck die materiaal leverde aan de gas- en olie-industrie van Libië. Ik reed constant heen en weer op de kustweg naar de Tunesische grens. Daar, met de zee in het noorden en de woestijn in het zuiden, schreef ik alles op wat ik zag: troepenbewegingen, konvooien, tanks en raketbases.
Na Libië ging ik naar Koeweit om te acclimatiseren voor ik naar Irak ging.
Daar werkte ik voor een vervoerbedrijf dat materiaal, voornamelijk illegale wapens, vervoerde over de snelweg van Amman naar Bagdad.
Vaak kwam ik vlak bij het front terecht. Ik zal nooit vergeten hoe ik de gevechten kon zien vanaf de zestiende verdieping van het Intercontinental Hotel in Basra.
Tijdens deze periode zag ik de anderen nauwelijks; de enkele keer dat we bij elkaar waren, moesten we meestal trainen, vrijwel altijd in Saudi-Arabië.

Omdat de Bundeswehr geen militaire operaties mocht uitvoeren op buitenlands grondgebied, was een training in Saudi-Arabië ideaal. Het was een bondgenoot van het Westen, discreet en lag afgelegen. De Saudi's maalden niet om onze grondwet. In ruil hiervoor trainden wij hun soldaten in diverse contraterrorismetechnieken, training die ze anders van de Britten of Amerikanen hadden gekregen.
De Saudi's hielden van afwisseling. Ze wilden niet afhankelijk zijn van één leverancier, en als het op speciale operaties aankwam, beschouwden ze volgens mij de Britten en Amerikanen als één pot nat. Sinds GSG-9, de elite contraterrorisme-eenheid van de West-Duitse politie, in 1977 in Mogadishu de Lufthansa 737 had bestormd, was het aanzien van West-Duitsland op het gebied van contraterrorisme aanzienlijk gestegen.
Tijdens een van deze trainingsoefeningen kregen we ineens een telefoontje van de Ouwe. Andy sprak met hem. We verbleven in een compound in de buurt van Riad. Het was moeilijk om hier aan drank te komen, maar het was gelukt dankzij een paar illegale wodkastokerijen die door de andere buitenlanders in de compound waren geïnstalleerd. Ik zat net wat op het balkon te nippen aan deze raketbrandstof toen Andy me kwam vertellen over het telefoontje.
Het bleek dat er de vorige avond een bom was ontploft in een Berlijnse discotheek die ik kende, La Belle. Bij de explosie waren een Amerikaanse soldaat en een Turkse vrouw omgekomen en waren ruim 200 mensen gewond geraakt, onder wie 79 Amerikanen. Volgens Andy was deze plek speciaal gekozen omdat er veel Amerikanen kwamen. Ik wist nog dat de discotheek populair was bij de Amerikaanse soldaten. La Belle was een mooi doelwit voor een organisatie als de RAF. In spionagekringen werd vermoed, al kon het niet worden bewezen, dat de RAF werd gesteund door de Stasi en dat ze Oost-Berlijn gebruikten als basis voor hun operaties tegen doelwitten in de BRD.
'We moeten onze spullen pakken. Volgens mij zit er iets aan te komen,' zei Andy.
'Hoe zit het dan met de Saudi's?' vroeg ik.
'Dat heeft de Ouwe geregeld. Hij wil dat we vanavond naar Frankfurt vliegen.'
Ik zette mijn glas neer en keek hem aan. 'Hoe klonk hij?'
'De Ouwe? Ik moest heel even denken aan de goeie ouwe tijd. Het lijkt alsof er ergens iemand uit is op wraak.'

34

Vierentwintig uur later waren we terug in de kazerne. Hij vertelde ons dat er iets op til stond en verwees naar bijeenkomsten in Bonn en naar besprekingen met de Amerikanen, besprekingen waar hij maar flarden informatie uit kon halen. Flarden waarmee hij wel een vaag beeld kon schetsen. Het kwam er op neer dat we stand-by stonden en elk moment konden vertrekken.
Onderling kwamen we tot de conclusie dat dit maar één ding kon betekenen: een overval over de grens op de terroristen waarvan we vermoedden dat ze werden gesteund door de Stasi in Oost-Berlijn.
We trainden hard. De training in de woestijn van Saudi-Arabië had ons in vorm gehouden, maar als we in actie zouden komen, zonder waarschuwing vooraf, moesten we geestelijk voorbereid zijn op een missie waar we ons al heel lang niet meer op hadden voorbereid of hadden uitgevoerd.
Vier jaar na de Oekraïne was er in politiek opzicht veel veranderd, al merkten de meeste Oost-Duitsers daar weinig van.
In de Sovjet-Unie had het leiderschap van Joeri Andropov maar twee jaar geduurd: in 1984 was hij overleden aan een nierkwaal. Hij was opgevolgd door Konstantin Tsjernenko, een andere *apparatsjik* van Brezjnev, maar hij had het maar een paar maanden volgehouden.
Bij zijn opvolging gebeurde er iets onverwachts. De macht kwam in handen van een man over wie heel weinig bekend was tot hij werd uitgeroepen tot secretaris-generaal van de Communistische Partij in de Sovjet-Unie.

Michael Gorbatsjov was 54 jaar, bijna twintig jaar jonger dan Andropov en Tsjernenko waren geweest, en ook in andere opzichten week hij af. Hij ging goed gekleed, had een elegante vrouw, Raisa, en had bij een bezoek aan Groot-Brittannië, dat hij bezocht als hoofd van een handelsdelegatie voor zijn benoeming, geglimlacht en gelachen.
Zelfs Margaret Thatcher, de Britse premier, die de Russen de bijnaam de 'ijzeren dame' hadden gegeven, had hem aardig gevonden. Hij was, zo zei Thatcher, iemand met wie ze 'zaken kon doen'.
Alles bij elkaar waren de verhoudingen tussen Oost en West beter dan ze in jaren waren geweest. Maar in Oost-Duitsland bleef het regime van Honecker even stevig in het zadel als altijd. Ik vroeg me af of dit de ware reden was van onze geplande missie over de Muur. Zouden we, net zoals we gebruikt waren in de Oekraïne om de zaak wat op te stoken, om de oude Andropov iets duidelijk te maken, nu worden gebruikt om Honecker onder druk te zetten door middel van wat actie?
Op 15 april, een week na de bomaanslag op La Belle, kregen de Amerikanen hun wraak toen ze een verrassingsaanval uitvoerden op militaire installaties in heel Libië. President Ronald Reagan en zijn adviseurs hadden hun eigen conclusies getrokken uit de informatie die was vergaard na het incident in La Belle. De Amerikanen zochten een zondebok en die rol was Kaddafi op het lijf geschreven.
De aanvallen begonnen om twee uur 's ochtends onze tijd. De reeks zorgvuldig geplande luchtaanvallen door de Amerikaanse luchtmacht vanaf bases in Engeland werd uitgevoerd op 'terroristische doelen', aldus een woordvoerder van het Witte Huis. Deze doelen, zo stelden de Amerikanen, maakten deel uit van het terroristische netwerk dat verantwoordelijk was voor de training van de bommenleggers van La Belle. Of dit klopte leek onbelangrijk terwijl we het nieuws vernamen. De Amerikaanse aanvallen duurden enkele dagen. De tweede aanvalsgolf kwam van Amerikaanse gevechtsvliegtuigen van de marine, die bij de zesde vloot hoorde, die in de Golf van Sidra lag.
Twee dagen na de aanvallen kwam Curly ons vertellen dat de Ouwe ons de volgende dag om tien uur wilde spreken. Ik wist dat er iets in de lucht hing. Altijd als de Ouwe iets belangrijks had te melden, deed hij dit om tien uur 's ochtends.
Op het afgesproken tijdstip liepen we naar binnen. De Ouwe gebaarde ons te gaan zitten.
'Jullie hebben allemaal de ontwikkelingen in Libië gevolgd, dus ik hoef niet te vertellen waar dit over gaat,' zei hij. 'De Amerikanen hebben een probleem en ze hebben onze hulp nodig.'
Je kon bijna horen dat iedereen zijn adem inhield.

De Ouwe bleef zitten, zijn ellebogen op zijn bureau. Hij keek niet op. Ik wist waarom hij zich geneerde. In de afgelopen vier jaar hadden we alleen maar wat kleine spionageklusjes uitgevoerd voor onze regering. Het was simpel werk geweest, maar het was werk. Nu vroeg de Ouwe ons of we ons weer wilden aanmelden voor een missie, voor de mensen die ons in de Oekraïne zo gigantisch hadden laten vallen.
'Wat is het voor een probleem?' vroeg ik.
'Op de westkust van de Golf van Sidra staat een luchtgrondradar waar ze nogal wat last van hebben. Elke keer dat een van hun vliegtuigen over de kust wil vliegen, vangt deze radar hem op. De yanks geloven dat ze weten waar hij staat, bij een chemische raffinaderij bij Misratah, maar ze weten het niet zeker. Telkens als ze op schootsafstand komen, schakelen de Libiërs het ding uit. De yanks zijn nog niet klaar met Kaddafi, maar ze kunnen niets doen zolang ze de Libische luchtdefensie niet hebben uitgeschakeld. Ze hopen dat wij hen daarbij een handje kunnen helpen.'
'Waarom gooien ze de zaak niet gewoon plat?' vroeg Andy.
'Heel eenvoudig,' antwoordde de Ouwe. 'Vanuit militair oogpunt zijn de luchtaanvallen heel succesvol geweest. De Amerikaanse luchtmacht en marine hebben veel defensie-installaties en vliegtuigen vernietigd. Ze hebben schepen in de haven gebombardeerd en een aantal barakken in en om Tripoli. Maar ze hebben ook een pr-probleem. Hun precisiebombardementen zijn niet zo nauwkeurig geweest. Volgens rapporten zijn er ruim honderd Libische burgers omgekomen of gewond. Vijf buitenlandse ambassades zijn geraakt door verdwaalde bommen. De reactie van de media begint heel pijnlijk te worden voor de Amerikanen. Kaddafi mag dan gestoord zijn, maar het feit dat zijn geadopteerde dochter is gedood door een Amerikaanse bom heeft hem veel sympathie bezorgd, en niet alleen in de Arabische wereld.'
Er werd op de deur geklopt en Curly kwam binnen met negen kopjes koffie. Ik keek om me heen. De opwinding was duidelijk voelbaar. Niemand zei iets, maar ik herkende de blik in de ogen van mijn teamgenoten. Het was een blik die ik lang niet had gezien.
'De Amerikanen willen dat deze radar vernield wordt zodat ze aanvallen kunnen blijven uitvoeren, mocht dat nodig zijn. Ze weten dat wij veel getraind hebben in die streek en dat jij, Jackson, goed bekend bent met de omgeving van Misratah.'
Ik knikte. 'Ik denk dat ik wel weet welke installatie u bedoelt,' zei ik. Dergelijke bases werden vaak bewaakt door militairen, maar op deze locatie, bij een compound vlak bij het vliegveld, waren meer troepen dan je zou verwachten bij een gemiddelde installatie.

'Dan weet je ook waarom de Amerikanen hem niet gewoon kunnen bombarderen,' zei de Ouwe. 'Er zijn al te veel burgers omgekomen. Als ze de compound raken en er buitenlanders omkomen, heb je de poppen aan het dansen. Als er chemische vaten worden geraakt of er gifgassen in de atmosfeer komen, kunnen de gevolgen rampzalig zijn.'
'Waarom kunnen ze niet van zee aanvallen?' vroeg Angel.
'De Libiërs hebben de controles langs het strand opgevoerd en op diverse plekken langs de kust zijn troepen ingezet, waaronder hier. Bovendien liggen er vaak tussen de zee en de installatie zware verstevigingen. De Amerikanen hopen dat jullie hierbij kunnen helpen.'
Hij pauzeerde even om een slokje koffie te nemen. 'Als jullie deze klus aannemen en als jullie deze radarinstallatie kunnen vinden en vernietigen, en de Libiërs maken er stampij over, dan kunnen de Amerikanen in alle eerlijkheid ontkennen dat ze er iets mee te maken hebben.'
'Dat heet geloofwaardige ontkenning,' zei Lobo.
'Wat is het plan?' vroeg Chris. Ik zag dat hij wakker was geworden door het vooruitzicht iets te mogen vernielen.
De Ouwe spreidde een kaart uit op zijn bureau en gebaarde ons eromheen te komen staan. Hij stak een sigaar op en wees naar een gebied in het zuidoosten van Libië.
Op de kaart stond niets, behalve wat bergen op de grens met Tsjaad, een enkele onverharde weg naar de kust en hier en daar een oase.
'Over drie dagen vertrekken jullie naar de Sudanese hoofdstad Khartoum, vanaf Frankfurt via Riad, via lijndiensten,' zei de Ouwe. 'Als jullie in Khartoum aankomen, zal alles geregeld zijn.'
Hij keek op. 'Dit keer bepalen wij wat er gebeurt. Ik heb persoonlijk toegezien op de voorbereidingen. Jullie gaan naar Sudan als ontwikkelingswerkers, met goede papieren. Jullie moeten er alleen zien te komen. Onze regering heeft daar mensen die de rest zullen regelen.'
Ik keek hem aan en zag de blik in zijn ogen. Ik voelde me een heel stuk beter bij de wetenschap dat dit een Duitse operatie was. Ik gebaarde hem om verder te gaan.
'In Khartoum zal een Sudanese man die al eerder voor ons heeft gewerkt jullie ophalen van het vliegveld en jullie naar een hotel aan de rand van de stad brengen. Hij zal jullie ophalen in de terminal van de luchthaven. Hij zal jou aanspreken, Jackson. Zijn naam is Abdullatif. Jullie zullen uiteraard een valse naam krijgen. De volgende ochtend zal deze tussenpersoon jullie naar een vliegveld buiten Khartoum brengen. Vandaar brengt een Antonov met civiele registratie jullie naar het noorden van het land. Jullie vliegen laag over de grens en dan springen jullie.'

'Moeten we onze eigen spullen meenemen?' vroeg Tony.
De Ouwe schudde zijn hoofd. 'Al jullie spullen, inclusief parachutes, wapens en explosieven liggen ter plekke voor jullie klaar.'
'Waar precies?' vroeg ik.
De Ouwe wees met de natte kant van zijn sigaar naar de kaart. 'Jullie springen hier, waar drie watertrucks voor jullie klaarstaan.'
Ik keek naar de kaart, waar de Ouwe een aantal coördinaten op had geschreven. Ik schreef ze op. Ik kon niets bijzonders herkennen behalve een getal dat een hoogtepunt aangaf, een rotsformatie, boven de woestijn.
'Watertrucks?' vroeg Carl.
De Ouwe keek me aan. 'Leg het even uit, Jackson.'
Ik legde uit hoe het zat. De Libische regering had een enorme vloot van watertanks, die door het land trokken om hun kostbare lading waar nodig af te leveren. Aan de kust kwam het water gewoon uit de grond, maar in het binnenland konden geïsoleerde dorpjes en boorinstallaties alleen dankzij de trucks aan water komen. Deze watertanks, legde ik uit, waren levensgevaarlijk. Ik had gereden in Libië, in het binnenland, waar zelfs de grote wegen niet meer waren dan paadjes en waar deze gevaarten midden in de nacht op je af kwamen, zonder lichten of waarschuwing. Voor de plaatselijke automobilisten was het een spelletje, maar het eindigde al te vaak in een tragedie.
'Wie zijn de chauffeurs?' vroeg ik.
'Libiërs, betrouwbare mannen,' zei de Ouwe. 'Ze staan al heel lang op de loonlijst van de BND.'
'Hoe ver is het van de DZ naar de radarinstallatie?' vroeg Lobo. Als de man die verantwoordelijk was voor de navigatie, was hij al bezig met het maken van berekeningen. Hij zat te schrijven op een groot ringblok.
'Dat kan vier dagen duren of een week,' zei de Ouwe. 'Maar niet langer. De Amerikanen willen dat jullie uit en thuis zijn binnen tien dagen.'
De Ouwe knikte. 'Over precies tien dagen ligt er een onderzeeër klaar voor de kust. Dat is jullie tikkende klok. Als je die mist, zullen jullie moeten lopen.'
'Kunnen we niet dichter bij de kust worden gedropt?' vroeg Chris.
'Dat is helaas niet mogelijk. Jullie moeten naar een deel van het land vliegen waar er weinig radarcontrole is, dus dat is per definitie een afgelegen gebied.' Hij wees opnieuw naar het grensgebied op de kaart. 'Hier is geen pest te zien behalve zand, rotsen, een sporadische kameel. Mensen zijn helemaal sporadisch.'

'Wie vliegt ons ernaartoe?' vroeg Mike.
'De Antonov staat geregistreerd bij een civiele chartermaatschappij die hulpvluchten uitvoert in heel Afrika. De piloten komen uit Zimbabwe. Ze krijgen toestemming van de militaire autoriteiten in Sudan om naar een gebied ten noordwesten van Khartoum te vliegen. Op het juiste moment zal de piloot de grens overvliegen en vervolgens terugvliegen naar Sudan en dan verder vliegen volgens schema. De BND heeft alles geregeld. Het zijn uitstekende piloten die we eerder hebben gebruikt. Maak je geen zorgen. Jullie komen echt wel bij de DZ. Daarna is het aan jullie.'
'Wat voor explosieven krijgen we mee?' vroeg Chris.
'Het standaardpakket: semtex, ontstekers en timers,' zei de Ouwe. 'Precies wat je zou verwachten van Walter.'
'De wapens en munitie liggen voor ons klaar in Libië?' vroeg ik.
De Ouwe knikte. 'Aan boord van de watertanks.'
'Hoe gaat u ze daar krijgen?' vroeg Andy.
'Laat dat nou maar aan mij over,' zei de Ouwe tegen hem. 'Alles wat jullie nodig hebben, ligt voor jullie klaar. Jullie krijgen ook granaten, dus misschien hebben jullie de springstof niet eens nodig.'
'Waarom dat?' vroeg Chris.
'Omdat we eerlijk gezegd niet goed weten wat jullie daar kunnen verwachten,' zei de Ouwe. 'De radar kan daar staan of mobiel zijn, met de besturing in een pantservoertuig. Jullie moeten zo veel mogelijk zien te vernielen, elektronica en schotel. We willen niet dat ze het ding kunnen repareren en weer gaan gebruiken.'
Ik moest dit even verwerken. Als de radar apart stond, een enkele radar op een trailer, dan zou het relatief eenvoudig zijn hem te vernietigen. Maar als hij geïnstalleerd was op een pantservoertuig, zoals wel vaker het geval was bij Russische luchtafweersystemen, dan zouden we het pantservoertuig moeten slopen om de radar helemaal uit te kunnen schakelen. En dan zouden granaten heel handig zijn.
'Hoe zit het met onze exit-strategie?' vroeg Andy. 'Als die er al is.'
'De Amerikanen zullen jullie van dit strand oppikken,' zei de Ouwe. Hij keek in zijn aantekeningen en noemde enkele coördinaten. 'Jullie moeten de onderzeeër per radio waarschuwen zodra jullie in het doelgebied zijn. Dan kunnen zij hun positie innemen, dicht bij de kust, en jullie ophalen met een rubberbootje. Jullie hoeven alleen maar contact met ze op te nemen zodra jullie klaar zijn.'
'Hoe doen we dat?' vroeg Lobo.
'Curly zal jullie straks de details geven,' zei de Ouwe. Hij keek ons aan. 'Zijn er nog vragen?'

Ik had er wel duizend, maar de belangrijkste was er een waarvan ik wist dat de Ouwe er geen antwoord op had.
We konden de risico's beperken, maar wat de terugtocht betreft, het deel waar we geen zeggenschap over hadden, bleef de vraag of de Amerikanen er zouden zijn als we ze nodig hadden.

35

We sloten onszelf op in de briefingruimte en begonnen de details van het plan uit te werken.
Het allerbelangrijkste was volgens ons het bedenken van een alternatieve ontsnappingsroute, voor het geval de rubberboot niet op kwam dagen of de onderzeeër onverwachts niet kon komen.
We begonnen bij het begin. Op de eerste dag, wanneer de zon opkwam boven een afgelegen stuk van de Libische woestijn, in een streek waar vrijwel niemand woonde, zouden we een sprong maken vanuit een Antonov.
Op de grond zouden we onze parachutes verstoppen, contact leggen met de chauffeurs en naar het noorden rijden.
In deze streek, een volstrekt uitgestorven deel van de aarde, waar de Libische woestijn overging in de Sahara, in de buurt van de grens met Tsjaad, waren er geen wegen en voorzover ik kon zien ook geen paden. De woestijn kon het ene moment zo hard en vlak als een biljarttafel zijn en ineens veranderen in zacht, stroperig zand dat een truck volledig kon vastzuigen.
De Ouwe had de verzekering van de BND dat de chauffeurs professionals waren die wisten wat ze deden. Ik hoopte maar dat ze gelijk hadden.
In deze omstandigheden was het onmogelijk te zeggen hoe hard ze zouden kunnen rijden op weg naar de kust, meer dan 1300 kilometer van de landingsplaats.
We keken lang naar de kaart van het gebied rond de DZ. De dichtst-

bijzijnde weg op de kaart lag bijna 400 kilometer verder. Zelfs onder de gunstigste omstandigheden zouden we zeker anderhalve dag nodig hebben om bij de weg te komen. We zouden nog twee of drie dagen nodig hebben om vanuit het zand en de heuvels van het binnenland de kust te bereiken. Vijf, zes dagen na onze landing zouden we dus in de buurt van het doelwit komen.
Ik wilde hoe dan ook de kustweg vermijden. Dit was altijd een drukke weg, maar nu de Libiërs het op hun heupen hadden vanwege de Amerikaanse aanvallen, wist ik dat hij bezaaid zou zijn met wegblokkades en militairen.
De Ouwe had weinig informatie over de situatie in het binnenland, maar de basis van het plan was goed: de Libiërs zouden geen aanval op een kustdoelwit verwachten vanuit het achterland. Ze zouden naar de zee kijken.
De chauffeurs hadden de BND kennelijk weten te overtuigen dat de trucks niet zouden worden tegengehouden onderweg naar het noorden. Zelfs nu, hadden de verbindingsofficieren van de BND tegen de Ouwe gezegd, waren er weinig aanwijzingen dat de Libiërs in het binnenland patrouilleerden.
Als de zaak in de soep zou lopen voor we de kust bereikten, was het plan naar Tunesië te gaan. Tunesië was een toeristengebied vol Duitsers. Eenmaal over de grens zouden we dan naar de Duitse ambassade gaan en daar afwachten tot de BND een manier had bedacht om ons het land uit te krijgen.
Als we eenmaal bij de kust waren, in de buurt van de chemische fabriek, zouden de chauffeurs ons op een geschikte plek afzetten en zouden we een schuilplaats zoeken waar we rustig de omgeving konden verkennen.
Het stond me bij dat de chemische fabriek nogal uitgestrekt was. Als we de radar niet binnen 24 uur zouden kunnen vinden, moesten we de missie afblazen en contact opnemen met de onderzeeër. Lobo had de relevante frequenties genoteerd en de coördinaten van het ophaalpunt. Van een van de chauffeurs zouden we ook een radio krijgen.
We zeiden tegen de Ouwe dat de route naar Tunesië ook meteen onze ontsnappingsroute zou zijn voor het geval de Amerikanen 'vergaten' ons op te pikken. Na de Oekraïne hadden we gezworen nooit meer uitsluitend op het plan te vertrouwen om thuis te komen.
'Na die helse tocht kun je het vergeten met mij,' zei Angel toen we bij de Ouwe weggingen. 'Ik ga niet weer aan de wandel.'
'Wat ga je dan wél doen?' vroeg Chris.
'Wat denk je?' zei Angel na even te hebben nagedacht. 'Ik ben een ma-

rinier. Ik zwem liever naar Sicilië en verzuip onderweg dan dat ik levend verbrand.'
Hij maakte een grapje, maar de glimlach verdween gauw van zijn lippen.

Drie dagen nadat we voor het eerst over de missie hadden gehoord, vlogen we van Frankfurt naar Riad en in Riad stapten we over op een vlucht naar Khartoum.
We waren acht flinke, gezonde Duitsers te midden van vrijwel uitsluitend Sudanese passagiers en ik had het idee dat we enorm in het oog liepen. In onze paspoorten en papieren stond dat we bij een ontwikkelingsorganisatie hoorden die scholen en ziekenhuizen bouwde in een afgelegen deel van Noordwest-Sudan. De Ouwe had ons verzekerd dat de 'mannetjes' van de BND ervoor zouden zorgen dat we op de luchthaven niet zouden worden lastiggevallen door de douane.
Maar toen het vliegtuig begon te dalen boven de Nubische woestijn, voelde ik de angst opkomen. Herinneringen aan andere vluchten en andere missies kwamen boven. Ik moest vooral denken aan de keer dat we vanaf de kazerne naar Oost-Berlijn waren gevlogen op de vooravond van onze missie om een spion te helpen ontsnappen uit de gevangenis van Rummelsburg.
Voor Rummelsburg had ik een vrij normaal leven geleid. Ik was soldaat in de Bundeswehr. Ik bracht mijn dagen door met trainen en leerde dienstplichtigen – jongens die geen zier om het leger gaven – hoe ze met wapens moesten omgaan. Ik had een prachtige vrouw, een mooie auto en een huisje op het platteland.
Maar achter de façade viel mijn leven in duigen. We konden elk moment worden opgeroepen. We hadden drie maanden in Oost-Duitsland gewerkt als 'gastarbeiders' en ondertussen een plan gesmeed om een raffinaderij in Halle op te blazen. Het leven onder het wakend oog van de Stasi was een zware belasting geweest, maar dat had ik niet willen erkennen, zeker niet tegen een ander.
Toen was de missie naar de Harz gekomen, waarbij Ginger werd opgeblazen door een Russische mijn. Een paar weken daarna was Rummelsburg gekomen, daarna mijn gevangenschap en zeventien dagen ondervraging door de Stasi.
De artsen en zielenknijpers hadden goed werk gedaan. Ik dacht praktisch nooit meer aan Rummelsburg en de tijd erna. Maar soms kwam alles ineens terug. Het geluid van een stoel die werd weggeschoven, een dichtslaande deur of in een dalend vliegtuig zitten.
Ik keek uit het raam.

In de ondergaande zon kon ik de Nijl zien. De zon stond vlak boven de horizon en op de grond was het al donker. Zonder licht leek de rivier zwart. Ik had de Nijl al wel eens uit de lucht gezien tijdens een bezoek aan Egypte en had me toen verbaasd over het groene Nijldal. Maar dit was anders. Hier was de grond langs de rivier nauwelijks vruchtbaar te noemen. Er waren alleen woestijn en water. Als we in de problemen kwamen in Khartoum, zouden we kilometers verwijderd zijn van hulp. In Libië zou het nog erger zijn.
Ineens dacht ik weer aan iets anders van de Rummelsburgmissie, hoe we met z'n achten achter in het kleine Do 28-vliegtuig hadden gezeten en achterover werden geduwd in onze stoelen bij de landing op Berlijn Tempelhof. We waren allemaal begin twintig, maar oud voor onze leeftijd. Vijf jaar later leek het helemaal iets uit een ander leven.
Als we in de puree belandden, zou ik niet een of andere eikel het genoegen geven om toe te kijken hoe ik lag te draaien en kermen terwijl hij me bewerkte met een stel startkabels. Het mooie van geen gezin hebben was dat het me geen lor meer kon schelen. En ik had het idee dat dit na de Oekraïne ook voor de anderen gold. We zouden de klus of klaren, of in het harnas sterven. Misschien was dat ook wel de bedoeling van de Ouwe.
Het vliegtuig kwam met een klap neer op het asfalt, waarop de Sudanezen spontaan in applaus losbarstten.
Het vliegveld lag aan de rand van de stad en terwijl we naar de terminal taxieden, kwamen we langs een rij gammele MiG's. Verderop, vlak langs het hek om het vliegveld, was een kerkhof vol oude passagiersvliegtuigen.
Toen de deuren opengingen, werd ik door de hitte overvallen. Ik pakte mijn handbagage en keek het gangpad af. Ik ving Angels blik op. We hadden afgesproken dat we geen aandacht zouden trekken door als groep op te trekken. Je wist het nooit met dit soort plekken. Ik wilde niet opvallen.
Felle lampen schenen in mijn ogen toen ik de trap afliep. Ik hield mijn hand voor mijn ogen om ze tegen de schittering af te schermen en mijn hart sloeg over. Op het asfalt voor het vliegtuig stonden drie zwarte limousines, met elk een chauffeur ernaast.
De Sudanezen liepen naar een vervallen, betonnen terminal. Ik ging achter een man in een *galabiyah* staan die stond te worstelen met een minikoelkastje dat hij als handbagage had meegenomen. De anderen stonden ergens achter me. Ik hoopte dat onze contactpersoon binnen was.
Toen ik het gebouw binnen liep, wees een agent me naar de rij waar

andere buitenlanders op de stempel in hun paspoort stonden te wachten. Toen voelde ik een hand op mijn schouder.
'Herr Braun?' vroeg een stem met een zwaar Arabisch accent. Ik draaide me om. Braun was mijn schuilnaam, de naam op mijn valse papieren. Achter me stond een man in een licht katoenen jasje. Aan de manier waarop het hing, kon ik zien dat hij een pistool in zijn zak had.
Ik keek hem aan. Hij had een heel donkere huid en toen hij lachte, zag ik een gouden tand.
Hij sprak zacht en dringend. 'Mijn naam is Moestafa. Kom met me mee.' Hij gebaarde naar de auto's.
Moestafa. Dat was niet de naam die ik verwachtte. In een enkele seconde stroomden alle voorgevoelens die ik had gehad na Rummelsburg van mijn maag naar mijn hersenen. Ik probeerde strak te kijken, maar hij doorzag me omdat ik heel even naar de uitgang keek.
'Toe, Herr Braun,' zei de man. 'Het is goed. Abdoellatif kon niet komen. Hij is ziek. Ik ben zijn plaatsvervanger. Alles is in orde. Maar we moeten nu naar de auto's. Snel.'
Ik keek over zijn schouder. Andy was net de terminal binnen gekomen. Hij had de ontmoeting gezien. Aan zijn gezicht was te zien dat hij onze mogelijkheden overdacht.
Was er echt een wijziging geweest? Of was dit de Sudanese Mukhabarrat – de geheime politie – die ons wilde meenemen voor een rustig gesprek in een kamer zonder ramen?
Moestafa trok aan mijn jasje.
'Toe, Herr Braun. We hebben geen tijd. Kom.'
Ik knikte en liep met hem mee terug naar het asfalt. We konden niet anders. We moesten doen wat ons gezegd werd.

36

Andy, Mike en ik zaten in Moestafa's auto. Hij reed met het gemak waarom ik Arabische automobilisten altijd benijdde. Ze leken moeiteloos door de chaos te kunnen navigeren. Van alle kanten kwamen toeterende auto's op ons af. Ik had geen idee wie er voorrang had en Moestafa leek het ook niet te weten, maar op de een of andere manier kwamen we erdoor.
Af en toe keek ik om of de anderen er nog waren. In de tussentijd dacht ik na over het feit dat we nu in noordelijke richting reden: het water van de Blauwe Nijl was rechts duidelijk zichtbaar.
Khartoum was gebouwd op de plek waar de Blauwe Nijl, gevoed door de bergstromen van Ethiopië, samenkwam met de Witte Nijl, die zijn oorsprong had in het Victoriameer, bijna 2000 kilometer naar het zuiden.
Moestafa praatte aan een stuk door. In het Engels, want zijn Duits beperkte zich tot een paar zinnetjes. Hij vertelde dat hij zijn opleiding had genoten in Oxford, Engeland, al geloofde ik geen minuut dat hij de universiteit bedoelde. Hij doorspekte zijn zinnen echter wel met vreemde uitdrukkingen die rechtstreeks uit een boek van Agatha Christie leken te komen: dingen als 'crikey' en 'by heavens'. Door die onwerkelijke sfeer merkte ik dat ik hem sympathiek begon te vinden.
Hij wees de paar bezienswaardigheden van Khartoum aan met het enthousiasme van een gids.
We reden langs het regeringsgebouw waar generaal Gordon, ooit de gouverneur, was vermoord. Verderop zagen we in het licht van de maan de plek waar de twee rivieren samenstroomden.

Iemand die ons had willen overvallen of verraden zou, zo dacht ik, tekenen van nervositeit hebben vertoond. Moestafa leek op alle andere 'mannetjes' die ik in de Arabische wereld was tegengekomen: gedienstig, gemakkelijk te behagen en onschadelijk.
Na een halfuur rijden stopten we voor een vervallen gebouw aan een donkere straat. Moestafa's gouden tand glinsterde in de koplampen van de auto's achter hem. Toen gingen de lampen uit en werden we overspoeld door de duisternis.
'Het hotel,' legde Moestafa uit. 'Alstublieft. We moeten snel zijn.'
Ik stond op uit de passagiersstoel. Hier, aan de rand van de stad, had de drukte plaatsgemaakt voor een oorverdovende stilte, die af en toe doorbroken werd door het geblaf van een hond of het eenzame geratel van een trein ergens in de verte.
Ik keek op naar het hotel. Het was niet het Hilton, maar dat was ook de bedoeling. Er was maar één behoorlijk hotel in Khartoum en als we daar naartoe waren gegaan, zou dat te veel zijn opgevallen.
Sudan was altijd al een onrustig land geweest, maar in 1986 maakte het een progressieve periode door. Een jaar eerder was de leider, veldmaarschalk Ja'afar Mohammed Al-Numeiri, afgezet door een populistische alliantie die had geëist dat er een einde kwam aan de *shari'ah*, de religieuze wetten. Al-Numeiri had in de veronderstelling verkeerd dat de twintig miljoen inwoners de shari'ah zouden verwelkomen. Hij had zich vergist en werd afgezet tijdens een staatsbezoek aan Washington.
Ons bezoek viel vlak voor de vrije verkiezingen. De inwoners hadden de lessen geleerd van de islamitische revolutie in Iran en wilden daar niets mee te maken hebben. In West-Duitsland hadden we te horen gekregen dat deze afwijzing van de wetten van de koran niet betekende dat we ons veilig konden voelen in wat nog altijd een uiterst repressief land was. De burgeroorlog tussen de moslims in het noorden en de christenen in het zuiden woedde al drie jaar. De oorlog had ellende en honger gebracht voor duizenden vluchtelingen.
Wrang genoeg was het juist deze situatie die ons in staat stelde om naar Sudan te gaan als ontwikkelingswerkers. Wat de Ouwe niet met zoveel woorden had gezegd, maar wat wel duidelijk was gebleken uit alle briefings die we hadden gehad, was dat Sudan een uiterst gevaarlijk land was om in te reizen. Het gebied waar we overheen zouden vliegen mocht dan in handen van de regeringstroepen zijn, ik had geleerd dat je nooit helemaal kon vertrouwen op officiële rapporten. In een burgeroorlog kon je net zo goed door je 'eigen' kant worden neergehaald als door de tegenstander.
Ik viste mijn tas uit de achterbak van de Mercedes en liep achter Moes-

tafa aan naar de lobby van het hotel. Binnen was het donker, de twee peertjes knipperden door de fluctuaties in de stroomtoevoer. Moestafa riep iets en klapte in zijn handen. Even later ging er een zijdeur open en verscheen er een jongeman, die haastig een slecht zittend, vuil jasje dichtknoopte terwijl hij naar het bureau aan de andere kant van de kamer liep. Door de openstaande deur kon ik een slechte kwaliteit video zien spelen op tv, met het geluid uit. Toen ik zag welke film het was, moest ik glimlachen. Het was *Wild Geese*, een Hollywoodfilm over een stel verlopen huurlingen die worden losgelaten in een fictieve Afrikaanse staat.

Het inchecken leek eeuwig te duren. We waren al de hele dag onderweg en moesten de volgende dag weer vroeg op. Ik wilde maar één ding: slapen.

We werden naar onze kamers gebracht en toen ik mijn tas op het bed gooide, verdween dat bijna onder een stofwolk.

De kamer stonk naar schraal zweet. In de aangrenzende badkamer kon ik een kraan horen druppelen. Ik probeerde hem dicht te draaien. Het geluid van druppelend water was een van de dingen die me altijd deden denken aan de tijd dat ik was gefolterd door de Stasi. De kraan zat muurvast en bleef druppelen.

Er werd op de deur geklopt. Ik opende hem op een kiertje. Moestafa stond aan de andere kant.

'Het eten is klaar,' zei hij.

Ik keek op mijn horloge. Het was bijna elf uur. Voor ik iets kon zeggen, was Moestafa alweer verdwenen.

In de Arabische wereld bestaat er geen grotere belediging dan gastvrijheid afwijzen. We moesten dus wel meedoen, in een land waar haast een onbekend woord was.

De maaltijd bestond uit kip met rijst. Terwijl we aten, vertelde Moestafa wat er was geregeld. Hij zou de volgende ochtend om halfvijf terug zijn. De rit naar het vliegveld zou een uur duren en onderweg zouden we langs een aantal controleposten komen. Alle buitenlanders die buiten de hoofdstad wilden reizen, moesten een aanvraag indienen bij het ministerie van Binnenlandse Zaken en hun paspoort van tevoren inleveren. Moestafa wuifde dit weg en zei dat dit 'geregeld' was en dat we niet zouden worden gecontroleerd.

'De rit naar het vliegveld zal heel prettig zijn,' zei hij glimlachend. 'Jullie hoeven alleen maar van de omgeving te genieten. Als we worden aangehouden, laat mij en mijn collega's dan het woord voeren. *Mafish mushkilla*, zoals we hier zeggen. Het is geen punt. Totaal geen punt.'

Ik had een schema gemaakt zodat er steeds iemand wakker was in de vierenhalf uur die we nog hadden voor we naar het vliegveld zouden gaan. Niemand was er helemaal gerust op en we sliepen slecht. Ik lag in de hitte wakker en luisterde naar de geluiden van een onbekende stad.

37

Het was nog donker toen we het hotel verlieten, lusteloos door het slaapgebrek, en achter in de Mercedes kropen voor de rit naar het vliegveld.
Toen we Khartoum uit reden, werden de eerste tekenen van de zonsopgang net zichtbaar boven de oostelijke horizon. De weg slingerde in noordelijke richting. Er was weinig verkeer en af en toe passeerde er een truck.
Moestafa hield zijn ogen strak op de weg gericht en was erg stil voor zijn doen. Ik wist niet of dit nu was omdat hij zich zo beter kon concentreren of omdat hij zich meer zorgen maakte dan hij had laten merken, maar zijn zenuwachtigheid verontrustte me. Ik rookte aan een stuk door en negeerde Angel, die riep dat de rook in zijn ogen kwam.
Toen mijn ogen wenden aan het licht, kon ik de details van de omgeving herkennen. De woestijn was bezaaid met rotsen en begroeiing: hier en daar een boom die tot op twee, drie meter hoog kaal was gevreten door de rondzwervende kamelen.
Een eindje van de weg af kon ik huizen zien liggen. Sommige waren vrij luxe, van steen met elektriciteit en televisieantennes en andere waren niet meer dan rieten hutjes, verbogen in de wind.
Het leger was ook duidelijk aanwezig: we kwamen langs barakken waar roestige voertuigen stonden; ook zag ik meerdere geschutsemplacementen voor luchtafweergeschut. Na een halfuur rijden zagen we een militair vliegveld waar een paar roestige MiG's op de landingsbaan stonden.

Vijf minuten na het vliegveld begon Moestafa af te remmen. Hij keek achterom. 'Controlepost,' zei hij. 'Geen gepraat meer.'
Met veel gekraak schakelde Moestafa terug. Een soldaat kwam uit het hokje aan onze kant van de weg en gebaarde ons te stoppen. De Mercedes kwam tot stilstand. Aan de andere kant van de weg was nog een hokje met een oude Datsun ervoor. Een andere soldaat ondervroeg de bestuurder. In de achterbak van de truck deden twee meisjes en een vrouw, met bedekt gelaat, verwoede pogingen om wat koppige geiten in bedwang te houden.
Moestafa zei iets tegen de soldaat en overhandigde hem een papiertje. De soldaat keek achterin. Hij begroette ons met een *sabah al-kheer.*
'*Sabah al-noor,*' zei ik, het formele Arabische antwoord. Moge uw dag vol licht zijn.
De soldaat deed een stap terug en bekeek het document, een los vodje. Ik had eigenlijk verwacht dat het er officiëler uit zou zien.
Hij keek naar de twee andere auto's, liep toen terug naar Moestafa en schreeuwde een bevel. Ik zag dat Moestafa verbaasd opkeek. Mijn mond werd droog. Moestafa stapte uit. De soldaat greep hem bij de arm en trok hem zachtjes naar het hokje. Toen de deur openging, zag ik nog twee soldaten zitten. Ze zaten te kaarten. Moestafa ging naar binnen en verdween uit het zicht.
Aan de andere kant van de weg kwam de bestuurder van de Datsun, een boer in een vuilwitte *galabiyah*, uit het andere hokje en liep terug naar zijn auto. Hij keek woedend, schreeuwde tegen de vrouw achterin, klom achter het stuur en startte de motor, waarna hij terugreed in de richting waar hij vandaan kwam. De controlepost was niet zo gemakkelijk te passeren als beloofd.
'Wat gebeurt er?' vroeg Angel zachtjes.
'Geen idee,' antwoordde ik en ik verwrong mijn nek om te zien of Moestafa de sleutels in het contact had laten zitten. Dat was niet zo. Maar we hadden er ook geen moer aan gehad.
Ik zat de situatie nog te overdenken, toen Moestafa opeens in de deuropening van het hokje stond. Hij protesteerde tegen iemand binnen. Hij draaide zich om en kwam onze kant op.
'Het spijt me zeer, ' zei hij en hij stak zijn hoofd naar binnen, 'maar hebt u geld? Dollars, marken, wat dan ook?'
'Wat is er?' beet ik hem toe.
'Niets, helemaal niets,' en hij gebaarde me te kalmeren. 'Het zijn hebberige mannen, moet ik tot mijn spijt bekennen. Alles was geregeld. Dit zou niet moeten gebeuren. Het is heel spijtig. Heel gênant.'
Ik greep mijn portemonnee en pakte vier biljetten van vijftig dollar.

Moestafa zoog door zijn tanden. 'Nee, nee. Niet zoveel. Als u ze te veel geeft, willen ze de auto doorzoeken.' Hij pakte drie biljetten. 'Dit is voldoende.'

Hij liep weer naar het hok. 'Je weet toch wat hier gebeurt?' zei Angel. 'Onze vriend snoept er zelf wat vanaf.'

'Kan me niet schelen,' zei ik terwijl ik mijn ogen strak op het hok hield, 'zolang het maar werkt.'

De deur ging open en Moestafa verscheen, ditmaal geflankeerd door twee soldaten. Ik verstijfde.

Ze kwamen bij de auto en Moestafa zei iets, draaide zich om en opende het portier. Hij ging zitten, startte de motor en reed weg van de controlepost.

'Ziet u wel? Niets aan de hand,' zei hij terwijl hij zijn voorhoofd afveegde.

Ik keek achterom. De andere auto's reden achter ons.

'Dit gaan we toch niet nog een keer doormaken bij het vliegveld, hè?' zei ik.

'Nee, nee,' verzekerde Moestafa me. '*Mafish mushkilla.*'

'Mooi,' zei ik, niet echt gerustgesteld. Geen enkel punt.

Vijftien minuten later remde Moestafa. In de verte zag ik een olievat met rood-witte strepen erop links van de weg staan.

We sloegen af, een onverharde weg op. De zon stond laag aan de hemel en scheen direct in ons gezicht. Ik kneep mijn ogen toe, maar ik kon alleen een eindeloze horizon herkennen, met hier en daar een boom.

Moestafa zette de Mercedes neer en we stapten uit. Achter ons kwamen de twee andere auto's tot stilstand in een stofwolk.

Ik keek om me heen. Behalve ons groepje en een paar gieren in de lucht was er niets te bekennen. Ik keek Moestafa aan. Hij bestudeerde zijn horloge. Toen hoorde ik het geluid van motoren uit het oosten.

Ik draaide me om en zag het vliegtuig. Het vloog voor de zon en ik verloor het uit het oog. Maar het geluid van de motor was af en toe te horen op de wind. Toen ik het opnieuw zag, hing het laag in de lucht. Ik schermde mijn ogen af tegen het licht en terwijl ik dat deed, maakte de piloot een scherpe bocht en begon aan de afdaling, met bungelende wielen en flappen.

'Het is inderdaad een Russisch vliegtuig,' zei Chris, die tamelijk goed was in het herkennen van vliegtuigen. 'Ziet eruit als een Antonov.'

Hij leek recht op ons af te komen. Ik kneep mijn ogen tot spleetjes totdat ze traanden, maar toen zag ik dan ook de witte strepen in het zand. De landingsbaan lag ongeveer 200 meter verder, haaks op de richting waarin de auto's stonden.

'Dit is vast een hulpbaan,' zei Chris, 'een reserveveld voor de basis die we zojuist zijn gepasseerd.'
'Kan een Antonov hier wel landen?' vroeg ik wijzend naar de landingsbaan.
Chris haalde zijn schouders op. 'Daar is het nu een beetje laat voor, vind je niet, Jackson?'
Op het laatste moment corrigeerde de piloot voor de zijwind, stuiterde voorbij de luchtweerstand en zette de Antonov neer met een grote stofwolk. Daarna zette hij de propellers in hun achteruit. Je kon hem haast zien worstelen om de neus gelijk te houden met de landingsbaan.
Het geluid van de motoren en propellers die 60 ton voortbewegend metaal tot stilstand brachten, was oorverdovend. Het vliegtuig scheurde voorbij. Eindelijk ging het langzamer en draaide het, waarbij de vleugels en de romp trilden op de ongelijke ondergrond.
Moestafa sprong op en neer en kon nauwelijks zijn vreugde bedwingen.
'Kom, kom,' schreeuwde hij. 'U moet opschieten. Geen tijd voor afscheid nemen. We zullen elkaar weerzien, *insha'allah*.'
Hij deed de kofferbak open en de twee andere chauffeurs deden hetzelfde. Gehaast pakten we onze tassen en renden naar het vliegtuig.
Toen ik me omkeerde, zag ik Moestafa nog net wuiven. Ik wuifde terug.
Ik keek naar de cockpit. Door een van de zijpanelen wees een man naar de achterkant van het vliegtuig.
Toen ik om de achterste motor liep, zag ik dat de achterklep net omlaag ging.
We renden de klep op. Binnen stonden twee rijen kratten vanaf het tussenschot achter de cockpit tot helemaal achter in het vliegtuig. Tussen de kratten in kon ik door een deur helemaal naar de cockpit kijken.
De piloot wenkte ons en we liepen voorzichtig naar voren, tussen de kratten door. Ik kwam als eerste bij ze aan.
Hij gaf me een hand en leunde voorover en hij vouwde zijn hand om mijn oor. 'Peter Mackenzie,' zei hij. 'Dit is Sam.' Hij gebaarde naar de man naast hem in de stoel van de copiloot. Sam keek op van zijn instrumenten en knikte even naar me. 'Hebben jullie ooit uit een An-26 gesprongen?' vroeg Mackenzie.
Ik schudde mijn hoofd.
'Niets aan de hand. Sam legt het wel uit. Hij was vroeger springleider in de Rhodesische luchtmacht. Doe wat hij zegt en er gebeurt je niks. De vliegtijd naar de DZ zal ongeveer drieënhalf uur zijn. In de tussentijd kunnen jullie het beste ergens gaan zitten en het ervan nemen.'

Ik deed wat hij zei en schuifelde terug naar het vrachtruim. De Antonov reed alweer over de landingsbaan, klaar voor het opstijgen. Achter de kratten kon ik het hoge geloei van de servomotoren horen terwijl de laadklep met een dreun dichtsloeg. Ik zei tegen Angel dat hij de anderen moest zeggen dat we moesten gaan zitten waar dat kon en ons goed moesten vasthouden. De Antonov was een vrachtvliegtuig en had dus geen stoelen.
Het vliegtuig was niet meer dan drie minuten op de grond geweest toen Mackenzie de kleppen alweer opengooide.
De Antonov schoot naar voren en begon toen snelheid op te bouwen. Het hele karkas schudde.
We zaten met z'n achten op de grond, op onze plunjezakken. Ik hield me vast aan de rand van een krat en hoopte maar dat het ding goed vastgesnoerd stond. Ik zag nergens touwen of linten. Als de vracht begon te schuiven, hadden we een probleem. Maar Mackenzie en zijn maat zagen eruit als mannen die wisten wat ze deden.
Ik was altijd onder de indruk geweest van Rhodesiërs – nu Zimbabwanen – die in hun leger hadden gediend. Piloten als Mackenzie hadden een bittere burgeroorlog gevochten in de nadagen van het blanke bewind tegen het guerrillaleger van Robert Mugabe. Mackenzie zag eruit als een ervaren piloot die de omgeving op zijn duimpje kende.
Ik troostte me met deze gedachte toen de Antonov over een bobbel reed, een paar meter opstuiterde, met een klap weer terugviel en ten slotte opsteeg.

38

Een halfuur nadat we waren opgestegen, kwam Sam naar het ruim en haalde de parachutes tevoorschijn. Ze zaten in een van de kratten en zagen eruit als de standaard statische-lijnparachutes waar ik in het begin van mijn training altijd mee gewerkt had. Behalve de parachutes gaf Sam ons ook jumpsuits. We droegen ons normale kloffie: jeans, T-shirt, jasje. Het enige onderdeel van ons uniform dat we bij ons hadden, waren onze kisten. Ik trok een jumpsuit aan en wurmde me toen in de riemen en gordels van de parachute. Iedereen had een parachute en een reserve.

We controleerden of de parachutes naar behoren werkten en stapten er toen weer uit, zodat we de rest van de reis gemakkelijk konden zitten. Een uur na vertrek daalden we in voorbereiding op het Libische luchtruim. Weliswaar was er gezegd dat er nauwelijks radarcontrole was op de grens van Sudan en Libië, maar Mackenzie nam geen risico's.

Eenmaal over de grens klommen we weer omhoog. Ik slaagde erin om tussen de kratten omhoog te klauteren naar een van de raampjes. Ik keek naar buiten en zag een eindeloze zee van zand.

Ik draaide me om naar de anderen. Angel en Chris zaten op hun parachutes te kaarten. Lobo lag op zijn rug te roken en Andy leek te slapen.

'Denk je dat die watertrucks er staan als we springen?' schreeuwde Mike toen ik langs hem schoof op weg terug naar mijn plekje op de grond.

'Laat ik het zo zeggen,' riep ik, 'als we ze niet zien, spring ik niet. Ik adviseer je om hetzelfde te doen.'

Hij glimlachte. 'Bedankt. Ik zal eraan denken.'
Ik dacht terug aan onze training en met name aan die keer dat Ginger, God zegene hem, onze parachutes naar buiten had gegooid en de ellende die de Ouwe ons toen had bezorgd. Ik dacht ook aan de keer dat we een nachtsprong hadden uitgevoerd in Amerika en Angel op de enige boom in de wijde omtrek was gesprongen. We hadden hem laten hangen, vloekend als een zeeman, tot de volgende ochtend. Die nacht had hij zijn bijnaam gekregen.
We waren opgericht om onrust te stoken achter de Berlijnse Muur, een taak die we in het begin met enthousiasme op ons hadden genomen. Nu vlogen we boven de woestijn van Libië en niets leek nog te kloppen.
De motoren gingen langzamer draaien en ik voelde dat de Antonov vaart minderde. Ik keek op en zag dat Sam naar me gebaarde. Ik stond op.
Hij vouwde zijn handen om mijn oor. 'Jullie springen over een paar minuten.'
Ik knikte en pakte mijn parachute op. Sam liep langs me naar de achterkant van het vliegtuig. Even later hoorden we de motoren loeien toen de klep omlaag ging. Licht stroomde het interieur in. De zon, die halverwege boven de horizon stond, scheen recht naar binnen. De warmte voelde goed aan.
Ik liep naar achteren terwijl Mackenzie aan een langzame draai begon. Ik greep de zijkant van het vliegtuig. Ik stond een meter van de klep af en kon de grond duidelijk zien. We zaten op ongeveer 800 meter hoogte, en vlogen tegen de opwaartse stroming boven enkele lage rotsformaties. Terwijl het vliegtuig keerde en de zon van positie veranderde, verdwenen de formaties uit zicht. We vlogen opnieuw boven een zandzee.
'Daar,' schreeuwde Sam en hij wees door het gat tussen de klep en de romp.
Ik wrong me in bochten om te kijken en zag ze vrijwel meteen: drie voertuigen die in de schaduw van een rots stonden die uit de zandzee omhoog stak. De bandensporen waren duidelijk zichtbaar. Ze kwamen uit het westen, van de kant die we op moesten om bij de 'weg' te komen, als je het zo kon noemen, die naar het noorden liep, door de heuvels in het midden van het land, naar de kust. Alles leek in orde te zijn.
Ik draaide me om en stak mijn duimen op naar de anderen. Toen knikte ik naar Sam.
De man uit Zimbabwe zei iets in de microfoon van zijn koptelefoon.

Het rode licht ging aan. Ik trok de banden van mijn parachute aan en keek toen of de gordel van Andy goed vastzat. Achter me deden de anderen hetzelfde in voorbereiding op onze val naar de aarde.
Het vliegtuig ging recht hangen en het oranje licht ging aan. Ik voelde de spieren in mijn buik aanspannen. Mijn mond was kurkdroog. Ik keek naar Sam en zag dat hij grijnsde. Ik lachte terug, hopend dat ik er niet zo bang uitzag als ik me voelde.
Het groene licht ging aan. Ik rende over de klep en sprong de diepte in.
Het was alsof ik in een oven sprong. Ik liet de lucht een paar hartslagen over me heen stromen en trok toen aan het touw. Even leek het alsof er niets zou gebeuren. De grond kwam snel naderbij. Toen klonk er een droge knak en werd het wazig voor mijn ogen terwijl de parachute opbolde, mijn hoofd naar achteren werd gedrukt en mijn snelheid in één keer van 200 kilometer per uur terugviel op maar een paar meter per seconde.
Ik verwrong mijn nek om te zien of de parachute was geopend. Tegelijkertijd zag ik de Antonov helwit afsteken tegen het blauw en de anderen eronder door de lucht duikelen.
Ik keek omlaag. Ik koerste recht af op het zachte zand, 200 meter van de zuidwesthoek van de rotsformatie waar de voertuigen naast stonden. Ik kon ze nu duidelijk zien. Drie watertanks, de witte verf verweerd door het zand, de wind en zon.
Toen ik aan het laatste stadium van mijn afdaling begon, kon ik de bestuurders op de grond zien zitten, hun ogen omhoog gericht. Was dit het hele ontvangstcomité of zaten er anderen te wachten in de schaduwen?
Als dit een valstrik was en ik de leiding had, zou ik nu tot actie overgaan, dacht ik.
Ik sloeg tegen het zand, rolde om en graaide mijn parachute bij elkaar. Dertig seconden later stond het hele team op de grond.
Ik telde de koppen. Iedereen was er. Het gemakkelijkste deel was voorbij.
Het vliegtuig was verdwenen. Ik kon het niet meer zien of horen. Het was stil. Ik hoorde alleen de parachutes zachtjes in de wind ruisen.
Andy was twintig meter verder geland. Hij was al uit zijn gordels gestapt en klemde zijn opgerolde parachute onder zijn arm.
'Zin in een wandelingetje?' vroeg ik knikkend naar de tanks.
Andy glimlachte zwakjes. 'Ik hoopte dat je iemand anders zou vragen.'
'Ik zal wel praten. Jij hoeft me alleen maar te dekken,' zei ik.
'En als Kaddafi's leger zich schuilhoudt achter die rots?'

Ik keek hem aan en deed mijn best terug te lachen. 'Dan weet je wat je moet doen, vriend. Eitje.'
We renden naar ze toe. We waren nog dertig meter van het eerste voertuig verwijderd, toen een van de Arabieren opstond om ons te begroeten. Hij was, vreemd genoeg, gekleed in een grijze broek en een overhemd. Hij leek zenuwachtig.
'Sabah al-kheer, ya effendi,' zei ik en ik stak mijn hand op als begroeting.
'Sabah al-noor, ya rayis,' zei de man in het overhemd. Hij keek me woedend aan.
Ik bleef staan en staarde naar hem, plotseling getroffen door de belachelijkheid van het geheel. *'Ana majnoon, wala ay?'*
De Arabier staarde me even aan. Zijn ogen werden iets groter, het enige waar zijn verwarring aan af te lezen viel. Toen viel hij uit de plooi en begon te lachen.
'Wa ana kaman,' zei hij en hij stak zijn hand uit. *'Ismi Kamal. Kaifa halak?'*
'Kwais, al hamdulilah.' Ik gaf hem hartelijk een hand. *'Ismi Jackson.'*
'Jackson,' zei Kamal onzeker. Hij glimlachte voor het eerst. *'Marhaban, ya Jackson.'*
'Kun je me alsjeblieft vertellen wat er aan de hand is?' zei Andy.
Ik keek hem aan. 'Het is heel eenvoudig. Ik begroette deze man en wisselde wat beleefdheden met hem uit. Ik zei hem dat ik gek was en hij antwoordde dat hij ook gek was. Nu heeft hij me in zijn land verwelkomd en zijn we dikke vrienden. O, en hij heet Kamal.'
Andy wendde zich tot de Libiër en lachte geforceerd. 'Andy,' zei hij.
Ze gaven elkaar een hand.
'Beetitkallim Arabee?' vroeg Kamal.
Andy keek me aan.
'Hij wil weten of je Arabisch spreekt,' zei ik hem.
Andy keek terug en schudde het hoofd. 'Sorry, vriend, ik spreek nauwelijks meer dan twee woorden,' zei hij in het Duits. *'Sprechen sie Deutsch?'*
Kamal glimlachte en schudde het hoofd.
'Engels?' vroeg Andy.
De chauffeur knikte.
Vanaf dat moment was Engels onze voertaal.

Zodra we onze parachutes en jumpsuits hadden begraven, leidde Kamal Andy en mij naar de cabine van zijn truck.
Achter de stoelen was een ruimte die net groot genoeg was voor een

provisorisch bed, met wat kussens als matras en een paar dekens erover. Kamal veegde ze opzij zodat het metaal van de truck zichtbaar werd. Hij reikte naar voren en trok aan een riem. Een luik ging open en een nis van ongeveer anderhalve meter lang en half zo breed werd zichtbaar. Hij dook erin en haalde een M16 tevoorschijn.
We hadden dit wapen leren kennen als buitengewoon nauwkeurig en betrouwbaar. Het had ons uit een paar netelige situaties geholpen, maar ik had niet verwacht het hier te zien.
De Ouwe had ons verzekerd dat we ruimschoots voorzien zouden worden van semi-automatische wapens, granaten en springstoffen, maar ik had kalasjnikovs verwacht, geen M16's. We hoefden ze alleen maar schoon te maken en ze waren weer zo goed als nieuw.
Terwijl we aan het controleren waren wat we aan materiaal hadden, waren Kamal en de andere chauffeurs Ahmed en Kareem, bezig de voertuigen klaar te maken voor vertrek. Pas toen ik naar achteren liep, zag ik dat het geluid dat we hadden gehoord, niet het geluid van inpakken was geweest, maar van uitpakken.
Kamal, Ahmed en Kareem zaten rond een fornuisje, waar een pan vrolijk op stond te pruttelen.
'*Itfadl*,' zei Kamal en hij gebaarde me naderbij. 'Kom. We eten nu. Dan slapen we. Dan vertrekken we.'
Ik hield voet bij stuk. 'Kamal, we moeten binnen vijf dagen bij de kust zijn.' Ik stak mijn hand op en spreidde mijn vingers. 'Vijf dagen. Het is belangrijk, nee, van levensbelang, dat we er dan zijn. Geloof me, we hebben geen tijd om te slapen.'
Kamal gebaarde me te gaan zitten. 'Toe, Jackson. Vertrouw me. Als we ons haasten, gaan we fouten maken. We moeten eten en rusten. En we rijden als dat nodig is. Alles komt goed. God, insha'allah, zal voor ons zorgen.'
Ik ging met tegenzin naast hem zitten. Even later kwam Andy opdagen.
'Wat is hier aan de hand?' vroeg hij en hij wees naar het fornuis.
'Dat wil je niet weten,' zei ik boven een glas hete, zoete thee dat zojuist voor me was ingeschonken. 'Gewoon meedoen. Hoe staat het met de spullen?'
'Alles is er,' zei Andy. 'Wapens, munitie, granaten, semtex, timers, alles. Er is zelfs een radio. Ik weet niet wat de Ouwe heeft moeten doen om alles hier te krijgen,' hij keek om zich heen en schudde bedenkelijk het hoofd, 'maar het is gelukt.'
Vijf minuten later waren de anderen er ook. Ik stelde iedereen voor en legde aan de rest in het Duits uit dat we de gasten waren van deze men-

sen en dat het geen zin had om te discussiëren over wanneer we moesten eten, slapen en rijden.
Angel gromde instemmend, ging naast Kamal zitten, glimlachte breeduit naar hem en wreef in zijn handen. De schotel van de dag was geit met couscous.
Die middag verbeten we ons terwijl Kamal en zijn vrienden onder hun trucks gingen liggen slapen. Ik was te gespannen om te slapen, maar zelfs als ik het had gewild, zou ik het niet hebben gekund. Het was zo heet dat ik nauwelijks kon ademhalen.
Vanuit het niets verschenen vliegen die op ons zweet afkwamen. Algauw zat ik onder. Ik probeerde eraan te ontsnappen door mezelf op te sluiten in Kamals cabine, maar de gloeiende hitte joeg me weer naar buiten. En dus wachtte ik gewoon, net als de rest, vliegen wegwuivend in de schaduw van de trucks en luisterend naar het gesnurk van de Libiërs, terwijl de zon langs de hemel kroop.
Pas tegen vijf uur kwamen ze in beweging.
We hadden ons al in drie groepen verdeeld, klaar voor vertrek. Andy, Mike en ik zaten in de voorste truck bij Kamal; Angel en Chris in de tweede, Lobo, Carl en Tony in de derde. We hadden de wapens verdeeld. Ik voelde me beter. We hadden nu, tot op zekere hoogte, ons lot in eigen handen.
Ik trommelde met mijn vingers op het dashboard terwijl ik wachtte tot Kamal klaar was met wat hij dan ook aan het doen was. Toen hij maar niet kwam, ging ik kijken waar hij bleef.
Ik rende naar de achterkant van de truck en struikelde bijna over hem. De drie mannen waren diep in gebed.
Toen we eindelijk vertrokken, was het merkbaar koeler. Kamal bepaalde het tempo en legde in zijn gebrekkige Engels uit dat hij 40 kilometer per uur moest blijven rijden om te voorkomen dat we zouden wegzakken in het zand.
Hij vertelde ook dat we op dit deel van de reis, ver van de bewoonde wereld, rustig 's nachts konden rijden. Op de 'wegen' die van het noorden naar het zuiden liepen, was dat anders. Daar moest je wel een goede reden hebben om na het donker te rijden en als je de pech had dat je gestopt werd door een militaire controle, legde Kamal uit, werd je gegarandeerd ondervraagd. Zeker in het huidige beveiligingsklimaat. Maar als je overdag reed werd je zelden aangehouden.
Heel langzaam stond ik me toe aan de routine te wennen.
Andy en ik sliepen om beurten en toen het eindelijk mijn beurt was, sliep ik als een os.

Ik werd wakker omdat we waren gestopt. Andy had al een M16 achter de stoel vandaan gepakt. Ik was meteen wakker en alert en pakte er ook een.
Kamal was nergens te bekennen.
'Wat is er in godsnaam aan de hand?' vroeg ik Andy.
'Geen idee,' antwoordde hij. 'Hij schoot naar buiten zodra we stilstonden.'
Ergens in de verte kon ik geschreeuw horen.
We daalden voorzichtig af uit de cabine. Andy ging langs de linkerkant, Mike en ik langs de rechterkant. Alle lichten van de truck waren uit, maar er was genoeg licht van de maan om te zien waar we liepen. Mike en ik gingen op het geluid af, een fikse scheldpartij in het Arabisch. Toen zag ik wat het probleem was.
De tweede truck was deels geschaard. Aan een kant zaten de banden tot aan de assen in het zand. Toen mijn ogen waren gewend aan de duisternis, zag ik Kamal en Ahmed voor de cabine staan. Kamal schold zijn vriend de huid vol. Ik rende er naartoe en haalde ze uit elkaar en nam toen Kamal apart.
'Die man is een idioot,' zei Kamal wijzend naar Ahmed. 'Hij luistert naar de radio en speelt met de radio. Hij heeft ons allen beschaamd.'
'Rustig aan,' zei ik, 'en vertel me hoelang het gaat duren voor we verder kunnen.'
Kamal rende om het voertuig heen. Ik ging op mijn hurken zitten, rookte een sigaret en liet de nicotine zijn werk doen. Toen Kamal terugkwam, was ik voorbereid op het ergste.
Er was geen zware schade, maar het uitgraven van de banden zou wel even gaan duren. Kamal zei echter dat hij een plan had.
Hij en Kareem liepen rond het voertuig en lieten de lucht uit de banden lopen. Toen ze klaar waren, sprong Ahmed in de cabine, startte de motor en liet de truck langzaam optrekken. De grote, platte banden hadden net genoeg houvast en langzaam trok de truck zich los. Vijf minuten later was hij helemaal los.
Ahmed parkeerde de truck naast die van Kamal en schakelde de motor uit.
Daarna gebruikten ze de compressors om de banden weer op te pompen. De meeste trucks hebben een compressor voor de remmen. De compressor is aangesloten op een tank, die op zijn beurt de remmen van lucht voorziet. Zodra de tanks vol waren, sloten Kamal en Kareem er een slang op aan waarmee ze de banden opbliezen. Even later waren de banden weer hard.

We reden de hele nacht door tot het licht was, met vol gas over het vlakke terrein tot het te warm was en we moesten stoppen.
Daarna vielen we weer terug in het bekende patroon: de chauffeurs sliepen en baden, terwijl wij de tijd doodden met roken en het schoonmaken van onze wapens.
Net toen ik dacht dat ik gek zou worden van de hitte, kwam Kamal ons vertellen dat we weer gingen vertrekken. We waren nu dicht bij de hoofdweg en we moesten nog even flink doorrijden tot zonsondergang. Het gebied waar we doorheen moesten, een bergachtige streek in de buurt van de grens met Tsjaad, stond bekend als bandietenterrein. Kamal wilde voor het donker werd zo ver mogelijk van de grens zien te komen.
Toen we eindelijk bij de 'weg' kwamen, was er niet veel te zien. De randen werden gemarkeerd door stokken en olievaten, maar deze herkenningstekens kwamen maar sporadisch voor.
Kamal keek voortdurend op het kompas op zijn dashboard en toen hij eindelijk stopte, controleerde hij bij zijn medechauffeurs dat we op de goede plek waren, ergens bij een wadi aan de rand van de Haruj Al-Aswad, een bergketen die midden door het land liep.
Hij vertelde me dat de bandieten vaak de herkenningstekens langs de weg verplaatsten om zo automobilisten in een hinderlaag te lokken.
Een ander gevaar waren de zandstormen die zonder waarschuwing konden oplaaien en de sporen van de andere voertuigen konden wegvagen, waardoor je gemakkelijk kon verdwalen.
We bleven doorgaan tot het bijna donker was. We waren nu een paar honderd kilometer van de grens, maar we zaten nog altijd aan de rand van het bandietengebied.
Een paar kilometer van de weg vonden we een ondiepe laagte waar we de trucks in verborgen. Ik ging op het dak van de truck staan en keek om me heen.
Bij het licht van de sterren en het maansikkeltje kon ik bijna tot aan de weg zien. Als we de hele tijd een paar man op wacht zouden zetten, zouden we de hele omgeving kunnen overzien. Toen ik dit aan Kamal vertelde, ontspande hij zich enigszins. Ik wist hem ervan te overtuigen dat een paar bandieten met Lee Enfields en een enkele kalasjnikov geen partij waren voor het kogelgeweld van acht M16's.
Na de maaltijd probeerden we wat te slapen. Tony en Mike hadden de eerste wacht. Andy en ik zouden hen aflossen. Ik lag op de stoelen in Kamals cabine en probeerde te slapen, maar door alle gedachten die door mijn hoofd raasden en het gesnurk van Kamal naast me, moest ik het algauw opgeven en ging naar buiten.

Ik stak een sigaret op en liep een eindje van de trucks. Het was doodstil en de hemel fonkelde van alle sterren.
Ik tuurde even de horizon af en zag Mike en Tony, twee eenzame figuren op de rand van de heuvel staan. Ik wuifde naar ze en ze wuifden terug. Pas toen ik mijn sigaret had gedoofd, kon ik goed in de duisternis zien. Toen dat gebeurde, zag ik dat ik niet alleen was. Dertig meter verderop zat nog een eenzame figuur op de grond. Het was Andy.
Ik vroeg hem wat er aan de hand was en hij vertelde dat hij had zitten denken over de missie. Hij had evenmin kunnen slapen.
'Ze hebben nauwelijks bewijzen,' zei hij. 'Ergens in de buurt van die raffinaderij moet een radarstation staan. Een chemische raffinaderij is enorm. Je kunt er een heel regiment tanks in verbergen.'
'Het geeft in elk geval aan hoe wanhopig ze zijn,' zei ik.
'Stel dat we daar komen en er is niets?'
Ik haalde diep adem en stak nog een sigaret op. 'Luister,' zei ik. 'Onze taak is eenvoudig. We gaan erheen en observeren de raffinaderij. Misschien is er iets, misschien niet. Als we de radar vinden, gaan we erheen en doen ons werk.'
'En als we hem niet vinden?'
'Dan roepen we de onderzeeër op en maken we dat we hier wegkomen.'
'Betekent de Oekraïne dan niets voor je?' zei hij. 'Wat is dat toch met de Ouwe en de yanks? Is er iets wat hij niet voor ze zou doen? Ik ben het zat om de vuile klusjes van Washington op te knappen.'
'Ik kom uit Berlijn, Andy. Ik ken de La Belle Disco. Ik kwam er vaak. Die klootzakken hebben er een bom gelegd. Wat mij betreft verdienen ze dit.' Ik dacht even na. 'Ik geloof dat het feit dat we hier zijn wil zeggen dat iemand in onze regering dat ook denkt. Bovendien hoeven we niet op de yanks te vertrouwen. Als ik iets geleerd heb in de Oekraïne is het wel dat we het zelf moeten kunnen klaren. Als de yanks ons niet willen ophalen, laat ze dan doodvallen. We hebben ze niet nodig, want we hebben een reserveplan. Dit wordt niet net als in Oekraïne.'
De volgende dag verliep probleemloos. We maakte flinke vorderingen door het centrale gebied en kwamen weinig verkeer tegen. Het enige spannende moment was toen we tankten bij een pompstation. Maar we hielden ons gedeisd en waren gauw weer op weg.
Die nacht verliep het allemaal een beetje anders. Angel, die zijn stinkende vel zat was, liep naar de achterkant van de truck en nam een douche. Kamal protesteerde, niets is kostbaarder dan water in de Sahara, maar Angel trok zich er niets van aan. Hij stond gewoon in de stroom terwijl het water over hem heen spoot, deed alsof hij zich in-

zeepte en zong met luide stem 'Daddy Cool'. Ik kon me niet meer herinneren dat ik zo hard gelachen had.
De volgende dag, onze vierde in Libië, was de stemming anders. Binnen 24 uur zouden we bij ons doelwit zijn. Om dit feit te vieren, en om de eindeloze eentonigheid te doorbreken, begonnen de chauffeurs aan een nieuw en verontrustend spelletje: met z'n drieën naast elkaar rijden met 60 kilometer per uur.
Het was tijdens zo'n moment dat de militaire jeep aan de horizon verscheen.

39

Het was bijna over voor het was begonnen. Vanaf het moment dat we de jeep hadden gezien tot de dood van de vier inzittenden waren er nauwelijks vijftien minuten verstreken.
We klommen weer in de trucks en reden verder naar het noorden. Niemand zei veel. We hadden veel om over na te denken.
Zou de jeep zijn gestopt als Kamal en zijn vrienden wat voorzichtiger waren geweest? En toen ze ons aanhielden, was het nodig geweest ze te vermoorden?
Het had geen zin om hier bij stil te staan. Wat was gebeurd, was gebeurd. We konden de klok niet terugdraaien. Ik maakte me meer zorgen over wat de gevolgen zouden zijn.
Wanneer zouden de autoriteiten beseffen dat er een patrouille miste? Hoelang zou het duren voor ze de jeep vonden? Hoelang hadden we voor er alarm werd geslagen?
Een uur nadat we de plek hadden verlaten, kwamen we in een zandstorm terecht. We gingen aan de kant staan, deden de raampjes dicht en stopten de openingen van de airconditioning dicht. Op de een of andere manier kwam het zand toch nog binnen. Om te kunnen ademen, moest ik mijn shirt over mijn mond en neus houden.
Het geluid van de wind en het zand dat tegen de cabine beukte was oorverdovend. Kamal zette de radio uit toen de ontvangst wegviel.
We zaten daar met z'n vieren naar de voorruit te kijken. Veel meer dan een meter zicht hadden we niet.
Ik vond het niks om te blijven staan, zeker nu we zo dicht bij ons doel-

wit waren. Ik was doodsbang dat de trucks niet zouden starten.
Kamal leek echter onverstoorbaar. Toen ik weer naar hem keek, zat hij onderuit achter het stuur en deed een tukje.
Ik troostte mezelf met de gedachte dat de storm onze sporen zou wissen. Radioapparatuur werkte niet in een zandstorm en motoren vielen uit. Wanneer de jeep niet terugkwam, zo dacht ik bij mezelf, zou de storm als de schuldige worden aangewezen.
Als de avond viel en de jeep nog niet terug was, zou bezorgdheid omslaan in alarm. Maar dan zou het al te laat zijn om een zoektocht te organiseren. En als het dan eindelijk dag was, zouden wij allang weg zijn.
De zandstorm waaide na twee uur eindelijk over. Terwijl de lucht optrok, werd Kamal wakker en startte de motor. De motor hoestte een paar keer en begon toen te lopen. We deden allemaal een dankgebedje. Vijf minuten later waren we weer onderweg.
We passeerden een aantal trucks die naar het zuiden reden, maar geen militaire voertuigen.
Ten slotte stopten we voor de overnachting. Alles verliep zoals op de vorige nachten, maar nu keken we niet uit naar een stelletje moordzuchtige bedoeïenen, maar naar militairen.
De volgende ochtend, na een rustige nacht, klommen we voor het laatst in de trucks.
Een uur later zag ik voor het eerst de zee.
Ik had een kort toespraakje voorbereid, iets om onze dankbaarheid te tonen aan Kamal dat hij ons zo ver had gebracht. Maar ik kreeg de kans niet. Toen ik de horizon afspeurde, zag ik ineens een vieze rooksluier aan de horizon.
Ik draaide het raampje omlaag en hield mijn hand boven mijn ogen. Pas toen kon ik me oriënteren. We zaten vlak bij de kustweg. Ik kon voertuigen in beide richtingen zien rijden. Achter de weg lag een smalle strook woestijn en daarachter de zee.
Mijn ogen keerden terug naar de rook. Even dacht ik dat het smog was van het verkeer. Maar het had niets met het verkeer te maken. Kamal was op kruipafstand van de raffinaderij bij de weg uitgekomen.

*

Nog geen vijf minuten nadat we de kustweg op waren gereden, gaf Kamal een teken aan de chauffeurs achter ons en ging op de rem staan. De truck slingerde en schokte, en we werden naar voren geslingerd terwijl hij tot stilstand kwam. Kamal keek me tijdens het terugschakelen even kort aan.

'We stoppen maar even,' zei hij. 'Maak je klaar om te vertrekken. Geen gepraat, geen afscheid. Het is hier heel gevaarlijk.'
Ik tuurde de weg af in de richting van de raffinaderij. Ik zag niets bewegen, maar door de schittering van het asfalt was het onmogelijk te zeggen of er verkeer op de weg was. In deze hitte kwamen voertuigen soms ineens uit het niets tevoorschijn. Kamal had gelijk, we zouden ons snel uit de voeten moeten maken. De vraag was alleen waarheen. Ongeveer 600 meter van de weg lag een rotsformatie, maar in onze spijkerbroeken en T-shirts, en met onze geweren op de schouder, zouden we te veel opvallen als we bij daglicht door de woestijn zouden lopen. Maar bij de weg blijven tot het donker werd, was nog minder aanlokkelijk.
Kamal ging uit het raam hangen en veegde zijn kant van de voorruit schoon. Ik tuurde door de dikke laag viezigheid en zag pas wat hij zocht toen we er bijna bovenop zaten.
De truck kwam tot stilstand.
Een aantal kapotte betonnen pijpen liep van de weg naar de zee, vlak langs de rotsformatie die ik net had gezien. De pijpen, die ooit onderdeel waren geweest van een of ander afwateringsproject, zouden ons net dat beetje bescherming bieden. Eenmaal bij de rotsen zouden we de situatie beter kunnen overzien: ik zocht een schuilplaats. Ergens waar we konden zitten tot het donker werd. De rotsen leken hiervoor ideaal.
Mike greep onze geweren van achter de stoelen en gaf ze aan Andy en mij.
'Denk je echt dat de Libiërs schuldig zijn?' vroeg Andy terwijl hij het stof van zijn M16 veegde.
Ik knikte. 'Voor wat het waard is: ja. Waarom? Ben je aan het twijfelen?'
'Als we dood moeten, dan sterf ik graag met een reden.' Andreas sloeg me op de schouder. 'Nu heb ik een reden. Ga je mee?'
Kamal stond al voor de truck, met een jerrycan water in zijn hand, onder de motorkap te kijken. Hij keek niet op toen ik langs hem rende.
Ik bereikte de pijpen, dook in elkaar en begon te rennen. 150 meter verder keek ik om. De jongens zaten ergens achter me. De trucks waren al weer aan het rijden, in de richting van Tripoli. Verder was de weg leeg.
Ik rende verder, er steeds voor zorgend dat ik verscholen bleef achter de pijplijn.
Drie minuten later waren we bij de rotsen. Ik perste mezelf in een rotsspleet en hapte naar adem in de opkomende hitte.

Terwijl ik de rest de weg en de woestijn afspeurde op zoek naar tekenen van leven, verkenden Chris en Angel onze directe omgeving. Toen ze tien minuten later terugkwamen, bleek het nieuws beter te zijn dan ik had kunnen hopen.
De rotsen waren deel van een rotsformatie die bloot was komen te liggen door jarenlange erosie door de wind. Hij zat vol handige spleten en hoekjes om in te schuilen. Bovendien was er, volgens Angel, al een tijdlang niemand geweest. De bedoeïenen gebruikten dergelijke rotsen vaak als schuilplaats, maar hier hadden Chris en Angel geen tekenen kunnen vinden van recente bewoning: geen kampvuren of feces, niet van mensen en ook niet van dieren.
We besloten om afwisselend de wacht te houden en tevens de raffinaderij in de gaten te houden.
Afgezien van de zwarte pluim aan de horizon waar de rook de hemel raakte, was het landschap meedogenloos en simpel: een reeks deinende zandduinen, met hier en daar wat helmgras, en daarachter de zee.
We keken de hele dag afwisselend door de verrekijker, maar geen van ons kon iets ontdekken wat ook maar enigszins leek op een grondluchtraketsysteem.
Kort na zonsondergang stuurde ik drie teams van twee man op pad: Angel en Chris, Mike en Tony, en Lobo en Carl, om het gebied rond de raffinaderij in de gaten te houden. Het leek niet onredelijk om te veronderstellen dat de Libiërs hun SAM-eenheid in het donker zouden verplaatsen. Door de raffinaderij van alle kanten te bewaken hoopte ik dat we iets zouden kunnen zien, of horen, als de eenheid binnenkwam of werd weggehaald, en zo zouden ontdekken of de raffinaderij inderdaad als dekmantel werd gebruikt. Zoals ik de vorige avond al tegen Andy had gezegd: dit was het uur u. Als we de SAM niet binnen de 24 uur die ik ervoor had uitgetrokken konden vinden, zouden we niet langer blijven. Dan zouden we contact opnemen met de onderzeeër en vertrekken. Als de Amerikanen dan nog een team wilden inzetten, konden ze er zelf een sturen.
Iedereen kwam veilig voor zonsopgang terug. Ze hadden niets gezien of gehoord. Zelfs in de raffinaderij zelf was er nauwelijks enig teken van leven. Het meest opwindende dat ze hadden gevonden was een weg die niet op de kaart stond. Angel en Chris waren erop gestuit. De weg begon nog geen kilometer van onze positie, maar ging verscholen achter een reeks duinen die tussen de rotsen en de zee lagen.
'Wat denk je?' vroeg Andy toen de eerste stralen van de nieuwe dag op de wirwar van pijpen van de raffinaderij schenen.
'Geen idee. Een weg die nergens heen gaat. In dit deel van de wereld

betekent dat waarschijnlijk niets. Ze beginnen aan wegen en houden weer op. Plannen worden gemaakt en verworpen. Kijk maar naar die pijpleiding die hier naartoe leidt. Misschien was iemand van plan langs de kust een fabriek neer te zetten en heeft hij zich bedacht.' Ik wreef vermoeid in mijn ogen. Het was weer een lange nacht geweest. 'Wie zal het zeggen?'

We hadden de raffinaderij bekeken en het terrein eromheen, en hadden niets gevonden. Niets behalve dit ene rare weggetje.

'We moeten het bekijken,' zei Angel met matte stem.

Ik zweeg. Ik vond dat we er maar beter vandoor konden gaan.

'We moeten het bekijken,' herhaalde Angel op dezelfde toon. We kenden die stem. Het was een waarschuwing: iedereen op zijn hoede.

'We kunnen niet midden op de dag over die weg kuieren,' zei Chris.

'We hebben buiten de raffinaderij nog geen kip gezien en we hebben geen tijd om tot het donker te wachten,' zei Angel. We moeten gaan kijken. Ik doe het wel. Ik ben niet bang.'

Chris rolde met zijn ogen. Angst had er niets mee te maken. Overdag verkennen was altijd gevaarlijk. Maar Angel had wel gelijk. De weg moest verkend worden. En we konden niet wachten tot het donker werd.

Ik stuurde Angel en Chris vooruit.

We zagen ze vertrekken, gebukt rennend over het open terrein dat tussen ons en de eerste duinen lag. Ik keek door mijn verrekijker hoe ze even aan deze kant van de helling uitrustten. Daarna rolden ze over de duintop en verdwenen uit het zicht.

Veertig minuten later waren ze nog altijd niet terug.

'Ik haat het als Angel zo'n bevlieging krijgt,' zei Mike terwijl hij op zijn horloge keek. 'Dan valt er niet meer met hem te praten.'

'De stomme eikel is waarschijnlijk een eindje gaan zwemmen,' zei Lobo. 'Je weet hoe hij is als hij water ziet.'

Mijn mond was droog van angst, maar ik weerstond de verleiding om te drinken. We hadden allemaal nog maar een beetje water.

'Daar,' fluisterde Andy plotseling. 'Voorbij de weg.'

Ik keek op. Aan de andere kant van de weg, tegenover de plek waar Angel en Chris uit het zicht waren verdwenen, kroop een eenzame figuur door het duingras.

Ik keek door de verrekijker. Chris wachtte tot hij voorbij de top van de duin was, richtte zich toen op één elleboog op en maakte met zijn andere arm een wenkende beweging.

Plotseling voelde ik de adrenaline stromen.

We stonden op en staken de weg over. Minder dan een minuut later zaten we om hem heen.

'Wat is er?' vroeg ik. In de paar seconden die we nodig hadden gehad om bij Chris te komen, had ik talloze rampscenario's bedacht.
Chris kreeg even een vreemde blik in zijn ogen. Hij begon naar de rand te kruipen.
Voorzichtig kroop ik achter hem aan en tuurde over de rand. Het eerste wat me opviel was de schittering van de zee. Na bijna een week niets anders dan zand te hebben gezien, was de aanblik van zoveel water haast overweldigend.
We hadden vrij uitzicht tot aan de branding. Voor ons liep het terrein snel af in een reeks steeds lager wordende duinen. De zee was ongeveer twee kilometer verder.
Eerst zag ik niets, maar toen viel mijn blik op een voorwerp. De weg liep er direct naar toe.
Ik pakte mijn verrekijker.
De verfijnde optica volgde het pad en bleef toen hangen bij het voorwerp.
Het was een container. Ik schudde mijn hoofd van verbazing. Hier, in het midden van de woestijn. Alsof hij door de golven was aangespoeld. Maar hij lag wel een kilometer landinwaarts en was zandkleurig.
Toen realiseerde ik me nog iets. Hij was niet alleen: er waren er meer. Vijf in totaal.
Toen ik me concentreerde op de details, zag ik dat wat ik eerst had aangezien voor standaardvrachtcontainers in feite aanhangers waren. Zandkleurige zeildoeken bedekten de wielen.
De betekenis was duidelijk.
Iemand had geprobeerd ze te verbergen.
'Waar ben ik in godsnaam naar aan het kijken?' vroeg ik Chris.
'Ik moet me wel heel erg vergissen,' zei hij luchtig, 'maar volgens mij hebben we het radarstation gevonden. Volgens mij gebruiken ze de raffinaderij als basis en maken ze van de omgeving gebruik als dat nodig is. Omdat het systeem mobiel is, valt het bijna niet te traceren. Het gaat alleen aan als dat nodig is en zodra ze het uitzetten, gaan ze weer terug naar de raffinaderij of ze verstoppen zich op een plek hier ver vandaan.'
'Waar is de antenne?' vroeg ik.
'Waarschijnlijk opgevouwen tegen de romp van een van de wagens,' zei hij. 'Kijk maar eens naar die groep op de voorgrond. Misschien kun je hem zien, misschien niet, maar over een paar wagen zit camouflagenet gespannen. Ik durf te wedden dat onder een van die netten een schotel zit.'
'En Angel?' vroeg ik.

'Twintig minuten geleden zagen we een soldaat van een van de wagens naar een ander lopen. Verder is het doodstil. Angel is de boel aan het verkennen om te zien of hij erachter kan komen waar we mee te maken hebben. Hoeveel mensen er zijn en hoe paraat ze zijn.' Hij zweeg even. 'Misschien willen ze gaan opbreken.'
Mijn hart sloeg op hol. 'Hoezo?'
'Soms, als de wind deze kant op waait, kun je een motor horen.'
Ik spande me in, maar hoorde niets.
Ik keek Andy aan. 'Zeg iets. Wat denk je?'
Hij schudde zijn hoofd. 'Ziet eruit als een bende schroot.' Hij aarzelde even. 'Nee. Dit is het, Jackson. Dit is waar we voor gekomen zijn. Zonder twijfel.'
'Als we het doen, wil ik het nu doen,' zei ik.
Hij keek me aan. 'Nu als in nu meteen?'
De wind wakkerde aan, maar ik kon nog altijd niets horen. 'Wie houdt ons tegen?' Ik knikte in de richting van de wagens. 'Als ze bijna gaan vertrekken, wil ik dit niet nog een keer hoeven te doen.'
Maar toen kreeg de rede de overhand. De onderzeeër. Wat er ook gebeurde, we moesten bij de onderzeeër komen. We zouden dus weer op geluk moeten vertrouwen en hopen dat de aanhangers de rest van de dag zouden blijven waar ze waren.
Er zat niets anders op dan te wachten en toe te slaan zodra het donker was.

40

We hielden het doelwit de hele dag nauwlettend in de gaten, om te zien of er beweging was en meer specifiek of er aanwijzingen waren dat ze zouden gaan vertrekken. Maar naarmate de dag vorderde, kreeg ik steeds meer het idee dat ik me kon verplaatsen in de geest van de Libiërs. Volgens de handboeken, en dan met name de Russische handboeken die het Libische leger gebruikte, moest je overdag stilzitten en je 's nachts verplaatsen.

Aan het eind van de middag kwam Angel terug. Hij was van top tot teen bedekt met zand, wat voor een deel verklaarde waarom hij ongezien had kunnen terugsluipen naar onze positie. Belangrijker was dat hij het doelwit tot op enkele honderden meters had kunnen naderen. We luisterden aandachtig naar wat hij had te zeggen.

Hij pakte een stokje en tekende de positie van de voertuigen in het zand. Volgens hem waren er twee groepen. De eerste stond vrijwel in een rechte lijn vlak bij ons en bestond uit drie wagens. De radareenheid stond in het midden en was te herkennen aan de schotel waar Chris me eerder op had gewezen. In de twee andere wagens zaten waarschijnlijk de operateurs en in de andere was iets van accommodatie, zodat ze in ploegen konden werken. Voorbij deze lijn stonden nog twee voertuigen, geen aanhangers, zoals ik had gedacht, maar trucks met camouflagenetten erover. Als de Libiërs zich wilden verplaatsen, hingen ze twee aanhangers achter de ene truck en de derde achter de andere. Een generator, die naast de twee trucks stond, werd dan waarschijnlijk achter de tweede groep gehangen, waarmee het konvooi com-

pleet was. De generator was verantwoordelijk voor de motorgeluiden. Angel kon alleen maar een slag doen naar het aantal mensen, aangezien hij maar vijf soldaten had geteld. Het waren er hooguit twintig, maar hij vermoedde dat het er nog geen twaalf waren, wat onze kansen aanzienlijk vergrootte. Wij waren met acht, zij met twaalf of twintig.
Het plan was snel rond. Er waren drie doelwitten. We zouden dus in drie groepen gaan.
Andy en ik zouden de rechtse van de twee aanhangers nemen. We zouden de deur openen en een granaat naar binnen gooien. Als de deur op slot zat, hadden we nog een plan. Met zijn oog voor details had Angel gezien dat elke aanhanger voorzien was van airconditioning. Als we die eraf trokken, schoten of indien nodig, bliezen, dan konden we daarna een granaat door de opening gooien. Lobo en Mike zouden hetzelfde doen bij de middelste wagen, waarin de radar zat, terwijl Tony en Carl de laatste afhandelden. Angel en Chris zouden ondertussen eventuele achterblijvers opvangen. Angel zou positie nemen aan de andere kant van de trucks en Chris zou zich verstoppen achter een duin aan deze kant. Door de hoge ligging zou hij de hele omgeving kunnen overzien. Wanneer we de Libiërs uit de weg hadden geruimd, zou Chris, onze springstoffenexpert, de zaak kunnen afmaken. De Amerikanen wilden er zeker van zijn dat geen van de onderdelen van de radar nog zou kunnen functioneren en Chris had genoeg semtex om ervoor te zorgen dat ze hun zin kregen. De truc was echter om de boel te vernielen zonder grote explosies. We moesten hem goed raken, en snel. Het was heel belangrijk dat de vijand geen gelegenheid kreeg om alarm te slaan. Even belangrijk was echter het feit dat we met mate moesten werken. Als we de zaak hemelshoog bliezen, zou de rook iedere Libische militair in een omtrek van 35 kilometer naar onze positie leiden.
We zouden bij zonsondergang aanvallen zodat we nog wat licht hadden. Wanneer we bij zee kwamen, zou het zo donker zijn dat de onderzeeër boven kon komen.
'Je laat het zo simpel overkomen,' zei Angel. 'Dat mag ik wel.'
Ik twijfelde er niet aan dat we zouden slagen. Ik maakte me alleen nog wel zorgen over het rendez-vous op het strand.
Ik wendde me tot Lobo. 'Neem contact op met de Amerikanen,' zei ik, 'laat ze weten dat we in positie zijn en klaar om in actie te komen.' Ik keek op mijn horloge. De zon ging rond acht uur onder. Dan zouden we toeslaan. 'Ergens na negenen zullen we op ze staan wachten.' Ik keek de anderen aan. 'Mee eens?'
Iedereen knikte instemmend.
Dat was het dan. We zouden om 21.00 uur op het strand op het bootje

wachten. Lobo begon de radio uit te pakken. Terwijl hij bezig was, bespraken wij nogmaals het plan.
Terwijl we praatten, hoorden we af en toe Lobo's stem. Hij had de koptelefoon in zijn ene hand en de microfoon in de andere. De radio was van het type dat steeds van frequentie wisselde, waardoor het vrijwel onmogelijk was hem te traceren. Lobo had de frequentie van de Ouwe gekregen. Toch werd ik altijd nerveus van radiozendingen in het open veld.
Plotseling hoorden we gekraak en ik hoorde een stem. Lobo drukte de koptelefoon tegen zijn oor, draaide zich om en stak zijn duim op.
De wind waaide en nu hoorde ik ook, voor het eerst, het geluid uit de generator, het geluid waarvan Chris had gedacht dat het een startende motor was.
Lobo praatte zachtjes met zijn Amerikaanse contact. Hij gaf onze coördinaten door en de tijd. Daarna herhaalde hij de informatie.
Ik wachtte tot de Amerikanen zouden tegensputteren, maar dat gebeurde niet. Toen Lobo de radio afzette, draaide hij zich om, haalde zijn schouders op en zei dat het gesprek kort maar krachtig was geweest. De Amerikanen zouden er zijn. Ze hadden ons coördinaten gegeven waar we moesten wachten. Lobo had op de kaart gekeken en bevestigd dat, voorzover wij konden zien, de locatie er goed uitzag. Een kwartier van tevoren zouden de Amerikanen contact opnemen. Onze vluchtroute was rond.
We moesten nog één ding doen. Ik keek Angel en Chris aan. 'Kunnen jullie alvast op jullie plek gaan liggen? Als jullie problemen zien, dingen die het plan in de war kunnen schoppen, kom dan hierheen. We komen een uur van tevoren naar jullie toe. Om zeven uur precies. Wij verkennen dan deze kant van de laatste duin voor de installatie,' zei ik. 'Als ik jullie niet eerder zie, ga ik ervan uit dat alles goed is en zoals gepland. Is dat goed?'
'Zo goed als alles hier kan zijn in deze puinzooi,' zei Chris.
Alles was klaar.
Ik keek op mijn horloge. Het was even na vijven, nog maar zo'n drie uur te gaan.
Ik pakte mijn M16 en verwijderde het magazijn. Daarna schudde ik de clip leeg, evenals de drie reserves.
Ik deed wat ik altijd deed voor we in actie kwamen. Ik controleerde mijn wapen van alle kanten. Het één voor één in de magazijnen stoppen van de kogels, ervoor zorgen dat het semi-automatische mechanisme van de M16 werkte, schoon was en soepel liep, hielp me helder te denken en me te concentreren op wat we gingen doen.

Ik staarde naar de wolken die waren aan komen drijven naarmate de avond vorderde en vroeg me af of het zou gaan regenen.
We waren een kwartier eerder op onze positie gaan liggen. De zon stond laag aan de hemel en ging verborgen achter de duin die ons ook scheidde van de radarinstallatie. Het gebrom van de generator was het enige waarneembare geluid. De wind was gaan liggen en was niet meer dan een warme bries waardoor ik bijna zeker wist dat ik de zee kon ruiken.
Naast me lag Andy door zijn verrekijker naar de Libische positie te kijken. Hij was de enige die de installatie kon zien. Tot het donker was, wilde ik dat we zo min mogelijk in het zicht van de vijand zouden lopen door steeds maar één man op wacht te zetten.
Achter Andy lagen Mike, Lobo en Carl op hun rug, die ieder in gedachten naar de hemel lagen te kijken.
Ik had Tony op een duin een eindje terug gezet om de weg te observeren voor het geval iemand een bezoekje kwam brengen vlak voor de boel omhoog ging. We hadden geen enkele activiteit gezien behalve dan rond de radar, maar nu we zo dicht bij ons doel waren, wilde ik niet voor verrassingen komen te staan.
Andy kwam de duin af schuiven en gaf me de verrekijker.
'Enig teken van Angel of Chris?' vroeg ik, terwijl op mijn horloge keek. Het was bijna zeven uur. Ik wilde hun definitieve rapport hebben en tijd om de conclusies te overdenken voor ik het sein veilig gaf.
Andy schudde het hoofd. 'Rustig maar,' zei hij. 'Het is nog vroeg.'
'Hoe zit het daar?' vroeg ik en ik knikte in de richting van de installatie. 'Enig teken van leven?'
Hij trok een gezicht. 'Nee. Ik heb er geen goed gevoel bij, weet je...'
'Hoe bedoel je?' vroeg ik. 'Rustig is goed.'
'Ja en nee,' zei Andy. 'Ik had graag nog wat langer willen kunnen kijken, weten welke patronen ze volgen. Het kan best zijn dat sommige van die kerels de gewoonte hebben om te gaan schijten na zonsondergang.'
Ik keek hem aan. 'Je denkt toch niet dat ze het de hele dag ophouden om onder de sterren te kunnen schijten?'
'Wie weet,' zei hij. 'Als je niet alle informatie hebt, Jackson, slaan je hersenen op hol om de gaten op te vullen. Je weet best wat ik bedoel.'
Gedurende die laatste minuten dachten we allemaal aan de dingen die fout konden gaan. Je denkt dat je alle mogelijkheden hebt overwogen, maar in feit kan er van alles mislopen en je verrassen.
Mijn eigen angsten waren deze keer net iets anders. Ik bedacht voor het eerst dat als de Libiërs zich niet aan het voorbereiden waren op

een vertrek, ze misschien wel van plan waren vannacht de installatie te gebruiken.
Stel dat, tussen nu en zonsondergang, ze ineens de installatie klaar gingen maken voor gebruik? Stel dat de bemanning ineens in actie kwam, de camouflagenetten ging weghalen en de antenne omhoogging?
Wat er ook gebeurde, wij hadden het verrassingselement nodig. Het was van levensbelang dat ze in de wagens waren als wij in actie kwamen.
Mijn gedachten werden onderbroken door een geluid achter me. Ik draaide me om en zag Chris en Angel over de duin achter ons rollen. Om niet gezien te worden, hadden ze een omtrekkende beweging moeten maken. Ik keek op mijn horloge. We waren precies op tijd.
Angel en Chris kwamen naar me toe gekropen, evenals de anderen. Ondanks het zand op Angels gezicht kon zien dat hij er bezorgd uitzag.
'Wat is er?' vroeg ik.
'Het is zo stil. We hebben al bijna drie uur geen teken van leven gezien.'
Ik keek Andy aan. Angels angsten waren dezelfde als de onze.
Ik ging op mijn hurken zitten. 'Ik vind dat we het nu moeten doen,' zei ik, plotseling vastbesloten. 'Geen gewacht meer. We gaan direct tot actie over. Ze zitten nu waar we ze hebben willen.'
Ik keek op. De zon hing als een vale, platte schijf boven de horizon. Nog even en hij zou uit het zicht verdwijnen. Het zou nog een halfuur licht blijven, misschien iets langer, maar dat, besefte ik nu, werkte alleen maar in ons voordeel. We hadden licht nodig om vast te kunnen stellen dat er geen enkele vijand kon ontsnappen aan de slachting die we zouden gaan aanrichten.
Ik pakte mijn M16. 'Iedereen in positie,' zei ik.
'Wat ga je doen?' vroeg Chris. 'Ernaartoe kuieren en aankloppen?'
Ik keek hem aan. 'Je zult het niet geloven, maar dat ben ik dus precies van plan.' Ik probeerde kalm te klinken, hoewel de zenuwen door mijn keel gierden. 'Als jullie de explosie horen, zorg dat je klaar bent, want zij zullen het ook horen. Het geluid zal gedempt zijn, dus ze zullen niet weten waar het vandaan komt. Ze zullen naar buiten komen om te kijken. Dan moeten jullie toeslaan.'
'En als ze dat niet doen?' vroeg Lobo.
'Dan trap je godverdomme de deur in, zolang je het maar snel doet. Ze mogen niet de tijd krijgen om een boodschap te verzenden, want dan zijn we allemaal de lul.'
'Maar de deur is van plaatstaal,' zei Lobo.
Ik stond zo stijf van de adrenaline dat ik hem bij de revers greep en door elkaar schudde.

‘Als de deur dichtzit, sla je de airconditioning eraf en gooi je wat granaten naar binnen.’
Ik stond op. ‘Ik zie jullie daar,’ zei ik. ‘Over vijf minuten begint het.’
Terwijl ik dit zei, voelde ik druppels op mijn gezicht. Mijn hart stond zowat stil: het regende. Als de Libiërs de regen hoorden, zouden ze misschien naar buiten komen om te gaan kijken. Ik rende holderdebolder naar de laatste van de drie wagens, me ondertussen afvragend wat het lot nog meer voor ons in petto had.

41

Andy en ik hadden even nodig om op adem te komen. We waren keihard over het open terrein voor de installatie gerend en stonden nu met onze rug tegen de wagen. Gelukkig had het maar heel even geregend. De deur zat rechts van me. Ik strekte mijn arm uit en voelde aan de deur. Staal, net als de rest van het bouwwerk dat we moesten vernietigen.

Ik keek op. De airconditioning zat vrijwel direct boven mijn hoofd. Ik keek Andy aan en gebaarde ernaar. De airconditioning zoog lucht aan van buiten en blies warme lucht uit van binnen. Het ding maakte een hels kabaal.

Ik rook sigaretten. Iemand daarbinnen zat te roken.

Mijn buikspieren spanden zich aan van de zenuwen.

Andy kwam half omhoog, greep met één hand naar de airconditioning en trok er zachtjes aan. Het ding kraakte zachtjes en even veranderde het geluid. Hij zat los en kon moeiteloos worden losgetrokken. Ik keek Andy aan en wist dat hij mijn gedachten had gelezen. We waren er klaar voor.

Ik tastte met mijn rechterhand naar de granaat aan mijn borstzakje. Langzaam bracht ik de granaat omhoog en greep de pin tussen mijn tanden. Ik trok hard, waarna de pin loskwam.

Vervolgens stapte ik langs de deur en ging weer plat met mijn rug tegen de wagen staan, dit keer aan de andere kant. Ik had de M16 onder mijn linkerarm geklemd, zodat ik met mijn rechterarm kon gooien. De deur ging naar buiten open, van me af. Andy en ik hadden alleen door mid-

del van oogcontact besloten wat we zouden doen. Ik keek hem aan en knikte.
Andy deed een stap naar voren en sloeg drie keer met de kolf van zijn geweer op de deur.
Het geluid was hard en dof, gevolgd door stilte.
Even gebeurde er niets. Toen hoorde ik binnen iemand iets zeggen.
'Na'am?'
Andy begreep wat er aan de hand was en greep naar de deurknop. Hij duwde hem omlaag, maar er gebeurde niets. De paniek nam toe.
'*Na'am?*' riep de stem opnieuw.
Andy keek me aan. Wat nu?
Ik knikte naar de airconditioning. Trek hem omlaag. Trek het klereding onmiddellijk omlaag!
Net toen Andy zich oprichtte, maakte de deur een krassend geluid. Ik keerde me net om toen hij opengging.
Ik werd getroffen door het licht. Binnen hing felle tl-buisverlichting. In het tegenlicht was het silhouet te zien van een man in overall. Het eerste wat me aan hem opviel, was dat hij geen schoenen droeg. Ik keek hem aan en hij keek mij aan. De pin van de granaat zat nog steeds tussen mijn tanden.
Allerlei emoties waren af te lezen van zijn gezicht. Irritatie maakte plaats voor verbazing, verbazing veranderde in paniek, paniek in angst. Hij stond als aan de grond genageld. Net als ik, gedurende die eerste paar seconden.
'Jackson,' siste Andy.
Ik gooide de granaat achter de Libiër en zag hoe het ding over de vloer stuiterde naar een rij stapelbedden. De Libiër schoot naar voren, maar Andy was net wat sneller. Hij gooide zijn hele gewicht tegen de deur en sloeg hem dicht. In de seconde voor ze het doorhadden, hoorde ik een waarschuwende gil.
Ondertussen telde ik de seconden.
Drie, twee, een...
Andy en ik doken allebei naar de grond. Er klonk een oorverdovende knal toen de granaat ontplofte en de deur open blies.
Net toen ik mijn ogen opendeed zag ik een vlammenzee uit de deuropening komen. Tegelijkertijd vloog de airconditioning van de muur en sloeg tegen de grond, op een paar centimeter van Andy's hoofd. We hadden geen tijd om daar verder bij stil te staan. In een tel stond ik op en trok de deur open. Andreas stond naast me.
Meteen werd ik getroffen door een afgrijselijke geur van verbrand vlees. Op de vloer lagen drie mannen in verschillende staat van vermin-

king. De man die de deur had geopend, was de vierde man geweest in een kaartspel. Hij lag een meter verder op zijn buik en zijn rug lag open.
Tegen de wanden stonden twee stapelbedden met elk drie bedden, dus in totaal zes. Door de explosie had een van de matrassen vlam gevat. Op een andere matras zat een man met zijn hoofd in zijn handen te schreeuwen.
Er klonk een schot en de man viel tegen de muur. Andy, die na mij de wagen was binnengekomen, was me voor geweest. Toen ik naar binnen liep en de andere matrassen omkeerde, hoorde ik een tweede knal, gevolgd door een derde.
We renden naar buiten.
Even weerklonken er wat schoten en daarna was het weer stil, behalve dan het geprruttel van de generator.
Ik rende naar de volgende wagen en Andy naar de derde. Toen ik bij de deur kwam, verscheen Lobo. Hij zag me en maakte met zijn hand een gebaar over zijn keel. 'Het is gebeurd,' zei hij alleen. 'Binnen zaten vier operateurs. Ze zijn allemaal dood. Gaat het?'
Ik knikte. 'Ze waren met z'n vijven. Zal wel de reserveploeg zijn geweest.'
Binnen kon ik horen dat Mike bezig was de zaak te blussen met een poederblusser.
In de derde wagen was het niet anders. Dit was een miniatuur-commandopost vol kaarten van de Golf van Sidra en het achterland. De twee officieren waren direct gedood door de granaat die Carl naar binnen had geworpen.
Binnen twee minuten na de eerste explosie hadden we de hele installatie in handen. Onze inschatting van de bezetting was opmerkelijk accuraat geweest. We hadden ingezet op twaalf, het bleken er elf te zijn.
Nadat ik de generator had afgezet, was er alleen nog maar stilte. Omdat de radar tijdens onze aanval niet in werking was geweest, was de bijbehorende radio-installatie eveneens uitgeschakeld. In de commandopost was ook een radio, maar geen van de twee officieren had de tijd gehad om die te bedienen. Nadere bestudering leerde me dat de radio stand-by stond.
Angel en Chris renden naar de plek waar ik stond. Ik zette Angel, Carl, Mike en Tony op wacht en zei tegen Chris dat hij de radarwagen moest gaan inspecteren. We wilden geen van allen langer blijven dan noodzakelijk. We zouden doen wat nodig was om ervoor te zorgen dat de radar niet meer werkte en dan zouden we naar het strand vertrekken.
Chris kwam terug met het goede nieuws dat de instrumenten en pane-

len in de radarwagen vernield waren. Het was niet nodig ze verder op te blazen. We vonden dat we het beste zo snel mogelijk naar de coördinaten konden gaan die we hadden doorgekregen en daar te wachten tot de cavalerie, of liever gezegd, de mariniers ons zouden komen verlossen.

Het was vrijwel helemaal donker toen we op het strand aankwamen. Lobo scheen met zijn penlight op de kaart en ontdekte dat we nog een paar kilometer naar het oosten moesten om bij het rendez-vouspunt te komen. Hij had de radio op stand-by staan, de koptelefoon op en luisterde al lopend naar eventuele geluiden.
We keken ondertussen steeds achterom naar de radarinstallatie en verwachtten elk moment koplampen te zien op de weg, maar de woestijn bleef ondoordringbaar donker en stil. Af en toe hoorden we een hond blaffen in de verte. Het was moeilijk om te beseffen dat dit een land in oorlog was. Het deed allemaal nogal onwerkelijk aan.
We kwamen bij een stuk strand waar lage rotswanden omhoog liepen, ongeveer 50 meter van de zee. Lobo bleef staan. We waren bijna op de goede plek. Ik keek op mijn horloge. We waren ook zo'n 25 minuten te vroeg. Terwijl Andy en Angel op wacht gingen staan op het strand, ging de rest onder aan de rotswand zitten wachten.
De minuten kropen afgrijselijk langzaam voorbij. Even na negenen stond ik op het punt aan Lobo te vragen om de Amerikanen op te roepen toen ik gekraak hoorde.
Lobo zette de koptelefoon op, luisterde aandachtig en gromde toen iets bevestigends. Ik werd overspoeld door een misselijkmakend gevoel van déjà vu. 'Er is een probleem,' zei Lobo met emotieloze stem. 'Ze kunnen ons nu niet komen halen. Ze nemen contact op als het wel kan. We moeten gewoon wachten.'
'Was dat alles?' zei Mike. 'Verder niks?'
'Verder niks,' zei Lobo met dichtgeknepen ogen. 'Verder gaven ze geen details.'
'Daar gaan we weer,' zei Chris.
'Ja, we worden opnieuw gedumpt door onze Amerikaanse vrienden,' zei Tony.
'Rustig aan,' zei ik. 'We zijn nog niet dood.' Ik maakte snel een rekensommetje in de hoop dat ik door me te concentreren het paniekduiveltje op afstand kon houden. We hadden nog zo'n zevenenhalfuur voor het licht werd. Als we geluk hadden, zouden we, over stikdonker en onbekend terrein, vijftien kilometer per uur kunnen afleggen naar Tunesië. Ik wilde nog tot halfelf, iets meer dan een uur, wachten voor ik

het bevel gaf tot vertrekken. Ervan uitgaand dat de Libiërs in de tussentijd niet tot de ontdekking waren gekomen dat hun radarinstallatie niet meer werkte. Al met al dacht ik dat we tegen zonsopgang wel zo'n vijftig tot zestig kilometer verder konden zijn.
We keken op de kaart en controleerden nogmaals onze ontsnappingsroute. We zouden nog zeven grote wegen moeten oversteken voor de Tunesische grens. We hadden nauwelijks eten of water, maar daar zouden we indien nodig wel iets op verzinnen. Nu was het belangrijk dat we uit de buurt van het doelwit kwamen.
Het werd tien uur. Lobo vroeg me of we de Amerikanen weer moesten oproepen. Ik zei hem dat we nog tien minuten zouden wachten en ze dan zouden melden dat we zouden vertrekken. Ineens bedacht ik dat ze misschien wel zouden aanbieden om ons de volgende nacht op te pikken. Ik vroeg me af of ik dan genoeg lef zou hebben om ze te zeggen wat ze met dat plan konden doen.
Mijn gedachten werden onderbroken door het geluid van iemand die over de kiezels rende.
Andy viel naast ons op zijn knieën.
'Er vaart daar iets,' zei hij happend naar adem. 'Ik kan een motor horen. Een buitenboordmotor. Heb je al iets van de yanks gehoord?'
Ik zei hem van niet.
'Neem contact op,' zei hij, nog altijd fluisterend. 'Ik zeg je, Jackson, ze zitten daar. We moeten nu contact opnemen. Als we een minuut langer wachten, is het misschien te laat.'
Ik had hem nog nooit zo opgewonden meegemaakt. Zijn gebrek aan discipline verontrustte me. 'Heb je er al aan gedacht dat het misschien helemaal geen Amerikanen zijn?'
Hij zweeg.
Ik keek Lobo aan. 'Pak die radio,' zei ik, 'en zoek uit wat er in godsnaam aan de hand is.' Ik gaf de rest het bevel om zich langs het strand te verspreiden en zich voor te bereiden op actie, goedschiks of kwaadschiks.
Ik rende met Andy naar de branding. Het water spoelde over onze kisten. Ik staarde over de zee, op zoek naar een boot of het geluid van een motor.
Niets.
Andy was zo opgewonden geweest dat ik me begon af te vragen of hij het zich niet verbeeld had.
'Blijf hier,' zei ik. 'En schiet in godsnaam alleen als je zeker weet dat het niet de yanks zijn.'
Ik rende terug naar onze schuilplaats. Lobo zat over de radio gebogen.

Hij keek me aan. 'Het zijn de yanks,' zei hij. Hij stond op en scheen met zijn lamp in de richting van de zee. Pas toen hij dit deed, besefte ik dat hij in direct contact stond met het bootje.
Er kwam vrijwel meteen een signaal terug, zo zwak dat het het schijnsel van een ster op het water had kunnen zijn.
Lobo sloeg me op de rug. 'Kom op,' zei hij, 'haal de anderen en laten we wegwezen.'
We waadden door de branding, onze geweren hoog. Het water golfde om mijn borst.
Nog altijd zag ik niets. Door de kou en de vertraagde shock van onze ontmoeting bij de radarinstallatie begon ik onbeheersbaar te trillen. Mijn tanden klapperden.
Ineens verscheen het bootje, zo dichtbij dat het bijna over ons voer. Het eerste wat ik zag was de schittering van een roeispaan. Toen kon ik de omtrekken ontwaren van het bootje zelf en de silhouetten van de vier man aan boord. Ook zag ik de typische omtrekken van hun M16's. De yanks. Ze hadden woord gehouden. Ze waren er.
De boot dobberde dichterbij en voor ik het wist, werd ik aan boord gehesen door twee paar handen. De Amerikanen hadden hun gezichten zwart gemaakt met camouflagecrème en ik kon alleen het wit van hun ogen zien.
Ik zei niets en de yanks zeiden niets. Toen ik alle koppen geteld had, viel ik doodop achterover.

42

Na de onderzeeër stapten we in de internationale wateren over op een Amerikaans bevoorradingsschip dat ons naar Sicilië bracht. Daar gingen we aan boord van een Amerikaans transportvliegtuig naar Frankfurt. Achtenveertig uur nadat we van de Libische kust waren vertrokken, waren we weer terug op de kazerne en brachten verslag uit aan de Ouwe.

We wisten wel beter dan op loftuitingen te wachten. De Ouwe vernam onze geschreven en mondelinge verslagen gedurende meerdere dagen, maar ik kon aan hem zien dat wat we deden hem niet echt meer boeide. Net als wij dreunde de Ouwe gewoon een lesje op. Hij was moe. Wij waren moe. Maar zonder nieuwe opdrachten van bovenaf moesten we wel stand-by blijven voor verdere opdrachten.

Ondertussen vonden we het steeds moeilijker worden om te bepalen waar we voor vochten. Nu Gorbatsjov in Moskou stevig in het zadel zat, begon het Westen steeds sterker de indruk te krijgen dat de Oost-Westpolitiek aan het veranderen was. De twee mantra's van Gorbatsjov: perestrojka en glasnost (herstructurering en openheid) spraken zeer tot de verbeelding.

Na de ramp in de kerncentrale van Tsjernobyl in april 1986, een incident dat symbolisch was voor alles wat er mankeerde aan het sovjetsysteem, voerde Gorbatsjov zijn hervormingen in versneld tempo door. In 1987 gaf hij de autoriteiten het bevel om niet langer de uitzendingen van westerse media te blokkeren. In 1988 sprak hij in de Sovjet-Unie met kanselier Helmut Kohl. De twee mannen konden het goed

met elkaar vinden en de relatie bereikte een hoogtepunt toen in februari 1989 een directe telefoonlijn werd aangelegd tussen het kantoor van de kanselier in Bonn en het Kremlin.
In Polen was de Poolse Communistische Partij druk bezig om tot een overeenkomst te komen met Solidariteit. Het was nu nog maar een kwestie van tijd voor het land verkiezingen hield waarbij het militaire bewind van generaal Jaruzelski zou worden afgezet.
In januari 1989 onderdrukte de oproerpolitie in Tsjecho-Slowakije een aantal demonstraties die in een echte communistische staat ondenkbaar zouden zijn geweest.
In Hongarije zegde de communistische regering, beseffend dat ze haar greep aan het verliezen was, vrije verkiezingen toe en de oprichting van politieke partijen zonder communistisch toezicht.
Alleen in Oost-Duitsland bleef de Communistische Partij koppig de koers aanhouden van een systeem dat langzaam van binnenuit aan het aftakelen was en van leiders die niet wisten hoe ze de afbraak moesten tegengaan. De regering reageerde als een dier in nood op de veranderingen in de omringende landen en haalde uit naar alles wat het als een bedreiging zag.
De Stasi bleef even actief en toegewijd als altijd, infiltreerde protestgroepen, arresteerde dissidenten, en martelde en intimideerde iedereen die in de weg liep.
Alsof we er nog aan herinnerd moesten worden dat er in het veertigjarig bestaan van de DDR weinig was veranderd, schoten de grenswachten in februari 1989 een twintigjarige Oost-Duitser, Chris Gueffroy, neer bij een poging om over de muur te vluchten.
Het incident, dat breed werd uitgemeten in de West-Duitse media, benadrukte de wrede ironie die schuilging achter de communistische hervormingen. Hoe dichter de andere Oostblokstaten bij het Westen kwamen, hoe meer Oost-Duitsland zich terugtrok.
In deze periode bereikte het team vrij weinig. Na een periode van nietsdoen, werden we teruggestuurd naar onze oorspronkelijke eenheden waar we de handjes mochten vasthouden van nieuwe rekruten en hen alle dingen moesten leren die we zelf geleerd hadden toen we bij de Bundeswehr gingen. Als ik naar die jongens keek, van wie sommige zo jong waren dat ze nog nooit een scheermesje hadden aangeraakt, kon ik mezelf door hun ogen zien. Met mijn 34 jaar was ik een ouwe rot, oud genoeg om opa genoemd te worden. Het was een ontnuchterende gedachte. Ik wilde weg en ik wist dat ik niet de enige was.
In juni 1989 kwamen we met z'n achten bijeen in een kroeg aan de rand van de stad.

Ik kan me de dag nog levendig herinneren, want het was de dag dat het Chinese Volksbevrijdingsleger het Plein van de Hemelse Vrede bestormde, waarbij volgens schattingen meer dan duizend studenten, arbeiders en andere demonstranten omkwamen.
De slachting vormde het gesprek van de dag. Een aantal van ons zag hierin een teken dat de bestaande orde onverbiddelijk was, dat de communisten uithaalden naar alles wat hun vertrouwde bestaan bedreigde en dat de volken in het oosten een ongekend wrede periode van onderdrukking tegemoet konden zien. Voor anderen was het een bewijs dat we roerige tijden tegemoetgingen.
Het stond buiten kijf dat Gorbatsjov de boel flink op stelten had gezet en dat de Brezjnevs en Andropovs van deze wereld geleidelijk werden vervangen door een nieuw type communist: gladde, begaafde politici die het een en ander afwisten van pr, maar die wel de ideeën van Marx trouw waren.
De Russische Revolutie had net haar zeventigste verjaardag gevierd. Mijn generatie was opgegroeid in de schaduw van het communisme. Het was er al zo lang als we ons konden herinneren. Maar wat toen nog ondenkbaar was, in de zomer van 1989, was het idee dat het Europese communisme aan een doodsstrijd bezig was.
'Ik weet niet hoe het met jullie zit,' zei Lobo, 'maar ik ben het zat om snotneuzen te leren hoe ze hun kont moeten afvegen en een geweer vasthouden. Wat mij betreft is het voorbij.'
Angel keek op van zijn cola. 'Wat bezielt jou opeens?' vroeg hij.
Lobo nam een slok bier en keek ons een voor een aan. 'Weten jullie nog dat de Ouwe ooit zwoer dat hij voor ons zou zorgen en dat wij op onze beurt voor hem zouden zorgen?' Hij snoof verachtelijk. 'Het is allemaal gelul. Niemand zorgt voor ons. De Ouwe is een gebroken man. We kunnen niet op hem vertrouwen. We moeten voor onszelf opkomen.'
'Dus wat stel je voor?' zei Andy.
'Voorstellen?' zei Lobo. 'Je doet net of we geen kant op kunnen. Ik stel voor dat we maken dat we wegkomen en iets met ons leven doen.'
'O?' zei Andy. 'En ik neem aan dat je met al die geweldige onderwijservaring van je het plan hebt om een bewaarschooltje op te richten.'
'Jij hebt gemakkelijk praten, Andreas,' zei Lobo. 'Iedereen weet dat jij gewoon terug kunt rennen naar het fabriekje van papa. Maar voor sommigen van ons is het pensioentje dat we krijgen als we hier onze hielen lichten niet genoeg om van te leven.'
Andy stond op. Even dacht ik dat hij hem zou gaan slaan.
'Hé, kom op,' zei ik en ik legde een hand op zijn schouder. 'Hij zit je

gewoon te stangen.' Andreas kreeg altijd een rode mist voor zijn ogen als iemand het over zijn vader had, een rijke industrieel uit Stuttgart. Alleen ik wist dat Andy het slecht met zijn vader kon vinden en dat hij alleen maar in het leger bleef om te bewijzen dat hij het ook zonder hem kon redden.
'Maar wat ga je dan doen?' zei ik tegen Lobo.
Lobo knikte in de richting van Carl, Tony en Mike. 'We hebben het al besproken. We gaan onze eigen beveiligingsdienst beginnen: als bodyguards werken voor rijke stinkerds. Wie mee wil doen is welkom.' Hij keek Angel aan en hief zijn glas. 'Hoe meer zielen, hoe meer vreugd.'
'Ik niet,' zei Angel opgewekt. 'Ik ga reizen.'
'Dat kan hij zich veroorloven,' zei Chris. 'Wat wij allemaal aan drank hebben uitgegeven, heeft hij opgespaard. Die klootzak heeft een fortuin op de bank staan.'
Angel glimlachte zelfvoldaan.
'En jij?' zei ik tegen Chris. 'Wat wil jij hierna gaan doen?'
'Tja, na een carrière als springstofexpert kun je eigenlijk maar op één plek terecht,' zei Chris.
'Een steengroeve?' zei Angel.
'God wat grappig. Wat dacht je van een hoge functie bij Dynamit Nobel?' zei Chris en hij keek Angel langs zijn neus aan. Dynamit Nobel was de grootste munitiefabrikant van het land.
'Je hebt ze al benaderd, neem ik aan,' zei Angel.
'Nog niet, maar ik weet zeker dat ze me met open armen zullen ontvangen. Zodra ze mijn cv hebben gelezen.'
Angel glimlachte. 'Tuurlijk, Chris. Al die ervaring in het veld: de raffinaderij die we hebben opgeblazen, de Oekraïense pijpleiding... ga je ze dat allemaal vertellen?'
'Nee, natuurlijk niet,' stamelde Chris.
'Dan vraag je zeker een referentie aan Walter.'
'Val dood,' zei Chris. 'Je weet best wat ik bedoel.'
Ik stond op en vroeg wat iedereen te drinken wilde. Ik stond aan de bar met het barmeisje te praten toen ik een bekend gezicht naast me zag in de spiegel. Ik draaide me om en zag Curly staan.
'Wat doe jij hier?' vroeg ik. 'Wil je iets drinken? Je ziet eruit alsof je wel een borrel kunt gebruiken.'
'Nee, bedankt,' zei Curly. 'Ik kan niet blijven.'
De aanblik van Curly versterkte alleen maar het gevoel dat er heel wat tijd was verstreken sinds de eenheid was gevormd. Hij had zijn ene kleine ijdele trekje allang opgegeven: een lok haar over zijn hoofd strijken in een wanhopige poging om zijn kale plek te verbergen. De pluk-

jes haar bij zijn slapen waren lichtgrijs en hadden bijna de kleur van zijn gezicht.
'Wat is er?' vroeg ik, terwijl ik aan mijn water voelde dat ons feestje bijna ten einde liep.
'Het is de Ouwe,' zei hij. 'Ik zoek jullie al de hele avond.'
'Hij wil ons nu zien?' Ik keek op mijn horloge. Het was bijna etenstijd.
'Nee, morgenochtend om tien uur. En niet iedereen. Alleen jij en Andreas.'
Ik werd koud vanbinnen. Altijd als de Ouwe iets belangrijks te vertellen had – alle keren dat hij ons op een missie gestuurd had – had hij dat altijd gedaan tijdens een bijeenkomst om tien uur 's ochtends.
Curly stond een beetje ongemakkelijk te schuifelen. Hij wilde weg.
'Waar gaat het over?' vroeg ik.
'Weet ik niet,' zei hij op een toon die me vertelde dat hij loog. 'Dat zul je van de Ouwe moeten horen.'
Nadat Curly was vertrokken, wenkte ik Andy naderbij. Mijn gezicht sprak kennelijk boekdelen.
Andy stak een sigaret op en nam een flinke trek. 'Wat had de engel des doods te melden?'
Ik vertelde hem over ons gesprek.

43

De Ouwe kwam direct terzake. 'Ze hebben een klus voor ons, lokaal, Oost-Berlijn,' zei hij en hij staarde naar zijn ineengeslagen handen. 'Ik weet er maar weinig van, en wat ik weet mag ik niet zeggen, je weet hoe dat gaat. Wat ik wel kan zeggen is dat de Stasi een grootse tegenactie zijn begonnen tegen ons netwerk van agenten in het Oosten en dat ze in Pulach de wanhoop nabij zijn.'

In Pulach, aan de rand van München, stond het hoofdkwartier van de BND.

Krause trok zijn handen weg waardoor een map op zijn bureau zichtbaar werd. Ik keek Andy aan.

De Ouwe opende de map en haalde er een zwartwitfoto uit: een portret van een man van halverwege de vijftig met dun, achterovergekamd haar. De foto was met een zoomlens genomen en korrelig, maar scherp genoeg om te zien dat de ogen van de man waren toegeknepen en zijn mond verwrongen, alsof hij naar iets of iemand in de verte keek.

'Dit is de persoon aan het hoofd van de operatie. We noemen hem Erich Meyer. Hij is een kolonel bij de Stasi en zijn methoden zijn uiterst grondig.'

Hij schoof de foto's over het bureau. Onder de close-up lagen nog twee foto's van 'Meyer' uit dezelfde serie. Op een foto had de camera uitgezoomd en was te zien dat Meyer aan een tafeltje zat in wat eruitzag als een café. Hij droeg burgerkleren en dronk alleen. De vierde foto kwam uit een officieel dossier en was van een veel jongere Meyer in het uniform van een eerste luitenant.

'De eerste drie foto's zijn genomen voor een bar in Rahnsdorf,' zei de Ouwe. 'Die andere komt uit zijn dossier. Meyer houdt van routine. Hij woont in Rahnsdorf en werkt op het hoofdkwartier van de Stasi. We weten vrij veel over hem. Hij woont in een keurig huis in een stil straatje, niet ver van het meer.' De Ouwe keek op. 'Ken je die omgeving, Jackson?'

Ik wist wat hij bedoelde. Rahnsdorf was een slaapstadje aan de oostkant van Oost-Berlijn. De met bomen begroeide straten kwamen uit op de Grosser Muggelsee, een meer met zandstranden die in de zomermaanden druk bezocht werden door de Oost-Berlijnse elite.

'Hij staat elke dag om halfzes op,' ging de Ouwe verder, 'wordt om vijf voor halfzeven opgehaald door een auto en arriveert vlak voor zevenen bij het kantoor aan de Mariannenstrasse. Daar maakt hij een hele werkdag vol. Hij is meestal rond halfacht terug in Rahnsdorf. Hij is ongehuwd en voorzover wij weten, kent hij geen ondeugden. Tenzij je meetelt dat hij graag bier drinkt.'

'Bier?' zei ik.

De Ouwe lachte wat en heel even herkende ik de ouwe Krause weer. 'Helaas drinkt hij niet genoeg om te kunnen zeggen dat hij een drankprobleem heeft, maar wel genoeg dat hij elke avond naar een van de twee beste bars van Rahnsdorf gaat.'

Hij tikte met zijn vinger op een van de foto's. 'Deze bar heet Zum Löwen; de ander is een kroeg met de naam Bei Rosie. Als het mooi weer is, zit onze man buiten van het uitzicht te genieten, bij slecht weer zit hij binnen.'

'En wat moeten wij hiermee?' vroeg ik, want ik wilde terzake komen.

'Ze willen dat wij hem vermoorden,' zei hij.

Dat had niet als een grote verrassing moeten komen. Inwendig had ik de meeste informatie al verwerkt. Een belangrijk officier van de Stasi die de leiding had over een contraspionageactie? Dan wilden ze hem vast geen medaille geven.

'Wij zijn soldaten,' zei Andy, 'dit soort klusjes past meestal meer in het straatje van de BND.'

De Ouwe verschoof wat ongemakkelijk in zijn stoel. 'Als het niet belangrijk was, zouden ze het ons niet vragen. Misschien maakt dit het gemakkelijker, maar Meyer heeft zelf ook mensen vermoord. Heel veel mensen. Hem doden spaart levens. Meyer vertrouwt namelijk niemand. Hij weet dat de Stasi niet veilig is voor infiltratie en hij heeft de details van deze contraspionageoperatie in zijn brein opgeslagen. Als we hem kunnen elimineren voor hij de gelegenheid heeft ze uit te voeren, bestaat volgens de BND de kans dat de operatie met hem zal ster-

ven. Op zijn minst zal de Stasi er maanden, zo niet jaren vertraging door oplopen.'
'Mensen in koelen bloede omleggen staat niet in mijn taakomschrijving,' zei Andy.
'We zullen wel moeten,' zei Krause. 'De hogere machten hebben ons deze opdracht gegeven. Jullie mogen weigeren, maar als jullie dat doen, moet ik de klus aan een van jullie maats aanbieden.' Hij zweeg even. 'En ik zal hen hetzelfde vertellen als ik jullie nu ga zeggen. Dat dit de eerste en laatste operatie van dit type is.'
Aan de blik in zijn ogen kon ik zien dat het hard tegen hard was gegaan. Ik dacht terug aan ons gesprek van de vorige dag. Krause wist dat de tijd van het Elitekommando Ost erop zat. Dit was zijn manier om te zeggen dat we eruit konden stappen.
'Ik doe het wel,' zei ik.
De Ouwe keek Andy aan.
Andreas nam nog een trek van zijn sigaret en drukte hem toen uit in de asbak op het bureau van Krause.
'Iemand moet Jackson in de gaten houden,' zei hij en hij wees naar me met zijn duim. 'Wanneer vertrekken we?'
'Vanavond,' zei Krause zonder aarzelen. 'Jullie gaan "legaal". Alles is geregeld. Om 22.20 uur vertrekt er een trein uit Keulen. Die is rond zeven uur in Berlijn. Jullie gaan naar het Oosten als toeristen, nemen een hotel en bekijken wat bezienswaardigheden. Jullie zullen zelf wel weten wanneer jullie het beste naar Rahnsdorf kunnen gaan. Eenmaal daar zullen jullie Meyer snel genoeg vinden bij een van zijn stamkroegen. Hoe jullie hem doden, is aan jullie, al moeten jullie je wel realiseren dat omdat jullie legaal naar het Oosten gaan, jullie geen vuurwapens kunnen meenemen.'
'Vuurwapens niet,' zei ik, 'maar een mes is wel te smokkelen.'
'Dan is er nog iets wat jullie moeten weten,' zei Krause. 'Op de foto's is het niet te zien, maar Meyer heeft een "escorte". Twee zelfs. Een stel zwaargewichten van de Stasi die hem overal volgen, 24 uur per dag, dag in, dag uit.'
'Hoe moeten we dan in godsnaam bij hem komen?' zei ik.
'Jullie zijn nog altijd de beste van de besten,' zei Krause en hij ging rechtop zitten.
'Jullie krijgen wel een gelegenheid. Die doet zich vrijwel altijd wel voor.'

'Je bent gek. Compleet gestoord.' Angel staarde me aan en schudde het hoofd. 'Dit is niets voor ons. Dit is niet wat we doen. We zijn geen getrainde moordenaars. We zijn godverdomme soldaten.'

Hij keek de kamer rond. We zaten met z'n achten in de kamer van Angel en Chris. Andy en ik waren net drie uur door Krause doorgezaagd over de feiten: onze aliassen, onze valse identificatiepapieren en onze reis naar West-Berlijn. Het was het begin van de middag en Andy en ik hadden de anderen bijeengeroepen om ze te vertellen wat er was gebeurd. Bovendien hadden we hun hulp nodig.
'Angel heeft gelijk,' zei Mike. 'Ik vind het maar niets.'
De anderen mompelden instemmend.
'Ik vind het net zomin geweldig, maar de man zelf, deze "Meyer" is ook een moordenaar,' zei ik.
'En wij zijn ook geen lieverdjes,' stemde Andy in. 'Wie heeft er nou geen bloed aan zijn handen?'
'Als we moordden, was dat omdat het moest,' zei Chris.
Ik dacht terug aan de dag toen Chris en ik naar de zwaarbeveiligde gevangenis van Rummelsburg waren gegaan. Het was niet iets waar ik vaak aan terugdacht. Die dag waren er heel veel jonge Oost-Duitse dienstplichtigen gestorven. Kleefde hun bloed niet net zo goed aan onze handen?
'Zoals ik het zie, scheppen we met deze missie een gevaarlijk precedent,' zei Lobo. 'Hoe weet je dat je, we, niet ooit ter verantwoording zullen worden geroepen?'
'Ik zou niet weten hoe,' antwoordde ik. 'Onze eenheid bestaat officieel niet eens. Als je soms denkt dat we ooit vervolgd zullen worden voor de dingen die we hebben gedaan... dat is gewoon absurd. We vechten hier een oorlog, goddomme.'
'We moeten onszelf beschermen,' zei Angel somber.
'Hoe dan?' vroeg Andy.
'Dat weet ik niet, maar ik vertrouw er niet op dat die eikels ons niet zullen verlinken,' zei Angel. 'Ik vertrouw zelfs Krause niet meer.'
'Hij zei tegen Andy en mij dat dit de laatste van dit soort missies zou zijn,' zei ik. 'Hij liet doorschemeren dat het überhaupt onze laatste missie zou zijn. En, vergis je niet, dat is zeker iets waar ik hém over ter verantwoording zal roepen.'
We wisten allemaal dat we kwetsbaar waren, maar het feit bleef: Andy en ik hadden ingestemd met de missie. We moesten er wel mee doorgaan.
Ik omschreef de taak die voor ons lag, dat we op de een of andere manier Meyers bodyguards uit de weg moesten zien te ruimen.
Andy en ik vertelden het team alles. Dat Meyer een man van routine was. Dat hij elke ochtend naar het hoofdkwartier van de Stasi in de Mariannenstrasse reisde. Dat hij regelmatig een slokje dronk in twee

kroegen in zijn woonplaats Rahnsdorf en dat we bij onze handelingen door twee dingen werden beperkt: het feit dat we geen wapens mochten meenemen en het feit dat de twee bodyguards 24 uur per dag aanwezig waren.

'Jullie moeten ook nog weg zien te komen,' zei Tony. 'Zelfs zonder die bodyguards zullen jullie nog gezien worden. Jullie zullen hem van een afstandje moeten zien te raken, maar zonder geweer wordt dat knap lastig.'

Daar kon ik het alleen maar mee eens zijn. En zelfs met een geweer wist ik niet of ik het zou kunnen. Carl was de schutter van de groep en hij ging niet mee.

Chris knipte met zijn vingers. We hielden op met praten en keken hem aan. Hij zat op de rand van zijn bed met gefronst voorhoofd in de verte te staren.

'Rustig aan, allemaal,' zei Angel, 'de Parkeermeter gaat spreken.'

Chris keek me aan. 'Tenzij deze kerel bovenmenselijk is, zal hij toch een keer naar de plee moeten,' zei hij.

'Al die opwinding en dat is het enige wat je kunt zeggen?' zei Angel. 'Een obsessie met 's mans toiletbezoek?'

Ik was het met hem eens. Als de bodyguards van Meyer een beetje goed waren, zouden ze nooit toestemmen dat hij in de Zum Löwen of Bei Rosie tegelijk met iemand anders naar het toilet ging, zeker niet met een gezonde, stevige kerel zoals Andy of ik.

'Springstof,' zei Chris. 'Je moet springstof gebruiken. Je kunt best een beetje semtex en wat ontstekers en afstandsbedieningen meesmokkelen. In Rahnsdorf verberg je dan in de toiletten van beide bars wat explosieven en dan wacht je tot Meyer op komt dagen. Dan wacht je tot hij gaat pissen, ga je een eindje weg staan, schakel je de afstandsbediening in en... *boem*! Probleem opgelost. Je kunt honderden meters verder zijn als de bom afgaat en als je de lading goed afstelt, kun je de toiletten opblazen zonder dat er verder iets, of iemand, beschadigd raakt.'

Ik keek Andy aan. Het was niet eens zo'n slecht idee. Hoe langer ik erover nadacht, hoe meer ik begon te denken dat het zou kunnen lukken.

Ik stond op. 'Goed,' zei ik tegen Chris, 'jij gaat met ons mee.'

'Waar gaan we heen?' vroeg hij.

De Ouwe had Walter op stand-by gezet om ons te helpen. Walter was onze wapenmeester.

'Ik wil dat je Walter vertelt wat je ons net hebt verteld. Ik wil niet meer semtex dan nodig meenemen naar het Oosten. Als jij en Walter het eens zijn over de afmetingen van de bom, kunnen we het over de werkwijze gaan hebben. Daarna kan Walter onze spullen pakken.'

Semtex de grens over smokkelen was een specialiteit van Walter.
Ik keek op mijn horloge. Over vijf uur vertrok de trein uit Keulen. We zouden snel moeten zijn.
Walter stond al op ons te wachten op zijn favoriete plekje: de werkkamer achter in de wapenopslag.
Het was er donker, afgezien van een lichtbundel die afkomstig was van een bureaulamp die aan de werkbank geklemd zat. Hij hield een tijdschrift bij het licht zodat hij de borsten kon bewonderen van een of andere derderangs beroemdheid die topless betrapt was.
Walter leek vaag onze aanwezigheid te voelen. Hij liet het tijdschrift zakken en keek Andy, Chris en mij aan over de rand van zijn metalen brilletje.
'Kan ik iets voor jullie doen?' vroeg hij. Hij droeg een vale ribbroek, een overhemd dat versleten was op de ellebogen en een pet. De pet was van dezelfde stof als de ouwe pantoffels die Walter altijd droeg.
Walter, de ouwe mopperpot, had wel honderd geleken toen we hem voor het eerst zagen. Twaalf jaar later was er niets veranderd, behalve zijn status. Walter was met pensioen, maar hij bleef parttime werken als een persoonlijke gunst aan de Ouwe.
'Zijn grappen worden er niet beter op,' zei Andy en hij keek Chris en mij aan.
'En hij ruikt ook al niet beter,' zei Chris.
'Goed, waar gaat dit over?' zei Walter, die het geklets plotseling beu was.
We legden het plan uit, waarna Chris tussenbeide kwam met zijn idee voor de semtex in de toiletten van de twee kroegen. Walter luisterde aandachtig. Toen we klaar waren, wendde hij zich tot Andy en mij en vroeg wanneer we zouden vertrekken.
'Vanavond,' zei ik. 'We nemen de nachttrein naar Berlijn. Morgen zijn we in Oost-Berlijn.'
'Jullie denken zeker dat ik wonderen kan verrichten,' zei Walter. Deze dingen hebben tijd nodig.' Hij zweeg even. 'Hebben jullie je tassen bij je?'
Ik knikte en hield mijn weekendtas omhoog. Andy deed hetzelfde. Walter nam de tassen over en bestudeerde ze nauwkeurig.
'Ik moet ze allebei van een valse bodem voorzien,' zei hij en hij keek op zijn horloge. 'Kom over een paar uur maar terug, dan heb ik misschien iets waar jullie wat mee kunnen.'
Hij riep ons terug toen we bij de deur waren. 'Zeg tegen de Ouwe dat dit hem wat gaat kosten.'
Andy en ik kwamen twee uur later terug om Walter aan te sporen. Ik

begon zenuwachtig te worden over onze vertrektijd. Maar hij had geen aansporing nodig. De twee tassen stonden voor ons klaar op de werktafel.
'Ik wilde jullie net gaan bellen,' zei Walter toen we binnenkwamen.
Ik kon aan zijn stemming merken dat het goed was gegaan. Ik pakte een van de tassen en gaf de andere aan Andy.
'Ik zou hem niet laten vallen als ik jou was,' zei Walter.
'Dat was ik ook niet van plan,' antwoordde Andy. 'Zenuwen zijn niets voor jou, Walter.'
'Ik dacht aan de trein die jullie kunnen opblazen als jullie die tassen iets te enthousiast in het bagagerek gooien,' zei Walter droogjes.
Walter deed altijd net alsof we voetvegen waren, maar eigenlijk mocht hij ons graag. Daarnaast was hij trots op zijn werk.
We werkten al heel lang samen. Walter had allerlei manieren bedacht om ons in Oost-Duitsland te krijgen. Hij had apparaten ontwikkeld waarmee we de elektronische schrikdraden van de muur konden omzeilen, hij had springstoffen verborgen in de reservebanden van onze auto's en hij had vreemde, buisachtige constructies gemaakt waarmee we over de muur konden klimmen.
Ik klopte op de onderkant van de tas, maar de kartonnen voering was niet anders dan in de tas die ik had achtergelaten. Verbaasd keek ik naar Andy's tas. Hetzelfde verhaal.
'Wat is hier aan de hand?' vroeg ik. 'Er zit geen dubbele bodem in en we hebben geen tijd meer.'
Walter keek me vernietigend aan. 'Jezus, het is ook altijd hetzelfde gelazer met jullie. Als ik een *Gripo* was, zou ik als eerste naar een dubbele bodem zoeken.'
De Gripo's, oftewel *Grenzpolizei*, waren de Oost-Duitse grenswachten.
'De Ouwe betaalt me niet in schnaps om voor de hand liggende dingen te verzinnen,' ging Walter verder. 'Pak de tas op en zeg me of hij anders is.'
'Ik heb hem al opgepakt en ik voel geen verschil,' zei ik.
'Ik zei, pak hem op,' beet Walter me toe.
Ik deed wat hij zei en wilde net mijn uitspraak herhalen, toen ik merkte dat de handvatten net iets anders aanvoelden. De tas die ik bij Walter had achtergelaten, had ruwe handvatten. Deze waren glad.
'Jij sluwe ouwe vos,' zei ik. Ik hield de tas tegen het licht en bewonderde Walters handwerk. De handvatten waren van hetzelfde leer als de tassen, met stiksels in exact dezelfde stijl. Omdat de handvatten dik en gedrongen waren, kon je er veel plastic in stoppen. Ik keek naar de andere tas.

'Die is hetzelfde,' zei Walter. 'In de handvatten van beide tassen zit plastic en je zult merken dat de afwerking aan de onderkant ook niet bepaald standaard is.'
Het randje was inderdaad wat dikker. Hier had hij de ontstekers en afstandsbedieningen verstopt.
'Het is briljant,' zei ik, oprecht onder de indruk.
Walter leunde achterover en sloeg zijn armen over elkaar. 'Het mooiste is dat alleen degene die deze tas heeft ontworpen het verschil zou zien. Doe me alleen een lol, wil je?'
'Uiteraard,' zei ik, 'zeg het maar.'
'Zorg ervoor dat je heel terugkomt.'
Andy bleef bij de deur stilstaan. Hij keek me aan en we keken beiden naar Walter.
'Hé, Walter, je wordt toch niet ineens sentimenteel?' zei ik.
'Sentimenteel?' zei Walter lachend. 'Doe niet zo belachelijk. Ik wil gewoon weten hoe het is afgelopen.'

44

In de kleine uurtjes stapten we over in Hannover. Het rijtuig was vrijwel leeg en we hadden een hele tweedeklascoupé voor onszelf. Ik kon niet lezen of slapen van de zenuwen en in plaats daarvan oefende ik de details van mijn alias, omdat ik wist dat ik dat op mijn duimpje moest kennen als we ondervraagd zouden worden.
Andy en ik reisden als toeristen. We waren zogenaamd al sinds de middelbare school bevriend en hadden nu een baan in verschillende delen van West-Duitsland: ik in het noorden, hij in het zuiden. Ik werkte als verkoopmanager bij een vervoersbedrijf en hij als consultant bij een telecommunicatiefirma. We hadden beiden weinig te besteden want we waren allebei onlangs gescheiden. Als de Gripo's persoonlijke informatie wilden, zouden we hun vertellen dat het deze gezamenlijke ervaring was die ons het idee voor het reisje had gegeven; een gelegenheid om er even helemaal uit te gaan. We zouden een dag of twee rondkijken. Walter had ons allebei een camera gegeven zodat we er authentiek uitzagen en ons verhaal zou kloppen wanneer iemand erop door zou gaan.
Ik moet toch in slaap gevallen zijn, want het volgende dat ik me herinnerde was het gepiep van de remmen, terwijl de trein schokkend tot stilstand kwam. We hadden de grens bereikt, het punt waar de Gripo's de trein in kwamen en meereisden door het stukje Oost-Duitsland dat West-Duitsland scheidde van West-Berlijn.
Verderop in de gang werd een deur geopend en dichtgeslagen. Ik hoorde stemmen. Het rolgordijn in onze coupé was omlaag, maar door een spleet aan de onderkant kon ik de felle lampen van het station

zien. Ik keek naar de twee tassen op het bagagerek en veegde langzaam het zweet van mijn handen af aan de stoelen.
Andy keek me geruststellend aan.
De trein kwam weer in beweging en tegelijkertijd hoorde ik voetstappen in de gang buiten. Ik keek op en zag iemand staan voor de glazen deur. Hij werd geopend en de Gripo kwam naar binnen. Hij keek naar Andy en mij en vroeg toen om onze paspoorten.
Beelden van de vele keren dat we de grenscontrole waren gepasseerd in de periode dat we in de raffinaderij van Halle hadden gewerkt, tien jaar eerder, kwamen boven. We hadden enkele kilo's semtex in de reservebanden van onze auto's naar Oost-Duitsland gesmokkeld, waar we als gastarbeiders werkten en ons hadden voorgedaan als ruwe, onbehouwen kerels. Sinds die tijd was er veel gebeurd waardoor ik mezelf niet langer als onoverwinnelijk beschouwde, niet in de laatste plaats door mijn gevangenschap bij de Stasi.
De Gripo bestudeerde onze paspoorten nauwkeurig en keek afwisselend van mij naar Andy.
'Eindbestemming?' vroeg hij.
'De Democratische Republiek,' zei Andy.
'Hoeveel dagen bent u van plan te blijven?' vroeg de Gripo.
'Een of twee, dat hangt ervan af,' antwoordde Andy, die er op de een of andere manier in slaagde te glimlachen.
'Waarvan?' vroeg de Gripo, terwijl hij door mijn paspoort bladerde.
'Hoelang we geld hebben,' zei Andy vrolijk. 'We hebben iets te vieren, ziet u.'
De Gripo keek ineens op. Hij keek Andy aan en ik voelde dat mijn keel werd dichtgeknepen.
In godsnaam, dacht ik en ik probeerde niet naar Andy te kijken, zit niet te sollen met die vent.
'Vieren?' De Gripo keek wat verbaasd.
'Onze scheiding,' zei Andy.
Nu fronste de Gripo zijn wenkbrauwen.
'Niet ónze scheiding, uiteraard,' zei Andy, terwijl hij snel tussen hem en mij wees. 'Dat zou belachelijk zijn.' Hierbij slaagde Andy er zelfs in te lachen.
De Gripo keek me aan. Ik lachte zwakjes.
'En u?' vroeg hij. 'Gaat het wel? U ziet er niet goed uit.'
Ik had het gevoel alsof iemand me met een mes in mijn maag stak. Ik keek op mijn horloge. 'Het is laat,' zei ik. 'Ik ben doodop. Ik wil alleen maar slapen.'
De Gripo wendde zich weer tot Andy. 'U zei iets over een scheiding,' zei hij.

'We zijn net gescheiden. Van onze vrouwen. Zes jaar hel in mijn geval, tien in de zijne.' Andy sloeg zijn ogen op. 'Kunt u zich dat voorstellen? Tien hele jaren? Het mens was bezeten. Ze heeft hem nog kaalgeplukt ook.'
Hierop keek de Gripo weer naar mij. 'Ik was ook ooit getrouwd,' zei hij, zonder een spoor van emotie. 'Een prettige reis nog.'
Hij gaf ons onze paspoorten terug en verliet de coupé.
Ik durfde Andy niet aan te kijken. Jezus, dacht ik, die Gripo heeft geen seconde naar onze tassen gekeken. Wat is hier aan de hand?
'Misschien mogen we Gorbatsjov toch nog dankbaar zijn,' zei Andy toen we wisten dat de Gripo verdwenen was.

Toen de trein Bahnhof Zoo binnen reed, gingen Andy en ik direct na het uitstappen naar Aschinger's, een restaurant in de buurt van het station, dat de hele dag open was en waar we ons volstopten met koffie en een goed ontbijt. Onze euforische stemming na onze onwerkelijke ontmoeting met de Gripo had plaatsgemaakt voor een onheilspellend gevoel. We moesten nog door de paspoortcontrole tussen Oost- en West-Berlijn.
Ik had deze reis een paar keer in deze functie gemaakt: op mijn eerste missie, toen ik een wetenschapper en zijn gezin uit Oost-Berlijn had gehaald, en later, nadat de Stasi me had vrijgelaten, tijdens een halve zelfmoordmissie in mijn eentje, waarbij ik het pand had verkend waar de Oost-Duitse Communistische Partij haar jaarvergaderingen hield. Ik was van plan geweest om naar Oost-Berlijn terug te keren met de andere leden van het team, het gebouw op strategische plekken van ladingen te voorzien en Honecker en zijn maats naar de andere wereld te blazen. Gelukkig had ik in mijn zwakzinnige staat de stommiteit begaan om aan Krause te vragen of hij onze missie wilde goedkeuren. Hij had niet alleen het idee meteen de grond in geboord, maar had me ook bijna uit het leger ontslagen.
Nu was ik terug, deze keer met officiële toestemming, op een missie die me deed denken aan die wanhoopsactie.
Het was een rare manier van oorlog voeren.
We gingen terug naar Bahnhof Zoo en namen de U-bahn naar Friedrichstrasse, de toegang naar Oost-Berlijn voor treinreizigers uit de westerse sector.
We kwamen uit de ondergrondse op het station en sloten ons aan bij een rij mensen die stonden te wachten bij de paspoortcontrole voor Oost-Berlijn.
Ik wist dat we een toneelstukje moesten opvoeren. Als Andy en ik er zo

gespannen uitzagen als we ons voelden, zouden we zeker ondervraagd worden. En ook al was het handwerk van Walter dan geweldig, ik wilde het niet hoeven te testen. Naarmate we dichter bij de controle kwamen, begonnen Andy en ik te kletsen. Het was zinloos gebabbel, maar we ontspanden er wel door.
Uiteindelijk bleek onze angst ongegrond. Na een paar vragen over de aard van ons bezoek en een vluchtige blik op onze tassen, mochten we verder. Andy had zelfs het lef om terug te gaan en een van de grenswachten om de beste aansluiting voor Alexanderplatz te vragen. De Gripo verwees ons naar een bushalte.
Een halfuur later stonden we op het plein. Terwijl Andy wegliep om een foto te maken van de fontein van de vriendschap van het volk, keek ik om me heen naar een verblijfplaats.
Na een kort tukje zouden we kunnen nadenken over wat we moesten doen om nader kennis te maken met Herr Meyer.
We schreven ons in bij een hotel op het plein en spraken af elkaar daar aan het begin van de middag te ontmoeten.

Zodra ik op mijn kamer kwam, ging ik naar de badkamer en liet het bad vollopen. Het had geen zin om naar afluisterapparatuur te zoeken, ik wist toch al dat die er zou zijn, dat was de norm in hotels voor westerlingen.
Terwijl het bad nog liep, ging ik op het toilet zitten en haalde zorgvuldig het stiksel los van de handvatten van mijn tas en verwijderde de plastic tas met daarin de semtex. Daarna kneedde ik het in een lange reep en stopte het in mijn geldriem.
Vervolgens haalde ik het betreffende stuk los van de rand onder aan de tas en viste er zorgvuldig de ontstekers uit. Die stopte ik ook in mijn geldriem.
Ik wist dat, zodra we onze kamer verlieten, onze bezittingen doorzocht zouden worden door het hotelpersoneel, die allemaal verplicht waren verslag uit te brengen aan de Stasi. Aangezien ik de semtex, ontstekingen en afstandsbedieningen nergens in het hotel kon verbergen, konden we ze beter meenemen.
Toen het bad vol was, maakte ik mijn toilettas open, haalde een naaisetje tevoorschijn en begon mijn tas weer dicht te naaien.
Daarna ging ik op bed liggen en sliep. Ik werd pas twee uur later met een schok weer wakker, vlak voor de wekker afging.
Andy stond al op me te wachten toen ik vanuit de lift de lobby in kwam. Nadat we geld hadden gewisseld, vroeg ik aan de conciërge of we een rondrit door de stad konden maken.

De conciërge bevestigde dit: we konden op het plein op een bus stappen waarmee we verschillende rondritten konden maken. Hij gaf ons een brochure met daarop ook een kaart, waarop Rahnsdorf als een van de bestemmingen stond. De rondrit begon om drie uur.
Twintig minuten later sloten Andy en ik aan bij een rij bij een bushalte aan de overkant van het plein. Ik keek om me heen of ik medewerkers van de Stasi zag, maar onze medepassagiers zagen er allemaal uit als buitenlanders. De grootste groep was afkomstig uit Engeland: het waren havenarbeiders en hun vrouwen, op een reisje van de vakbond.
Na anderhalf uur kwamen we aan in Rahnsdorf. Het was een warme namiddag en de tourleider riep om dat we bij het meer wat zouden gebruiken.
Andy en ik liepen naar de waterkant.
Ik had verwacht dat het strand bomvol lag met bleke apparatsjiks, maar wat ik aantrof had zo in een westerse toeristenfolder gekund.
De meisjes waren knap en droegen bonte, minuscule bikini's. Ik zag Levi's en T-shirts, waaronder een met daarop de albumcover van *The Wall* van Pink Floyd. Ik keek Andy aan.
'Heel wat anders dan in Halle, vind je niet?' zei hij.
Ik knikte. In Halle had de raffinaderij gestaan die we elf jaar geleden buiten werking hadden gesteld.
Maar er was nog iets. Het was een gewone werkdag en het strand was afgeladen. Wat was er gebeurd met het Oost-Duitse werkethos?
Terwijl we naar het strand stonden te kijken, buiten gehoorsafstand, vormden Andy en ik ons plan.

De volgende dag stonden we om zeven uur op en namen de bus van acht uur van het plein naar Rahnsdorf. Het was een verstandig besluit om vroeg te gaan, want het strand begon al snel vol te druppelen met Oost-Berlijners die aan de hitte wilden ontsnappen.
We trokken alles uit behalve onze korte broek en gingen bij het water liggen, in de schaduw van een boom. Ik wikkelde mijn kleren om mijn riem en legde ze onder mijn hoofd. We wilden kost wat kost voorkomen dat onze kleren gestolen zouden worden door een knul die uit was op een paar Levi's. Het strand zag eruit als een paradijs voor zakkenrollers.
De dag verliep zonder incidenten, tot er twee knappe meisjes verschenen, die hun handdoeken een paar meter van ons vandaan neerlegden. Toen ze terugkwamen uit het water, kwam een van hen naar ons toe en vroeg om een vuurtje. Ze was nauwelijks achttien. Haar vriendin was een jaar of twee ouder.

Ik keek in haar ogen toen ik haar sigaret aanstak. Ze bedankte me en ik zei dat ik het graag gedaan had. Ze vroeg me waar ik vandaan kwam.
'Ik kom uit Berlijn,' zei ik, 'uit het Westen.'
Ze lachte. 'Het is wel duidelijk dat je niet van hier bent.'
'Hoe dat zo?' vroeg ik en ik had er onmiddellijk spijt van. Ik had hier helemaal geen zin in.
'Om te beginnen je sigaretten,' zei ze.
Ik draaide me om en zag dat de bovenkant van een pakje Marlboro onder mijn kleren vandaan stak.
'Je hebt goede ogen,' zei ik.
Ze glimlachte. 'Mag ik?' Ze wees op een stukje zand naast me. Vanuit mijn ooghoek zag ik dat Andy al aan de praat was geraakt met het andere meisje.
'Ja hoor, ga je gang,' zei ik, in de vurige hoop dat ik overtuigend klonk.
Ze ging naast me zitten en haalde haar handen door haar haren.
'Ben je getrouwd?' vroeg ze, en ze keek naar de zon.
'Ik was getrouwd, maar nu niet meer. Ik ben net gescheiden.' Ik wees naar Andy. 'We zijn hier om het zo'n beetje te vieren.'
Ze nam een lange trek van haar sigaret. 'Bijna iedereen hier probeert weg te komen uit dit rotland en jij, een westerling, komt hier vakantie vieren?' Ze keek me aan en glimlachte. 'Maak het nou.'
Ik was niet gerust op de wending die het gesprek had genomen.
'O, het is al goed,' zei ze, 'je hoeft niet te doen alsof.' Ze keek naar haar vriendin. 'Erica en ik zijn geen fans van Honecker en de Partij. We kennen allemaal iemand die probeert weg te komen. In mijn blok alleen al zijn er drie gezinnen naar het Westen vertrokken.'
'Ik wist niet dat jullie weg mochten,' zei ik en ik deed mijn best zo neutraal mogelijk over te komen.
'Er is een manier,' zei ze en ze dempte haar stem. 'Misschien heb je gehoord wat er in Hongarije gebeurt.'
'Ik volg de politiek niet zo,' zei ik.
Ze nam een trekje van haar sigaret, blies de rook langzaam uit en begon het me toch te vertellen.
'Ze hebben de grenscontroles met Oostenrijk verslapt. Er gaan geruchten dat Oost-Duitsers via Hongarije naar Oostenrijk mogen. En ook in Polen en Tsjecho-Slowakije gaat het beter. Iedereen praat erover. Omdat we op vakantie mogen in onze communistische buurlanden, betekent het dat je politiek asiel kunt aanvragen bij de West-Duitse ambassade, zodra je in Praag, Warschau of Boedapest bent. Zo werkt het.'
'O,' zei ik.

'Misschien,' zei ze plotseling, 'kunnen jullie ons helpen.'
Ik wist dat dit zou gebeuren.
'Ik zie niet in hoe,' zei ik.
'Als je ons iets te drinken aanbiedt, kan ik het uitleggen,' zei ze. 'Het zou nog beter zijn als we er een avondje van maakten. Wij viertjes. Erica en ik zouden jullie kunnen leren kennen. Jullie de bezienswaardigheden kunnen laten zien. Voorzover die er zijn.' Ze stak haar hand uit. 'Ik heet trouwens Ute.'
Terwijl we elkaar een hand gaven, keek ze me recht aan en glimlachte. Toen besefte ik wie dit meisje was en wat ze deed en dat ik mezelf zo snel mogelijk uit de voeten moest zien te maken.
'Bedankt,' zei ik en ik bleef haar aankijken, 'maar we moeten maar eens terug. Misschien kunnen we dit morgen nog eens doen. Elkaar hier ontmoeten, een beetje praten en, zoals je al zei, elkaar leren kennen. Dat zou leuk zijn.'
Ze werd overvallen door mijn abrupte toon. Ze zag eruit alsof ze een klap in het gezicht had gehad. Ze stond op en vertrok. Even later vertrok haar vriendin ook. Ze pakten hun handdoeken en haastten zich weg over het strand.
'Kleed je aan,' zei ik met gedempte stem, 'we gaan ervandoor.'
'Hoe bedoel je?' vroeg Andy.
'We gaan weg,' zei ik. 'We vertrekken uit het hotel en we gaan naar huis.'
'Naar huis? Wat is er? Denk je dat ze van de Stasi waren?'
'Nee,' antwoordde ik, 'het zijn prostituees, op zoek naar westerlingen. Maar daar gaat het niet om. Ze zijn nog maar kinderen. Ze hebben er genoeg van, net als alle anderen. Ik doe het niet, Andy. Ik wil hier geen deel van uitmaken. Als Krause Meyer wil vermoorden, zoekt hij maar iemand anders voor zijn vuile werk.'
Andy ging niet in tegen mijn beslissing. 'Wat ga je tegen hem zeggen?' vroeg hij.
Ik had geen idee wat ik tegen de Ouwe zou zeggen. Maar wat kon hij doen? Ons voor de krijgsraad slepen?
Opeens drongen de praktische aspecten van mijn besluit tot me door. We moesten de bom kwijtraken voor we weer over de grens gingen. De vraag was alleen: waar?
Toen we terugliepen van het strand, legde ik de vraag aan Andy voor. Hij dacht even na en keek me toen aan. 'Ik weet de ideale plek,' zei hij. 'Het klinkt misschien vreemd, maar ergens vind ik dat we dit moeten vieren met een biertje.'
Bei Rosie was gemakkelijk te vinden. Andy ging naar binnen en kocht

het bier, terwijl ik aan een tafeltje zat te wachten. Omdat het nog vroeg was, nog geen vijf uur, was het uitgestorven. Uiteraard was er ook nog geen teken van Meyer.
We dronken in stilte. Ik voelde helemaal niets. Na meer dan tien jaar missies, was het voorbij. Op de een of andere manier vond ik het wel toepasselijk dat ik tot dit besluit was gekomen in de achtertuin van de voormalige vijand.
Na een tijdje stond Andy op en nam onze lege glazen mee naar binnen. Toen hij terug kwam, met een nieuw glas in elke hand, klonk hij met zijn glas tegen het mijne en glimlachte.
'Op de toekomst,' zei hij.
'En afwezige vrienden,' antwoordde ik.
Ik nam een diepe teug en stond daarna op.
Binnen was de geur van schraal zweet en goedkope tabak angstaanjagend bekend. Zeven jaar eerder, in een veel minder fraai deel van Oost-Berlijn, was ik door de Stasi betrapt in een vergelijkbare kroeg.
Aan een tafeltje in de hoek zaten een paar stamgasten te kaarten. Door de ramen viel licht naar binnen. Het was zo stil, dat ik de klok achter de bar kon horen tikken.
De eigenaar keek op van zijn krant en gebaarde zonder dat ik iets hoefde te vragen naar een deur rechts van hem.
Ik duwde de deur open en liet hem achter me dichtvallen.
Tegenover de urinoirs was een rij toilethokjes, met geopende deuren.
Ik controleerde elk hokje om te zien of ik alleen was.
Ik nam het middelste hokje, sloot de deur achter me en keek omhoog naar de stortbak.
Het toilet had geen zitting, maar door voorzichtig op de rand te balanceren, kon ik net met mijn hand bij de stortbak komen.
Onder het water voelde ik met mijn vingertoppen de semtex, ontstekingen en de afstandsbediening die Andy daar een paar minuten eerder had achtergelaten. Dat we allebei dezelfde plek hadden uitgezocht, was geen verrassing. Als we Meyer hadden willen doden, zouden we hier de bom hebben geplant. De gietijzeren stortbak zou na de ontploffing in duizenden vlijmscherpe stukjes uiteen zijn gespat. Waar hij ook geweest zou zijn in de ruimte, Meyer had geen kans gemaakt.
Ik ritste de geldriem los en liet de onderdelen van de bom in het water vallen.
Tegen de tijd dat iemand ze vond, zouden Andy en ik allang weg zijn.

45

Voor ons betekende de Meyer-missie het einde. Voor Oost-Duitsland moest het drama nog beginnen.
Bij terugkomst in de kazerne brachten Andy en ik rapport uit aan de Ouwe en vertelden hem dat het niet mogelijk was geweest de klus te klaren. Krause keek ons aan op een manier die me zei dat hij alles begreep. Hij had het volste recht gehad om ons te vragen of 'niet mogelijk' in werkelijkheid 'weigerde' betekende, maar hij maakte er geen woorden aan vuil. Hij wuifde ons achteloos weg.
Krause wist dat moordaanslagen de laatste stuiptrekkingen waren van een organisatie wier taak erop zat. Het was onze laatste opdracht.
Begin oktober 1989 begon het verval dat Andy en ik al hadden gezien, door te zetten toen ruim 10.000 burgers demonstreerden in Leipzig. Een paar dagen later vloog Gorbatsjov naar Oost-Berlijn om het veertigjarig jubileum van de DDR te vieren. Tijdens zijn bezoek verschenen er op de straten van Oost-Berlijn ook enkele demonstranten. Na zijn vertrek hield een veel grotere groep, van ongeveer 50.000 mensen, opnieuw een massademonstratie in Leipzig. Honeckers onvermogen om iets aan de situatie te doen, leidde tot zijn afzetting op 17 oktober tijdens een bijeenkomst van zijn Politbureau. Hij werd vervangen door Egon Krenz, een hervormer, maar toen was het al te laat. Krenz was niet bij machte de situatie te keren.
Op 4 november kwamen 700.000 mensen samen op Alexanderplatz om het recht op te eisen om naar het Westen te reizen. Eerder die week had de DDR de grens met Tsjecho-Slowakije opengesteld en

waren meer dan 20.000 Oost-Duitsers de grens overgestoken. Eenmaal in Praag gingen ze direct naar de ambassade van de DDR, waar de Oost-Duitse diplomaten, onder druk van de Tsjechische regering, visa uitreikten om naar West-Duitsland te reizen. De geruchten waar we op het strand van Rahnsdorf iets van hadden opgevangen, verspreidden zich als een lopend vuurtje en de wegen naar Tsjecho-Slowakije kwamen algauw vol te staan met Trabantjes van Oost-Duitsers die halsoverkop richting de grens met Beieren reden.
De genadeslag kwam op 9 november toen een Oost-Duitse politicus per ongeluk tijdens een live persconferentie op televisie aankondigde dat de reisbeperkingen voor Oost-Duitsers met onmiddellijke ingang waren opgeheven. Vrijwel meteen begonnen de Oost-Duitsers zich bij de muur te verzamelen. Omdat de grenswachten van niets wisten, bleven de controleposten naar het Westen gesloten.
Eindelijk, even na achten, kwam het bevel en begonnen mensen de grens over te druppelen. Aan de westerse kant vonden emotionele taferelen plaats toen de West-Berlijners hun oosterburen met champagneflessen begroetten en met speelgoed voor de kinderen.
Toen het feest op gang kwam, beklommen mensen de muur en dansten erop. Daarna begonnen ze er in te hakken met hamers en algauw braken ze hem af met hun blote handen.
Ik bekeek de gebeurtenissen op televisie in een kroeg aan de rand van de stad. Ik zat er met Andy, Angel en Chris en ik huilde openlijk. Zelfs Angel pinkte een traantje weg. De muur, waarvan we allemaal gedacht hadden dat hij nog honderd jaar zou staan, viel voor onze ogen.
De volgende dag gingen we naar de Ouwe. Dat we het leger zouden verlaten, was niet langer de vraag, het ging erom wanneer. Krause zei dat we geduld moesten hebben. Hij deed alles wat in zijn macht lag om ons van onze verplichtingen te ontslaan.
Het draaide nog om twee dingen: de hoeveelheid geld die we zouden meekrijgen als gouden handdruk en de zorgvuldige opruiming van alle papieren die wezen op het bestaan van de eenheid. De dag nadat de muur was gevallen, werd er al druk over de hereniging gesproken. Volgens Krause was de Stasi waarschijnlijk druk bezig hun gevoeligste dossiers te vernietigen. Het was niet meer dan toepasselijk dat wij hetzelfde deden.
De grote dag kwam uiteindelijk in maart, vier maanden na de val van de muur. We pakten onze tassen, zeiden vaarwel en reden allemaal ons eigen leven tegemoet. Ik had geen idee wat ik met de rest van mijn leven wilde, maar ik had geen haast; de gouden handdruk die we had-

den gekregen, was groter dan we hadden verwacht. Voorlopig wilde ik alleen maar slapen.
Op 12 september tekenden de twee Duitslanden en de vier geallieerde machten die Duitsland in 1945 hadden verslagen het definitieve akkoord voor de hereniging. Het verdrag ging drie maanden later in.
In diezelfde periode kwamen de acht overgebleven leden van het Elitekommando Ost samen in het Hilton Hotel in Mainz. We dronken een hoop bier en we vertelden elkaar sterke verhalen. Het was een bitterzoete avond. We herdachten degenen die we waren kwijtgeraakt, met name Ginger tijdens die allesbepalende missie over het IJzeren Gordijn in de Harz; en de wetenschapper die gedood was tijdens onze enige operatie met Peter, het 'negende' lid van het team.
'We kenden de risico's,' zei Angel. 'Maar met die wetenschapper lag het anders. Dat was de enige keer dat we echt gefaald hebben. Ik vind dat nog altijd moeilijk te verkroppen.'
'Hij vertelde me dat hij een vrouw had en een paar kinderen,' zei Andy. 'Arme kerel.'
'Arme vrouw,' voegde Mike eraan toe.
Het gesprek legde een echte domper op de avond. Eenmaal in bed lag ik de hele tijd te denken aan die opdracht en die man.
Zodra ik terug was in Keulen, ging ik naar de kazerne. Ik had vooraf getelefoneerd en Krause verwachtte me.
Ik klopte op de deur van de Ouwe en wachtte op zijn bevel om binnen te komen.
Ik liep naar binnen en daar stond Krause. Het tapijt was weggehaald, evenals de gordijnen. Het bureau stond er nog, maar dat was zo'n beetje het enige. De Ouwe stond bij het raam, met zijn rug naar me toe. Naast hem stonden twee grote kartonnen verhuisdozen.
'Je bent net op tijd,' zei hij, terwijl hij zich omdraaide.
Ik droeg een spijkerbroek, maar oude gewoonten slijten niet. Ik liep naar zijn bureau, ging kaarsrecht staan en salueerde.
'Hou in godsnaam op met die onzin,' zei Krause. 'Je weet dat ik er een hekel aan heb.'
Ik voelde een golf van nostalgie opkomen, voor deze kamer, voor Krause, voor de eenheid, voor het hele bliksemse boeltje.
'Wat gaat u doen?' vroeg ik.
'Wat oude soldaten meestal doen. Een beetje vissen, neem ik aan. Wat reizen... Wie zal het zeggen? Maar over het algemeen ga ik me gedeisd houden. Dat zou jij ook moeten doen.'
Ik keek hem aan. 'U zei dat ze de bestanden over ons hadden opgeruimd.'

'De bestanden zijn één ding,' zei Krause. 'Maar de ideologie achter de Stasi is niet zomaar verdwenen. Sommigen van onze tegenhangers in Oost-Duitsland,' hij corrigeerde zichzelf, 'in voormalig Oost-Duitsland, zullen de gebeurtenissen niet licht opnemen. Nu ze ontslagen zijn, hebben ze tijd te over.'
'Ik zal eraan denken,' zei ik. 'Bedankt.'
De Ouwe keek omlaag. Op zijn bureau lag een grote, bruine envelop.
'Ik heb gevonden wat je zocht,' zei hij.
Ik pakte de envelop. In de envelop zat een handgeschreven briefje met daarop een naam en adres, en een aanzienlijke stapel geld, ongeveer 10.000 mark.
Ik vond het moeilijk voor te stellen wat er nu door Krauses hoofd ging. Vijftien jaar geleden waren zijn vrouw en twee kindertjes omgekomen bij een auto-ongeluk, een tragedie die ertoe had geleid dat hij al zijn energie in de vorming van het Elitekommando Ost had gestoken. In de beginjaren had hij ons zelfs zijn gezin genoemd en pas in de laatste paar jaar was de relatie verslechterd.
Ik staarde naar de aanzienlijke hoeveelheid geld in de envelop, bijna het dubbele van wat wij met elkaar hadden bijgedragen.
'Beschouw het maar als een driedubbele bijdrage van Curly, Walter en mij,' zei hij.
Twee weken later stond ik voor een bescheiden woninkje in een dorpje in de buurt van Dresden. Het begon al te schemeren. Ik parkeerde mijn auto en stapte uit, stijf na de lange autotocht.
Er stond een koude oostenwind en ik sloeg mijn leren jack stevig om me heen.
Toen ik het hekje openduwde, hoorde ik kinderen spelen. Halverwege het pad werd ik begroet door een bal die om het huis kwam stuiteren, gevolgd door een jongen van een jaar of twaalf. Toen hij me zag, stond hij abrupt stil. Een andere, jongere jongen botste bijna tegen hem op. Ze stonden me aan te staren. De oudste vroeg ten slotte wie ik was.
Ik zei hen dat ik voor hun moeder kwam.
De twee kinderen renden het trapje op van de veranda en begonnen op de deur te slaan. De vrouw die opendeed was lang en slank, en begin veertig. Ze droeg een spijkerbroek en een coltrui en ze moest ooit heel knap zijn geweest.
De kinderen renden de trap op en klampten zich aan haar vast en staarden me vanachter haar rug met grote ogen aan.
Ik stond plotseling met mijn mond vol tanden.
'Moet ik u kennen?' vroeg ze. Ze vertrouwde me niet en haar toon was bijna beschuldigend.

Ik schudde het hoofd. 'We hebben elkaar nooit ontmoet,' zei ik, 'maar ik heb in het West-Duitse leger gezeten en uw man gekend.'
Even dacht ik dat ze me weg ging sturen. Toen zakte ze op haar knieën, kuste haar kinderen en zei dat ze in de tuin moesten gaan spelen.
'U kunt beter binnenkomen,' zei ze.
Ik liep achter haar aan naar de zitkamer. Het huis was donker en het rook er naar tabaksrook en stof.
Ze deed een lamp aan en een hoek van de kamer werd ineens hel verlicht. De meubels, een paar armstoelen en een bank, waren groot en barok. We zaten aan een tafel bij het raam. Ik volgde haar blik. De kinderen keken naar ons vanuit de tuin. Ze lachte naar ze en wuifde, een signaal dat ze het goed maakte. Ze aarzelden even en renden toen weg, op zoek naar de voetbal.
'Het zijn geweldige jongens,' zei ik.
Ze zweeg. Het duurde even voor ik doorhad dat ze huilde.
'Het spijt me,' zei ik en ik stond op. 'Ik had niet moeten komen.'
'Nee, alstublieft,' zei ze en ze legde een hand op mijn arm. Ze veegde haar ogen af met een zakdoekje. 'Erich was geen verrader. Hij deed het niet voor het geld. Hij deed het omdat hij vond dat het regime waarvoor hij werkte fout was.'
'Wist u dat hij wilde overlopen?' vroeg ik.
Ze stak een sigaret op en blies de rook langzaam uit. 'Hij wilde met z'n allen gaan. Maar mijn moeder was ziek. Ik zei tegen Erich dat de kinderen en ik hem op de een of andere manier wel zouden volgen. Maar ik had een signaal nodig, een teken dat hij het gehaald had. Drie weken nadat hij was vertrokken, kwam de Stasi aan de deur om te zeggen dat hij was omgekomen bij een auto-ongeluk. Dat was een leugen, nietwaar?'
Ik schudde het hoofd. 'Ik zat in het team dat hem moest helpen overlopen. We liepen bij de grens in een hinderlaag. Het spijt me heel erg.'
Even dacht ik dat ze weer ging huilen, maar ze staarde vastberaden uit het raam.
Ik haalde de envelop uit mijn jas en legde hem op tafel. Toen stond ik op en vertrok.
Terwijl ik terug reed naar het Westen, werd ik overvallen door mijn emoties en huilde. Ik huilde om Ginger en om Erich. Ik huilde om de Oost-Duitse dienstplichtigen die ik had gedood in de gevangenis van Rummelsburg. In het licht van het dashboard kon ik hun bloed op mijn handen zien.
Zo voelt het aan als je landgenoten vermoordt. Wat het helemaal erg maakte, was dat ik, nu de muur gevallen was, niet wist waarom we het hadden gedaan.

Ik wist alleen dat als ik me zo voelde, de anderen zich ook zo voelden, ook de Ouwe. Waarschijnlijk waren er ook Stasi-agenten die zich zo voelden.
Mettertijd wende ik aan het leven buiten het leger. Ik werd vrachtwagenchauffeur en uiteindelijk begon ik mijn eigen bedrijf. Toen dat failliet ging, kocht ik een boot, een groot, zeewaardig jacht. Tijdens de vele eenzame tochten die ik maakte over de Atlantische Oceaan verwerkte ik een hoop dingen, maar het duurde een hele tijd voor ik die ene belangrijke vraag kon beantwoorden. Waarom?
Elf jaar na de val van de muur en de ontbinding van de eenheid, bracht ik voor het eerst een bezoek aan de plek waar hij had gestaan.
Een paar maanden eerder had ik de stilte over het Elitekommando Ost doorbroken. Ik had het aan mijn vriendin verteld, een Engels meisje dat ik tijdens een boottocht had ontmoet. Maar toen ik het verhaal had gedaan, besefte ik dat ik nog altijd niet met mijn hand op mijn hart kon zeggen wat we nu precies bereikt hadden.
De reis terug was haar idee.
Op een ijskoude middag in oktober gingen we naar Trepow, in wat ooit Oost-Berlijn was geweest, ver verwijderd van de toeristen. Ik parkeerde de auto, stak de weg over en stond daar. De wachttorens waren verdwenen, net als het hek en de mijnen. Er stond alleen nog maar een driehonderd meter lang stuk beton vol graffiti.
Ik merkte niets van de kou of de regen en zag niets van de boodschappen die op de zuilen waren gekalkt. Even voelde ik me weer het zes jaar oude jongetje dat de muur voor het eerst zag.
Ik had niet gemerkt dat Linda uit de auto was gestapt en naast me was komen staan.
Ze pakte mijn handen en hield ze stevig vast. Ik kon zien dat ze had gehuild.
Ik keerde me zwijgend om en keek naar de plek waar de wachttoren had gestaan. Elf jaar geleden waren we hier een gemakkelijk doelwit geweest.
'Het is voorbij,' zei Linda. 'Hier heb je voor gevochten. Hier is Ginger voor gestorven.'